P9-ASN-701
WITHDRAWN
L. R. COLLEGE LIBRARY

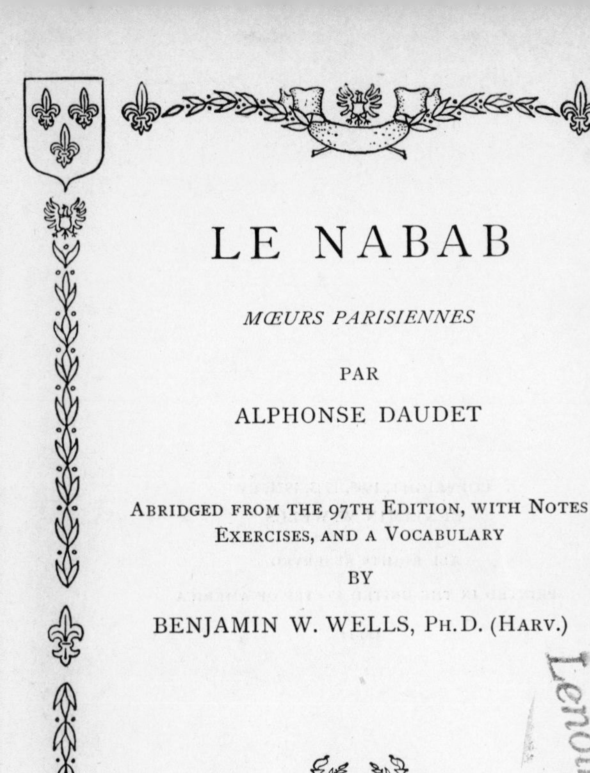

LE NABAB

MŒURS PARISIENNES

PAR

ALPHONSE DAUDET

ABRIDGED FROM THE 97TH EDITION, WITH NOTES
EXERCISES, AND A VOCABULARY
BY

BENJAMIN W. WELLS, PH.D. (HARV.)

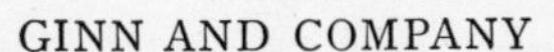

GINN AND COMPANY
BOSTON · NEW YORK · CHICAGO · LONDON
ATLANTA · DALLAS · COLUMBUS · SAN FRANCISCO

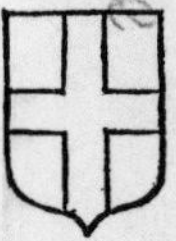

329.12

The Athenæum Press
GINN AND COMPANY · PROPRIETORS · BOSTON · U.S.A.

PREFACE.

IF the "Nabab" could be greatly condensed without loss of literary value, it would not be worth condensing. The justification of such a work as this is that the public for which it is meant is not the public for which Daudet wrote, but one of students, who will read more slowly, and have a different point of view in their æsthetic appreciation. To read the whole of this, or of any similar novel, in a college class would in most of our courses give the author a disproportionate place; yet these naturalistic social studies are perhaps the most striking product of modern French literature and deserve recognition in any serious study of that language. Condensation is therefore a natural recourse, and when we ask ourselves what can best be spared we shall find that we lose least, for our purpose, if we sacrifice the idyllic and romantic portions to the epic and realistic, not because those are less excellent than these, but because they will be less appreciated by our students.

Therefore in this book I have endeavored to unravel the tragic narrative of the Nabab who fell among the thieves of Parisian high-life from the delicate satire in which Daudet has wrapped the plaintive elegy of the shorn lamb, Passajon, and from the romantic "dinner of herbs with love" of Maranne, the photographer and *poète honnête*, and the *famille Joyeuse.* I agree entirely with Zola in his "Romanciers Naturalistes" that these episodes detract from the strength of the "Nabab" more than they add to its charm. The book has been shortened also by the omission of descriptive passages and of such conversation as other excisions made superfluous. Transposition and inversion of clauses and sentences has been used, though sparingly, but the only changes in the text are in simple connectives, in the tenses of verbs, and in the interchange of pronouns and nouns, where omissions made such alterations rhetorically necessary. That the transitions are sometimes abrupt is less the result of the editor's condensation than of the author's peculiar method of composition, which has been discussed at the close of the introduction that follows.

The exercises for translation and the questions for conversation call only for words and constructions found in the text. The vocabulary gives geographical, biographical, and historical clues, and shows alphabetically all peculiar forms. Much effort has been made to reflect in the renderings the subtleties of Daudet's style and to afford material for euphonious, as well as idiomatic and accurate, translation. In Daudet's case attention to this offers occasion for an exercise of linguistic and literary discrimination which may be made of much value.

BENJAMIN W. WELLS

NEW YORK

CONTENTS.

ALPHONSE DAUDET AND HIS WORK.[1]

DAUDET shares the preëminence of Zola in the field of naturalistic fiction, though, as will appear at the close of this study, they have more points of contrast than of resemblance except in their fundamental method. His literary character is the more complex and his life has a more direct bearing on his work. He was born at Nîmes in 1840, the year of Zola's birth at Aix, so that both are natives of Provence, and joint-heirs of its warm imagination. Of his boyhood and early youth Daudet has given us an exquisite sketch in "Le Petit Chose." His father had been a well-to-do silk manufacturer, but while Alphonse was still a child he lost his property and went with his family to Lyons, where the boy read and wrote much but studied little. Poverty presently constrained him, however, to seek the wretched post of usher (*pion*) in a school at Alais, where, from his own account, his life must have been much like that of Nicholas Nickleby at "Dotheboys Hall." After a year of

[1] The most important documents for the study of Daudet are his own: "Souvenirs d'un Homme de Lettres," 1888, and "Trente Ans de Paris," 1880.

I have consulted also with profit:

Zola: "Les Romanciers Naturalistes," pp. 255–332, of which Pellissier: "Le Mouvement Littéraire," pp. 350–355, is a pretty faithful echo; Lanson: "Histoire de la Littérature Française (1056–1057)," whose notice is brief but judicious; Lemaitre: "Les Contemporains," Vol. II., 273–296, and Vol. IV., 217–244. I am not aware of any debt to R. Doumic: "Portraits d'Écrivains," nor to F. Brunetière: "Le Roman Naturaliste," though I have read both.

this slavery he left Alais in desperation and joined his almost equally penniless brother, Ernest, in Paris, in November, 1857. Thus far the autobiography of "Le Petit Chose." The rest of that story, published in 1868, is a not very vigorous poetic fancy; and indeed all of his work prior to the Franco-German war (1870–1871) shows idyllic grace, but lacks force.

His first years of literary life were those of an industrious Bohemian, with poetry for consolation and newspaper work for bread. Zola, who first met him in these years, describes him as "living on the outskirts of the city with other poets, a whole band of joyous Bohemians. He had the delicate, nervous beauty of an Arab horse, with flowing hair, silky, divided beard, large eyes, narrow nose, an amorous mouth, and over it all a sort of illumination, a breath of tender light that individualized the whole face with a smile full at once of intellect and of the joy of life. There was something in him of the French street-boy and something of the Oriental woman." Above all, he was a most winning man, gaining easily patrons, friends, critics, the world, and always gracefully assuming an independence that others might have hesitated to claim.

He had secured a secretaryship with the duc de Morny, President of the *Corps Législatif*, and presiding genius of the Empire, and had won recognition for his short stories in the "Figaro," when in 1859 failing health compelled him to go to Algeria, which he frequently visited, as well as Corsica, in later and more prosperous years. Beside the obvious traces of these visits in the "Nabab," and in many short stories, they gave him, in general, a power of exotic description not common in France, and strengthened his Provençal imagination, while revealing to him its dangers. But, whatever he might owe to the fortunate necessity of this journey, he owed much more to his marriage soon after his return to a lady, whose literary talent comprehended, supplemented, and aided his own. He had lingered in literary Bohemia long enough to know its charm, he left it before he had suffered from its dangers.

Though for five years in the civil service, he was always rather an observer than a politician, and never lost sight of his profession, to which he dedicated himself entirely after Morny's death (1865). He now turned for a time from fiction to the drama, for he had definitely abandoned poetry, and it was not till after the war of 1870 that he became fully conscious of his vocation as a novelist, perhaps through the trials of the siege of Paris and the humiliation of his country, which deepened his nature without souring it.[1]

The years that immediately followed the war were still occupied with short stories and the genial satire of "Tartarin de Tarascon," but in 1874 "Fromont Jeune et Risler Aîné" showed that he was justified in a higher ambition. For, while he has since published several collections of short stories, it is the great series of his Parisian dramas, profound studies of life from life, on which his enduring fame will rest, though the choice, distilled irony of "Tartarin sur les Alpes" (1886) and "Port-Tarascon" (1890) would keep him in lasting remembrance.[2]

The story of Daudet's life is the story of his books, and to trace the development of his genius it is necessary to consider his fiction in its chronological order. For, while a well-defined individuality runs through it all, some qualities will be found to recede, while others grow in prominence, with his maturing genius. The "charm" which almost every critic has attributed

[1] Daudet's dramas are "La Dernière Idole" (1862), "Les Absents" (1864), "L'Œillet Blanc" (1865), "Le Frère Aîné" (1867), "Le Sacrifice" (1869), "L'Arlésienne" (1872), thought by Zola to be his best, "Lise Tavernier" (1872), "Le Char" (1878), "L'Obstacle (1890). He has assisted also in dramatizing most of his novels, but has achieved no great theatrical success.

[2] Beside novels, Daudet has published since 1874, "Contes Choisis" (1879), "Les Cigognes" (1883), "La Belle Nivernaise" (1886), etc., and two volumes of literary and autobiographical fragments cited at the head of this essay.

to his work is most strongly marked in his first book, the poetry of "Les Amoureuses," with its accompanying "Fantaisies" (1857–1861). Both show in its greatest potentiality the idyllic spirit that can be traced in nearly all his later work. These verses to Clairette and Célimène, to robins and bluebirds, and especially the triolets of "Les Prunes," and the fairy fancies in prose, "Âmes du Paradis," "Papillon et Bête à bon Dieu," and "Chaperon Rouge," are just the songs and the tales that *Le Petit Chose* would naturally write or dream in his Robinson's Island at Nîmes, in his truant wanderings at Lyons, or for his *Petits*, the primary class at Alais, and even in those first Paris days before the world came to be "too much with him." All this work is valuable to the critic because it explains how later books of a far higher order than this came to have a romantic, lyric, pathetic, and optimistic element, which by its contrast with the realistic, tragic, satiric, and pessimistic foundation of his novels gives them, not greater strength, but greater fascination and charm.

The effect of Paris on the impressionable youth was to set him in search of new modes of literary expression. He essayed, as we have seen, the drama, and in the "Lettres de mon Moulin" made a considerable advance toward the position he was to occupy later. These stories, published in 1869, had been begun three years before in "L'Événement," a Parisian journal. The prevailing tone was still romantic and fanciful,[1] but there are several stories that in their pathetic humor and delicate observation strike a more realistic key and show the follower of Balzac, the student of the "Comédie Humaine."[2] In grotesque exaggeration "La Diligence de Beaucaire" anticipated "Tartarin," Corsican and Algerian life were realistically studied in several stories, "En Camargue" showed unsuspected

[1] e.g. "La Chèvre de M. Seguin," "La Mule du Pape," "L'Elixir du Père Gaucher," "Le Curé de Cucugnan," "Les Étoiles, ballades en prose."

[2] "Le Portefeuille de Bixiou," "Les Deux Auberges," "L'Arlésienne."

powers of sympathetic description of nature, and in "Nostalgies de la Caserne" we have the first hint of that psychological analysis that is becoming the dominant note in his most recent work. Progress, nowhere startling, was marked in many directions. The "Letters" were full of promises soon to be fulfilled.

For eight years after the publication of the first "Lettres de mon Moulin" Daudet was known as the greatest master of the short story in France. His work showed growing power as it struck deeper roots in the observation of life. In his four volumes of stories from these years[1] there are a few pieces still that recall the earlier manner,[2] but one is most struck by the glowing patriotism, the growth of the urban element, and the development of pathetic social satire, stronger, fuller, yet identical in spirit with that of "Les Deux Auberges" of the ante-bellum period,[3] and, at times, sinking to a more tragic key, as in "Arthur," the story of a drinking workman, whom it is instructive to compare with the Coupeau of "L'Assommoir," or in "La Bataille du Père-Lachaise," a Communistic orgy in the tombs on the eve of defeat and execution.

These delicate cameos in words, which, as a French critic says, are "extremely simple but never banal, and often singular and rare," show everywhere the influence of the Franco-German war. This bitter experience taught him the deep pathos of "Le Siège de Berlin" and "La Dernière Classe," the noble and true poetry of "Le Porte-Drapeau" and "Les Mères"; it inspired the playful fancy of "Les Pâtés de M. Bonnicar," the

[1] "Contes du Lundi" (1873), "Contes et Récits" (1873), "Robert Helmont, Études et Paysages" (1874), "Femmes d'Artistes" (1874). The "Lettres à un Absent" (1871), is no longer in print. A book for children, "Les Petits Robinsons des Caves," belongs also to this period.

[2] "Un Réveillon dans le Marais," "La Soupe au Fromage," "Les Fées de France."

[3] e.g. "Père Achille," "Un Teneur de Livres," "Le Turco de la Commune," "Un Decoré du 15 Août," "La Bohème en Famille," "Le Ménage de Chanteurs." Psychological analysis is represented by "Maison à Vendre" and "Le Bac.'

exuberant satire of "La Défense de Tarascon," and the bitter realism of "Le Bac." We find already studies for his Jack, for the Nabab and for Mora. His humor has grown keener, his satire sharper, his knowledge of the darker side of life is vastly more minute, and yet his wide sympathy has suffered no loss. He has proved his armor at every part, and his first venture in the higher field of the realistic novel, "Fromont Jeune et Risler Aîné" (1874) shows already the hand of the master.

Hence the short stories printed since 1874 may be briefly dismissed. They exhibit sustained but not advancing power.[1] For that, we must look to the profound social studies of his "Parisian Dramas" and to the humorous Tarasconades of his Tartarin.[2] These last demand and deserve a fuller notice.

Tarascon is a city on the Rhône near Avignon and not far from Nîmes, the birthplace of Daudet. In his hands it becomes a type of that South of France which plays so large a part in every department of his work. None has caught as he, with such delicately keen perception and such sympathy, that exuberant character that beneath the sun of Provence sees all in a mirage and lives in an unreal world, a self-created environ-

[1] "Contes Choisis" (1879) are reprinted from earlier publications. "La Belle-Nivernaise" (1886) is an exquisite idyl of boy life. "Les Cigognes" (1883) is juvenile.

[2] The Novels in chronological order are: "Fromont Jeune et Risler Aîné" (1874), "Jack" (1876), "Le Nabab" (1878), "Rois en Exil" (1879), "Numa Roumestan" (1880), "L'Évangeliste" (1883), "Sapho" (1884), "L'Immortel" (1888), "Rose et Ninette" (1891), "La Petite Paroisse" (1895). The humorous satires are: "Tartarin de Tarascon" (1872), "Tartarin sur les Alpes" (1886), "Port-Tarascon" (1890).

Some idea of the relative popularity of these books may be gained from their sale. This, according to the latest figures available to me, has been as follows: "Tartarin sur les Alpes," 188,000; "Sapho," 166,000; "Tartarin de Tarascon," 120,000; "Le Nabab," 97,000; "Fromont Jeune et Risler Aîné," 95,000; "L'Immortel," 94,000; "Numa Roumestan," 77,000; "Jack," 71,000; "L'Évangéliste," 42,000; "Les Rois en Exil," 22,000. "Trente Ans de Paris" has had a sale of 44,000. The other volumes of souvenirs and stories average about 30,000.

ment, and yet charms in spite of its persistent self-deception. He has himself described it in his "Numa" as "pompous, classical, theatrical, loving parade, costume, the platform, banners, flags, trumpets; clannish, traditional, caressing, feline, with an eloquence, brilliant, excited and yet colorless; quick to anger but with a little pretence in its expression, even when the anger is sincere." Such is the *Midi*, and such are the Nabab and Numa, and many others in their different kinds, and such is Tartarin, the immortal type of them all.

He is first introduced to us as the hero of hunting parties, who, for the lack of game, shoot at caps that they toss in the air. A caged lion fires his imagination, and insensibly his assumption of superior courage forces Tartarin-Quixote, much against the will of his other self, Tartarin-Sancho, to go to Algeria to hunt the lions that have long ceased to exist there. He returns, however, with a melancholy camel, almost persuaded that he has really done feats of heroism while enjoying an Oriental *dolce far niente*, and he seems to have earned for the rest of his life the privilege to dazzle the imagination of his worthy fellow-citizens when this story ends. The whole is one long piece of delicious persiflage by a Provençal of his brother Provençals, often perilously grazing the burlesque, but always saved from buffoonery by an unfailing tact that makes the reader feel that it is the comic side of truth, and not a caricature.

Fourteen years later came "Tartarin sur les Alpes," the masterpiece of French humor in this century. Here Tartarin-Quixote has once more involved his brother Sancho in trouble, and to support his dignity as President of the Alpine Club, whose excursions are limited to the pleasant hill-sides of the Alpilles, he undertakes a trip to Switzerland with all the paraphernalia of an expert climber. The incongruity of the dangers conjured up by his southern imagination with the prosaic tourist life that surrounds him forms the basis of the narrative, which introduces its protagonist with ice-pick, climbing-irons, snowglasses, rope, and alpine-stock, into the palatial hotel on the summit of the Rigi, where there is an elevator and a *table d'hôte* with six hundred guests. But the good-humored satire is by no means confined to Tartarin. It takes in all manner of Alpine tourists from the English miss and the Russian Nihilistic maiden to the shady spirits of the Jockey Club, and culminates in a colossal fancy of his fellow Tarasconian, Bompard, the Swiss Exploitation Trust, which, according to him, keeps the country in order for visitors, and maintains crevasses so as to offer a pretence of danger. All of which Tartarin devoutly believes, and becomes as nonchalant in real peril as he was excited while hunting the tame chamois that was fed in the hotel kitchen and taught to exhibit itself on a cliff to attract strangers. At the close each Tarasconian thinks he has sacrificed the life of the other to his own safety by cutting the cord that united them, while both are safe and sound. Tartarin returns to Tarascon as Bompard is telling of his comrade's fate. The Alpine Club is a little dazed but not so very much surprised, for Provençals understand one another.

"Port-Tarascon," a story of colonization, is inferior to the Alpine Tartarin, though it is a delightful piece of work and has been well translated by Henry James. But Daudet must have felt that he had worked that vein out, for in this book he has brought Tartarin's life to a worthy close. It is interesting to study this side of Daudet's talent, where the poetic and romantic imagination of the "Amoureuses" and the "Fantaisies" finds a free scope still, while in the work that remains for us to consider we shall see it gradually subordinated to a realism more complete perhaps than that of any contemporary novelist.

For in the "Parisian Dramas" Daudet is a most anxious student of real life, and it is this truthfulness, this observation, in which all his novels strike their roots, that is the key to his strength. He departs from it at times, as will appear, but never without a conscious purpose, though never, I think, without loss.[1] So when he is maturing his first novel he studies its environment on the spot, takes lodgings among the factories, and lets this new life work upon him and for him. "Fromont Jeune et Risler Aîné" is the study of an honest and talented man whose efforts raise him socially into a society against the corruption of which he has no defence and from which he escapes only by suicide. In working his way from the shop to the counting-room, and from poverty to wealth, Risler has not acquired the social wisdom that might have guarded him from marriage with Sidonie, the fascinating but unscrupulous, ambitious, worldly and revengeful Parisian of the struggling middle class. This evil genius is contrasted with the domestic simplicity of Desirée Dolabelle and her mother, who adore the unappreciated genius of the decayed actor, her father, perhaps the most genially conceived character in the novel, with many suggestions of the happiest creations of Dickens, one of those *Ratés* who furnish the mark for the keenest shafts of irony in "Jack." Sidonie deceives her husband, degrades his brother, shatters Fromont's conjugal peace, and finds a congenial place at last on a dance-hall stage. The closing words of the book suggest that Daudet regards her as the natural product of her environment.

"Jack," Daudet's next and longest novel, is called by its author "a work of pity, anger, and irony." This narrative of a whole storm-tossed existence shows greater breadth of conception and description, and also a greater sadness of tone; for the tragedy, while less general, is more minute and harrowing. Paris is again the centre of the story, though its course takes the reader to Nantes, to the shipyards of Indret, and into the stoking-room of an ocean steamer. The central figure is an illegitimate child, petted and neglected at home, but never governed, and forced at last into a struggle for existence, for

[1] The Joyeuse episode in the "Nabab" is an instance, though even this has a kernel of truth. See "Trente Ans de Paris," p. 34.

which he has been studiously unfitted, to be crushed by the thoughtlessness of his mother and the mean spirit of d'Argenton, the poet, who, with his attendant group of *Ratés*, the failures of literature and art, forms a sort of mutual admiration club envious only of recognized talent. In bringing Jack face to face with the sombre realities of a day-laborer's life, Daudet was first among the Naturalists to make an honest study of the condition of the great artisan class. This is at once the most novel and the most effective part of the book. The stoking-room, the wedding feast at Saint-Mandé, the forge at Indret, are the scenes that cling longest to the memory, while the more romantically conceived friends of Jack, the humble Dr. Rivals, the ironworker Roudic, and the *Camelot* Bélisaire, grow dim beside the good-humored thoughtlessness of his mother, who spoils, neglects, betrays, and ruins the son she thinks she loves.

The "Nabab," two years later, shows a greater advance in epic and tragic power over "Jack" than "Jack" had done over "Fromont." Indeed, in its combination of the pathetic and idyllic with playful humor and indignant satire, the "Nabab" is the most characteristic of all Daudet's novels. It owes no small part of its strength to the skill with which the author has turned to account the observations of his years as secretary to the duc de Morny, whom he has presented here as Mora, with other well-known figures in that strange social scum on the caldron of the Second Empire. Throughout, he has been faithful to the spirit of history if not to its letter. He tells us himself in his preface that the Nabab recalls "a singular episode of cosmopolitan Paris fifteen years ago," and he refers us to the "Moniteur Officiel" of February, 1864, for a close parallel to the contest for the Nabab's Corsican seat, the chief difference being, though Daudet does not say so, that the true Nabab got his money in Egypt, in ways even more devious than those of Jansoulet, and that he got himself elected three times by lavish use of money for the district of Gard, only to

find his election thrice annulled as a useless and inopportune scandal. The true Nabab lived for some years in poverty and contempt, and died after the fall of the Empire, a denouement that Zola finds more tragic than that of the novel, though Daudet might reply that it is less dramatic.

In Mora the duc de Morny is drawn by his private secretary with a kindly hand that hardly does justice to his cynical selfishness. "I have painted him," says the author, "as he loved to show himself in his Richelieu-Brummel attitude. . . . I have exhibited . . . the man of the world that he was and wished to be; assured, too, that while he was alive he would not have been displeased to be presented thus." And just as Mora is in the very letters of the name but a thin disguise for Morny, so Bois-Landry and Monpavon are but slightly altered names of men well known to the Paris of their time; and critics claim to recognize the originals of Moëssard, of Le Merquier, and of Hemerlingue. Félicia Ruys was said by some to be studied from Sarah Bernhardt, though others as positively deny the resemblance; all agree that Cardailhac is the theatrical manager Roqueplan. In manner Jenkins is Dr. Olliffe, but the famous arsenic pills belong to another physician, and the "Bethlehem"[1] is taken almost literally from a report on "La Pouponnière," an institution founded by equally philanthropic men with similar intentions and like results.

In this essentially Parisian drama, Daudet has drawn on his imagination almost solely for Madame Jenkins and her son André, for de Géry, for Passajon, and for the Famille Joyeuse. Zola says that Daudet told him he thought this a wise concession to popular taste, and seemed to imply that it was contrary to his own judgment, as it was to his critic's.[2] The grotesque may be appropriately mingled with the tragic, but sentimental

[1] An orphan asylum much subordinated in this abridgment.

[2] Zola, l.c. 329. It is by subordinating these parts that the present condensation is effected.

pathos of the "Tiny Tim" type, however skilfully done, does not deepen the impressive dignity of such scenes as the death and funeral of Mora, the stern satire of Jansoulet's end, or the broad epic strokes of "Les Fêtes du Bey." Daudet continued to use similar contrasts in later novels, but they are less prominent and less sharp as the writer grows surer of his naturalism.

His next novel, however, "Les Rois en Exil," was of necessity less a product of personal observation than of popular report and of constructive imagination. Hence, from our study of Daudet's methods, it will cause no surprise to find him say: "This is one of my books that gave me most trouble to set up, that I carried longest with me, kept in my head as a title and dim design as it appeared to me one evening on the Place du Carrousel through the tragic rent in the Parisian sky made by the ruins of the Tuileries" ("Souvenirs," p. 111). He wished, he says, to write the drama of princes self-exiled to the gay capital after their governmental bankruptcy, a book of modern history torn from the vitals of life, not excavated from the dust of archives. Many such rulers there were in the Paris of that day, from the notorious Isabella of Spain to the dignified and melancholy king of Hannover and the unsavory Francis II. of Naples, whose heroic German wife seems to have furnished more than one trait for the noble Queen Frédérique of the novel. The tragic beauty of this character, the greatest charm of the book, shows a more creative and clairvoyant vision than had appeared in any of his previous stories. Other characters were studied more directly from life; for instance, Méraut, the too ardent legitimist, and that delightful exploiter of high life, Tom Lévis; but all of Daudet's exuberant imagination was needed to do justice to the reality of this product of the mad years of the closing Empire. Yet perhaps the most remarkable element in the book is its sympathetic charm, so great that it won praise alike from royalist and republican.

But while, as a study of political psychology, the "Kings in

Exile" has great merits, it marks no advance over the "Nabab" as a work of fiction. It bears constant witness to the slow and reluctant process of its production. The characters, especially Méraut and Frédérique, may be more subtly drawn; it is indeed just in this direction that Daudet will still make the greatest progress; but yet we feel that we are moving in a realm of thought and interests foreign alike to him and to us, and, while the dignified pathos that befits the tale of the collapse of an ancient social order is not wanting, there are no scenes of such broad sweep and vivid color as were found in the "Nabab," and reappeared in all their brilliancy in "Numa Roumestan."

For, while "Numa" is a Parisian drama, the author has turned for his inspiration to the sun of his native Provence, fusing for us the spirit of "Fromont" and of "Tartarin." Numa, the statesman whose southern imagination finds it so easy to promise and so hard to keep, is so true to nature that every prominent politician of the South of France seems to have seen some of his features in it, though few had the magnanimity of Gambetta, to laugh at the thought of intentional portraiture. A more individualized study of the same race is the tambourinist Valmajour. He, as Daudet confesses, had his living parallel: the rest were "bundles of diverse sticks" ("Souvenirs," 48),—a phrase borrowed from Montaigne. The author tells us that he regards "Numa" as "the least incomplete of all his works," and in its structure and plot it is certainly more closely knit than the "Nabab," with its series of brilliant but disconnected scenes. He says, also, that it is the book into which he has put most invention, and contrasts it with the labored production of "Kings in Exile." It is probable that we should understand this not as though he had been here more independent of those little note-books to which he often refers in his "Souvenirs," but rather that in "Numa" these observations seemed to him more completely and successfully fluxed in his mind. As a result of this, the story becomes more consecutive, more closely articulated, less a series of episodes, than the "Nabab," or the "Kings in Exile." There is here less breadth of narration, but an equal humor, and a profounder analysis of character, while the tragic notes, if less deep, are more sustained. For the whole warp and woof of the book is a tragedy of effervescent optimistic imagination in its jostling with the realities of life. This generous emotion distorts the judgment of Numa, whose facile promises and light-hearted thoughtlessness destroy the happiness of one existence after another, while his own buoyancy shields him in great measure from the troubles he causes, a result that is quite true to nature. It is the same mental mirage that he had already studied from the comic side in "Tartarin" that appears here in its tragic aspects, while in the love of the consumptive Hortense the same psychologic condition is exhibited in its idyllic possibilities; in the tambourinist Valmajour it is tragi-comic, and wholly comic in Bompard, a figure borrowed from "Tartarin." Opposed to all these in character is Rosalie, Numa's wife, who has enough Parisian clairvoyance to see the world as it is, but is not the happier for the vision. Nowhere had Daudet's satire been so delicate or so pitiless as in this book, which marks the beginning of the third phase of his genius, and in its peculiar excellence is not yet surpassed.

"L'Évangeliste" continues the closer method of composition, and like all of the later novels it is shorter than "Fromont," "Jack," or the "Nabab." Its author calls it an "observation" and a "*roman*" in distinction from earlier *drames*, for it is more a psychological study than a novel of action. The morbid pathology of religious enthusiasm and ambition for spiritual dominion is exhibited in Madame Autheman and Mademoiselle de Beuil, its stern self-sacrifice and rooting out of human affections for what it calls the love of God is shown in the pitiful story of Éline Ebsen, while as a foil to these Protestants the devout Catholic Henriette serves to illustrate the weakening of character that may arise from too great spiritual dependence. To positive, relentless, logical force of character the weaker and simpler natures yield, or are crushed. Never has Daudet been so pessimistic as here. All who win our sympathy end by claiming our pity. Madame Autheman drives her husband to suicide by her coldness, she breaks the heart of Éline's mother and of her betrothed by nursing the young girl's religious fervor into monomania, she wrecks the fortunes of the good pastor Aussandon and the humble domestic joys of Romain and Silvanine, who cross her path. The humor of the tale is wholly saturnine, the touch is light, but the pen-point is sharp, its caustic mordant falls drop by drop on cant and hypocrisy, and exposes them by excoriation.

"L'Évangéliste" was followed by "Sapho," the most widely circulated of Daudet's novels, partly because of its literary strength, partly because its subject interested a wider audience. Dedicating his novel: "To my sons when they are twenty," he proposed to show in it the dangers to heart, mind, character, and worldly success that spring from *collage*, that attempt at domestic life outside of legitimate marriage. This particular social ulcer seems a grave peril in France, but in our Anglo-Saxon race it has never been a serious menace, and so to us this story has less interest and value, in spite of its minute psycho-physiology, its serious purpose, and occasional passages of great strength, which are unrelieved here, as in "L'Évangéliste," by lighter touches, and that purposely. For that Daudet had lost none of his humorous power was attested two years after "Sapho" in "Tartarin sur les Alpes."

"L'Immortel" offers a more varied picture. Primarily it is a satire on myopic scholarship and the French Academy, a satire so obviously and inexplicably unjust that it blinds the reader at first to the real value of the work, which none but Daudet could have written. The lightness of humor that seemed excluded by design from "Numa," "Sapho," and "L'Évangéliste," plays all through "L'Immortel" with lambent flames, making the whole a veritable "literary Leyden-jar." That episode at de Rosen's tomb, with its inscription, "Love is stronger than death," has a *vis comica* that makes it one of the best presentations in literature of a situation as old as civilization, and so true to human nature that we may trace it from China to mediæval England. Here the widow in her weeds, like a nineteenth century "Matron of Ephesus," receives the first caress of her new lover, who, by a sudden inspiration, that is one of Daudet's happiest hits, has transferred his facile affections to her from her rival at the moment when both her disappointed ambition and his own are in need of consolation. There is an epic breadth, too, in the trial of Fage that had not been equalled since the "Nabab." Yet on the whole the book is unsatisfactory. Not only is the object of attack unwisely chosen, the attack itself has not sufficient appearance of justice to carry our sympathy in spite of its partial foundation in fact. It seems hardly credible that the gullible Astier-Réhu should be of the Academy. In any case he is not typical of it. The intrigues of his wife are probable enough, but her contemptuous discarding of Astier at the close is at least as inexplicable as it is cruel. Far more interesting are the secondary characters, Astier's son Paul, the "struggle-for-lifer," the unscrupulous believer in the survival of the smartest, Freydet, the aristocratic aspirant for academic recognition, and the bookbinder Fage, the evil genius of the book, who, like Tom Lévis, recalls the exaggerated manner of Dickens. Interesting, too, is the introduction into the story of the author himself under the mask of Védrine, and the thin disguise of his friend Zola as Dalzon.

"L'Immortel" was followed by the "Port-Tarascon," and this by "Rose et Ninette" (1891), a slighter study than its predecessors, but yet an analysis as careful and as earnest as any of them, of the effects of the new divorce laws that are connected with the name of Senator Naquet (1886), both on the separated parties and on their children who may be old enough to feel the changed and strained relations.

Finally, in "La Petite Paroisse" (1895), Daudet has devoted his talent to a study of jealousy in its various shades, from the voluble rage of Rosine and the tardy retrospective prudence of the old forester, Sautecœur, to the paralytic Duke of Alcantara, who sees with impotent bitterness the conquest that he had begun achieved by his son, the precocious *blagueur* Charley, Prince of Olmütz, while the whole study of jealousy culminates in the central figure Richard, strong in body, weak in will, betrayed because despised.

Two features, the one stylistic, the other ethical, are noteworthy in Daudet's latest work. Here first he has adopted the symbolic method that Zola and Ibsen also use with such effect. The rhythmic recurrence of the little church marks every stage in the development of the theme over which it seems to preside. But still more significant is the recognition of the evangelical ethics of the Russian school as a present moral force in French society, before which the stern pessimism of the older Naturalists, with its retributive justice, deliquesces into sentimental pity and weak pardon, — another phase of the anæmia of the will, a sort of moral anæsthetic with which our *fin de siècle* is toying. Daudet, indeed, treats this spirit with delicate irony, but yet he yields to it somewhat, and so the psychic analysis, both in the case of Richard and of his wife, Lydie, becomes much looser than is usual in the better work of this author.

The general characteristics of Daudet's earlier manner are grace, charm, and pathos, all qualities that seem to belong to that sunny south of France which he has satirized so playfully in "Tartarin," so kindly in the "Nabab," so sternly in "Numa Roumestan." To these elements he added, in growing measure after 1871, a minute, careful observation, which gave him a keener insight into social wrongs, and changed his playful humor to bitter satire. But to this naturalistic temper he brought the poet's mind, and it is this that differentiates him from Zola and his school, as well as from their predecessors, Stendhal and Balzac, and gives him many points of nervous contact with Dickens, so that his mind "gallops in the midst of the real, and now and again makes sudden leaps into the realm of fancy"; for "nature has placed him where poetry ends, and reality begins" (Zola). This poet's vision gives to much of Daudet's work the appearance of a kindly optimism that prefers, even in evil, to see the ridiculous, rather than the base, though in his later books he has separated these elements, and has been either frankly humorous or profoundly earnest. But a permanent result of his temperament has been that his satire still keeps much of the irony that originally characterized it almost altogether. This irony is the hardest to seize, the most evanescent of all literary forms, but it is one of the most charming of all; and, in one with as keen a sense of humor as Daudet, one of the most effective. It betrays its possessor, however, into a greater subjectivity — more expression of personal sympathy for his characters than is consistent with the canons of strict naturalism. This is especially noticeable in "Fromont" and "Jack," but Numa and Astier win his sympathy at the last, and his Nabab has it from the first in spite of all his faults and foibles. Yet Daudet's subjectivity is more veiled than that of Dickens, and often suggests the more delicate processes of Thackeray.

The poetic element, as has been shown, was most prominent in the earlier work, and it is in this that we find the greatest care for form. An analysis of even the slighter sketches will reveal conscientious elaboration in structure and phraseology, though the artist in him preserved his work from the extreme meticulousness of Flaubert. But when we come to the longer novels we shall find this care more manifested in the working up of single episodes, than in the structure of the whole. He has not the architectural power of Zola. All that can be observed — the individual picture, scene, character — is done with wonderful accuracy, but the transitions, especially in the earlier novels, are often strangely abrupt, as though the writer were in haste to pass over the treacherous quicksand of fancy to the sure ground of the human document. As a rule, one of Daudet's novels is a series of carefully elaborated chapters, but the reader must make for himself the leap from one to another, with abrupt changes of scene and time, and even some development of character, of which the text will afford only a hint or passing allusion. It is not easy, for instance, to account for the acts or thoughts of Countess Padovani in "L'Immortel," nor for those of Félicia in the "Nabab," without summoning imagination to supplement the material given us; not indeed that their conduct seems inexplicable or improbable, but only that the author asks the coöperation of his readers.

Much of this lack of close articulation may be due to the method of composition. Daudet tells us that he sketches out his first drafts at white heat, living his scenes, and of course laying stress on the high lights in his canvas. Then, when once the characters are all alive in his mind, he sets them to work, "he gives us what has made his heart beat and his nerves throb, and his personages are dramatic and picturesque because they have lived in his mind."[1] These are not novels with a purpose, starting from some preconceived conception: they are the result of that "multitude of little note-books," always with him and always accumulating new material. Around a central figure others group themselves; the notes become a book. "After nature," he said, "I never had any other method." And that he might attain this the more fully he denied himself

[1] "Trente Ans de Paris," p. 280. Cp. also Pellissier, p. 351, who seems to have borrowed from Zola.

a too careful revision, fearing that by it his work might lose its passion, sympathy, and straightforward natural diction.

These native qualities, and this method, have at last produced a style that attains the highest effects of art without artificiality and is at once classical and modern. In this, as in much else, Daudet forms an instructive contrast to Zola, his greatest contemporary in French fiction, "of the same school but not of the same family." Zola is methodical, Daudet spontaneous. Zola works with documents, Daudet from the living model. Zola is objective, Daudet with equal scope and fearlessness shows more personal feeling and hence more delicacy. And in style also, Zola is vast, architectural; Daudet slight, rapid, subtle, lively, suggestive. Both have in them elements of the poet and idealist, but Zola is essentially epic, Daudet more idyllic. And finally in their philosophy of life, Zola will make us hate vice and wrong, Daudet will win our love for what is good and true. Zola's pessimism may be a tonic for strong minds, Daudet's is less likely to be misunderstood, while in them both there is a noble earnestness that we miss in the later Naturalists or the decadent Psychologists, in Maupassant, and Prévost, and in all but the latest work of Bourget and Margueritte.

What precedes was first printed in 1895. Daudet died December 15, 1897. Neither further reflection nor consideration of his posthumously published "Le Soutien de Famille" and "La Fédor" have greatly modified judgments then expressed. His place as social satirist and master word-painter of subtle impressions was already fixed. His preëminence in his own fields is still unchallenged.

LE NABAB.

I.

LES MALADES DU DOCTEUR JENKINS.

DEBOUT sur le perron de son petit hôtel de la rue de Lisbonne, rasé de frais, l'œil brillant, la lèvre entr'ouverte d'aise, ses longs cheveux vaguement grisonnants épandus sur un vaste collet d'habit, carré d'épaules, robuste et sain comme un chêne, l'illustre docteur irlandais Robert Jenkins,[1] chevalier du Medjidié [2] et de l'ordre distingué de Charles III d'Espagne, membre de plusieurs sociétés savantes ou bienfaisantes, président fondateur de l'œuvre de Bethléem, Jenkins enfin, le Jenkins des perles Jenkins à base arsenicale, c'est-à-dire le médecin à la mode de l'année 1864, l'homme le plus occupé de Paris, s'apprêtait à monter en voiture, un matin de la fin de novembre. 5 10

D'abord à l'hôtel de Mora.[3] C'était, sur le quai d'Orsay, tout à côté de l'ambassade d'Espagne, dont les longues terrasses faisaient suite aux siennes, un magnifique palais ayant son entrée principale rue de Lille et une porte sur le bord de l'eau. Dans la confusion du brouillard, on apercevait une dizaine de voitures rangées en ligne, et le long d'une avenue d'acacias, tout secs en cette saison et nus dans leur écorce, les silhouettes de palefreniers anglais [4] promenant à la main les chevaux de selle du duc. Tout révélait un luxe ordonné, reposé, grandiose et sûr. 15 20

"J'ai beau venir matin,[1] d'autres arrivent toujours avant moi," se dit Jenkins en voyant la file où son coupé prenait place ; mais, certain de ne pas attendre, il gravit, la tête haute, d'un air d'autorité tranquille, ce perron officiel que franchis-
5 saient chaque jour tant d'ambitions frémissantes, d'inquiétudes aux pieds trébuchants. Il saluait d'un "bonjour, mes enfants" le suisse poudré, au large baudrier[2] d'or, les valets de pied en culotte courte, livrée or et bleu, tous debout pour lui faire honneur, effleurait du doigt la grande cage des ouistitis pleine de
10 cris aigus et de cabrioles, et s'élançait en sifflotant sur l'escalier de marbre clair rembourré d'un tapis épais comme une pelouse, conduisant aux appartements du duc. Depuis six mois qu'il venait à l'hôtel de Mora, le bon docteur ne s'était pas encore blasé sur l'impression toute physique de gaieté, de légèreté que
15 lui causait l'air de cette maison.

Quoiqu'on fût chez le premier fonctionnaire de l'empire, rien ne sentait ici l'administration ni ses cartons de paperasses poudreuses. Le duc n'avait consenti à accepter ses hautes dignités de ministre d'État, président du conseil, qu'à la condition
20 de ne pas quitter son hôtel ; il n'allait au ministère qu'une heure ou deux par jour, le temps de donner les signatures indispensables, et tenait ses audiences dans sa chambre à coucher. En ce moment, malgré l'heure matinale, le salon était plein. On voyait là des figures graves, anxieuses, des préfets
25 de province aux lèvres rases, aux favoris administratifs,[3] un peu moins arrogants dans cette anti-chambre que là-bas dans leurs préfectures, des magistrats, l'air austère, sobres de gestes, des députés aux allures importantes, gros bonnets de la finance,[4] usiniers cossus et rustiques,[5] parmi lesquels se détachait çà et
30 là la grêle tournure ambitieuse d'un substitution[6] d'un conseiller de préfecture, en tenue de solliciteur, habit noir et cravate blanche ; et tous, debout, assis, groupés ou solitaires, crochetaient silencieusement du regard cette haute porte fermée sur leur destin, par laquelle ils sortiraient tout à l'heure triom-

phants ou la tête basse. Jenkins traversa la foule rapidement, et chacun suivait d'un œil d'envie ce nouveau venu que l'huissier à chaîne,[1] correct et glacial, assis devant une table à côté de la porte, accueillait d'un petit sourire à la fois respectueux et familier. 5

"Avec qui est-il ?" demanda le docteur en montrant la chambre du duc.

Du bout des lèvres, non sans un frisement d'œil légèrement ironique, l'huissier murmura un nom qui, s'ils l'avaient entendu, aurait indigné tous ces hauts personnages attendant depuis une 10 heure que le costumier de l'Opéra eût terminé son audience.

Un bruit de voix, un jet de lumière... Jenkins venait d'entrer chez le duc ; il n'attendait jamais, lui.

Debout, le dos à la cheminée, serré dans une veste en fourrure bleue dont les douceurs de reflet affinaient une tête éner- 15 gique et hautaine, le président du conseil faisait dessiner sous ses yeux un costume de pierrette[2] que la duchesse porterait à son prochain bal, et donnait ses indications avec la même gravité que s'il eût dicté un projet de loi.

"Ruchez la fraise très-fin et ne ruchez pas les manchettes... 20 Bonjour, Jenkins... Je suis à vous."

Jenkins s'inclina et fit quelques pas dans l'immense chambre dont les croisées, ouvrant sur un jardin qui allait jusqu'à la Seine, encadraient un des plus beaux aspects de Paris, les ponts, les Tuileries, le Louvre, dans un entrelacement d'arbres noirs 25 comme tracés à l'encre de Chine[3] sur le fond flottant du brouillard. Un large lit très-bas, élevé de quelques marches, deux ou trois petits paravents de laque aux vagues et capricieuses dorures, indiquant ainsi que les doubles portes et les tapis de haute laine, la crainte du froid poussée jusqu'à l'excès, 30 des sièges divers, chaises longues, chauffeuses, répandus un peu au hasard, tous bas, arrondis, de forme indolente ou voluptueuse, composaient l'ameublement de cette chambre célèbre où se traitaient les plus graves questions et aussi les plus légères avec le même sérieux d'intonation. Au mur, un beau portrait de la duchesse ; sur la cheminée, un buste du duc, œuvre de Félicia Ruys, qui avait eu au récent Salon les honneurs d'une première médaille.

5 " Eh bien ! Jenkins, comment va,[1] ce matin ? dit l'Excellence en s'approchant, pendant que le costumier ramassait ses dessins de modes, épars sur tous les fauteuils.

— Et vous, mon cher duc ? Je vous ai trouvé un peu pâle hier soir aux Variétés.[2]

10 — Allons donc ! Je ne me suis jamais si bien porté... Vos perles me font un effet du diable... Je me sens une vivacité, une verdeur... Quand je pense comme j'étais fourbu[3] il y a six mois."

Jenkins, sans rien dire, avait appuyé sa grosse tête sur la 15 fourrure du ministre d'État, à l'endroit où le cœur bat chez le commun des hommes. Il écouta un moment pendant que l'Excellence continuait à parler sur le ton indolent, excédé, qui faisait un des caractères de sa distinction.

" Avec qui étiez-vous donc, docteur, hier soir ? Ce grand 20 Tartare bronzé qui riait si fort sur le devant de votre avant-scène ?...

— C'était le Nabab, monsieur le duc... Ce fameux Jansoulet, dont il est tant question[4] en ce moment.

— J'aurais dû m'en douter. Toute la salle le regardait. 25 Les actrices ne jouaient que pour lui... Vous le connaissez ? Quel homme est-ce ?

— Je le connais... C'est-à-dire je le soigne... Merci, mon cher duc, j'ai fini. Tout va bien par là... En arrivant à Paris, il y a un mois, le changement de climat l'avait un peu éprouvé. 30 Il m'a fait appeler, et depuis m'a pris en grande amitié... Ce que je sais de lui, c'est qu'il a une fortune colossale, gagnée à Tunis, au service du bey, un cœur loyal, une âme généreuse, où les idées d'humanité...

A Tunis ?... interrompit le duc fort peu sentimental et

humanitaire de sa nature... Alors, pourquoi ce nom de Nabab?

—Bah! les Parisiens n'y regardent pas de si près... Pour eux, tout riche étranger est un nabab, n'importe d'où il vienne. ... Celui-ci du reste a bien le physique de l'emploi, un teint 5 cuivré, des yeux de braise ardente, de plus une fortune gigantesque dont il fait, je ne crains pas de le dire, l'usage le plus noble et le plus intelligent. C'est à lui que je dois,—ici le docteur prit un air modeste,—que je dois d'avoir enfin pu constituer l'œuvre de Bethléem pour l'allaitement des enfants, 10 qu'un journal du matin, que je parcourais tout à l'heure, le *Messager*, je crois, appelle "la grande pensée philanthropique du siècle."

Le duc jeta un regard distrait sur la feuille que Jenkins lui tendait. Ce n'était pas celui-là qu'on prenait avec des phrases 15 de réclame.[1]

"Il faut qu'il soit très riche, ce M. Jansoulet, dit-il froidement. Il commandite[2] le théâtre de Cardailhac. Monpavon lui fait payer ses dettes, Bois-l'Héry lui monte une écurie, le vieux Schwalbach une galerie de tableaux... C'est de l'argent, 20 tout cela."

Jenkins se mit à rire:

"Que voulez-vous, mon cher duc, vous le préoccupez beaucoup, ce pauvre Nabab. Arrivant ici avec la ferme volonté de devenir Parisien, homme du monde, il vous a pris pour modèle 25 en tout, et je ne vous cache pas qu'il voudrait bien étudier son modèle de plus près.

—Je sais, je sais... Monpavon m'a déjà demandé de me l'amener... Mais je veux attendre, je veux voir... Avec ces grandes fortunes, qui viennent de si loin, il faut se garder... 30 Mon Dieu, je ne dis pas... Si je le rencontrais ailleurs que chez moi, au théâtre, dans un salon...

—Justement madame Jenkins compte donner une petite fête le mois prochain. Si vous vouliez nous faire l'honneur...

— J'irai très volontiers chez vous, mon cher docteur, et dans le cas où votre Nabab serait là, je ne m'opposerais pas à ce qu'il me fût présenté."

A ce moment l'huissier de service entr'ouvrit la porte.

5 "M. le ministre de l'intérieur est dans le salon bleu... Il n'a qu'un mot à dire à Son Excellence... M. le préfet de police attend toujours en bas, dans la galerie.

— C'est bien, dit le duc, j'y vais... Mais je voudrais en finir avant avec ce costume... Voyons, père chose,[1] qu'est-ce que 10 nous décidons pour ces ruches? A revoir, docteur... Rien à faire, n'est-ce pas, que continuer les perles?

— Continuer les perles, dit Jenkins en saluant; et il sortit, tout radieux des deux bonnes fortunes qui lui arrivaient en même temps, l'honneur de recevoir le duc et le plaisir d'obliger 15 son cher Nabab. Dans l'anti-chambre, la foule des solliciteurs qu'il traversa était encore plus nombreuse qu'à son entrée; de nouveaux venus s'étaient joints aux patients de la première heure, d'autres montaient l'escalier, affairés et tout pâles, et dans la cour, les voitures continuaient à arriver, à se ranger en 20 cercle sur deux rangs, gravement, solennellement, pendant que la question des ruches aux manchettes se discutait là-haut avec non moins de solennité.

— Au cercle, dit Jenkins à son cocher."

Du haut en bas de cette grande maison de jeu,[2] les domes-25 tiques circulaient, secouant les tapis, aérant les salons où flottait la buée des cigares, où des monceaux de cendre fine tout embrasée s'écroulaient au fond des cheminées, tandis que sur les tables vertes, encore frémissantes[3] des parties de la nuit, brûlaient quelques flambeaux d'argent dont la flamme montait 30 toute droite dans la lumière blafarde du grand jour. Le bruit, le va-et-vient s'arrêtaient au troisième étage, où quelques membres du cercle avaient leur appartement. De ce nombre était le marquis de Monpavon, chez qui Jenkins se rendait.

"Comment ! c'est vous, docteur ?... Diable emporte !...[1] Quelle heure est-il donc ?... Suis pas visible.

— Pas même pour le médecin ?

— Oh ! pour personne... Question de tenue, mon cher... C'est égal, entrez tout de même... Chaufferez les pieds un 5 moment pendant que Francis finit de me coiffer."

Jenkins pénétra dans la chambre à coucher, banale comme tous les garnis,[2] et s'approcha du feu sur lequel chauffaient des fers à friser de toutes les dimensions, tandis que dans le laboratoire à côté, séparé de la chambre par une tenture algérienne, 10 le marquis de Monpavon s'abandonnait aux manipulations de son valet de chambre.

Tout en arrangeant son visage, la plus longue, la plus compliquée de ses occupations du matin, Monpavon causait avec le docteur, racontait ses malaises, le bon effet des perles, qui le 15 rajeunissaient, disait-il. Et de loin, ainsi, sans le voir, on aurait cru entendre le duc de Mora, tellement il lui avait pris ses façons de parler. Mais Jenkins, trouvant la séance un peu longue, s'était levé pour partir :

"Adieu, je m'en vais... On vous verra chez le Nabab ? 20

— Oui, je compte y déjeuner... promis de lui amener chose, machin, comment donc ?... Vous savez, pour notre grosse affaire... Sans quoi dispenserais bien d'y aller... vraie ménagerie, cette maison-là..."

L'Irlandais, malgré sa bienveillance, convint que la société 25 était un peu mêlée chez son ami. Mais quoi ! Il ne fallait pas lui en vouloir.[3] Il ne savait pas, ce pauvre homme.

"Sait pas, et veut pas apprendre, fit Monpavon avec aigreur... Au lieu de consulter les gens d'expérience... premier écornifleur[4] venu. Avez-vous vu chevaux que Bois l'Héry lui a fait 30 acheter ? De la roustissure,[5] ces bêtes-là. Et il les a payées vingt mille francs. Parions[6] que Bois-l'Héry les a eues pour six mille.

— Oh ! fi donc... un gentilhomme !" dit Jenkins avec l'indignation d'une belle âme se refusant à croire au mal.

Monpavon continua sans avoir l'air d'entendre :

"Tout ça parce que les chevaux sortaient de l'écurie de Mora.

— C'est vrai que le duc lui tient au cœur, à ce cher Nabab. Aussi je vais le rendre bien heureux en lui apprenant..."

Le docteur s'arrêta, embarrassé.

"En lui apprenant quoi, Jenkins ?"

Assez penaud, Jenkins dut avouer qu'il avait obtenu de Son Excellence la permission de lui présenter son ami Jansoulet. A peine eut-il achevé sa phrase, qu'un long spectre, au visage flasque, aux cheveux, aux favoris multicolores, s'élança du cabinet dans la chambre, croisant de ses deux mains sur un cou décharné mais très-droit un peignoir de soie claire à pois violets, dont il s'enveloppait comme un bonbon dans sa papillote.[1]

Vraiment il fallait que Monpavon fût bien ému pour se montrer ainsi dépourvu de tout prestige. En effet, les lèvres blanches, la voix changée, il s'adressa au docteur vivement, sans zézayer[2] cette fois, et tout d'un trait :

"Ah ça ! mon cher, pas de farce[3] entre nous, n'est-ce pas ?... Nous nous sommes rencontrés tous les deux devant la même écuelle ; mais je vous laisse votre part, j'entends que vous me laissiez la mienne." Et l'air étonné de Jenkins ne l'arrêta pas. "Que ceci soit dit une fois pour toutes. J'ai promis au Nabab de le présenter au duc, ainsi que je vous ai présenté jadis. Ne vous mêlez donc pas de ce qui me regarde seul."

Jenkins mit la main sur son cœur, protesta de son innocence. Il n'avait jamais eu l'intention... Certainement Monpavon était trop l'ami du duc, pour qu'un autre... Comment avait-il pu supposer ?...

"Je ne suppose rien, dit le vieux gentilhomme, plus calme mais toujours froid. J'ai voulu seulement avoir une explication très-nette avec vous à ce sujet."

L'Irlandais lui tendit sa main large ouverte.

"Mon cher marquis, les explications sont toujours nettes entre gens d'honneur.

— D'honneur est un grand mot, Jenkins... Disons gens de tenue[1]... Cela suffit."

Et cette tenue, qu'il invoquait comme suprême frein de conduite, le rappelant tout à coup au sentiment de sa comique situation, le marquis offrit un doigt à la poignée de main démonstrative de son ami et repassa dignement derrière son rideau, pendant que l'autre s'en allait, pressé de reprendre sa tournée.

Quelle magnifique clientèle il avait, ce Jenkins ! Rien que des hôtels princiers, des escaliers chauffés, chargés de fleurs à tous leurs étages, des alcôves capitonnées et soyeuses, où la maladie se faisait discrète, élégante, où rien ne sentait cette main brutale qui jette sur un lit de misère ceux qui ne cessent de travailler que pour mourir. C'étaient des épuisés, des exténués, des anémiques, brûlés par une vie absurde, mais la trouvant si bonne encore qu'ils s'acharnaient à la prolonger. Et les perles Jenkins devenaient fameuses justement pour ce coup de fouet donné aux existences surmenées.

Après mille détours dans la Chaussée-d'Antin, les Champs-Élysées, après avoir visité tout ce qu'il y avait de millionnaire ou de titré dans le faubourg Saint-Honoré, le médecin à la mode arriva à l'angle du Cours-la-Reine et de la rue François 1er, devant une façade arrondie qui tenait le coin du quai, et pénétra au rez-de-chaussée dans un intérieur qui ne ressemblait en rien ceux qu'il traversait depuis le matin. C'était un superbe atelier de sculpture, dont la façade en coin arrondissait tout un côté vitré, bordé de pilastres, une large baie lumineuse opalisée en ce moment par le brouillard. Des plantes vertes dans tous les coins, quelques bons tableaux accrochés au mur nu, et ça et là — portées par des consoles en chêne — deux ou trois œuvres de Sébastien Ruys, dont la dernière, exposée après sa mort, était couverte d'une gaze noire.

La maîtresse de la maison, Félicia Ruys, la fille du célèbre sculpteur, connue déjà elle-même par deux chefs-d'œuvre, le

buste de son père et celui du duc de Mora, se tenait au milieu de l'atelier, en train de modeler une figure. Serrée dans une amazone de drap bleu à longs plis, un fichu de Chine roulé autour de son cou comme une cravate de garçon, ses cheveux
5 noirs et fins groupés sans apprêt [1] sur la forme antique de sa petite tête, Félicia travaillait avec une ardeur extrême, qui ajoutait à sa beauté la condensation, le resserrement de tous les traits d'une expression attentive et satisfaite. Mais cela changea tout de suite à l'arrivée du docteur.
10 "Ah ! c'est vous," dit-elle brusquement, comme éveillée d'un rêve... "On a donc sonné ?... Je n'avais pas entendu."

"Votre travail vous absorbe donc bien, ma chère Félicia ?... C'est nouveau ce que vous faites là ?... Cela me paraît très-joli."
15 "L'idée m'en est venue cette nuit... J'ai commencé à travailler à la lampe.

Jenkins remarqua paternellement qu'elle avait tort de se fatiguer ainsi, et lui prenant le poignet avec des précautions ecclésiastiques : [2]
20 "Voyons, je suis sûr que vous avez la fièvre."

Au contact de cette main sur la sienne, Félicia eut un mouvement presque répulsif.

"Laissez... laissez... vos perles n'y peuvent rien... Quand je ne travaille pas, je m'ennuie ; je m'ennuie à mourir,
25 je m'ennuie à tuer... Je n'ai que le travail... le travail !"

Tout en parlant, elle modelait furieusement, tantôt avec l'ébauchoir, tantôt avec ses doigts, qu'elle essuyait de temps en temps à une petite éponge posée sur la selle de bois soutenant le groupe ; de telle sorte que ses plaintes semblaient pro-
30 férées au hasard et ne s'adresser à personne. Pourtant Jenkins en paraissait inquiet, troublé, malgré l'attention évidente qu'il prêtait à l'ouvrage de l'artiste, ou plutôt à l'artiste elle-même, à la grâce triomphante de cette fille, que sa beauté semblait avoir prédestinée à l'étude des arts plastiques.

Gênée par ce regard admiratif qu'elle sentait posé sur elle, Félicia reprit :

“ A propos, vous savez que je l'ai vu, votre Nabab... On me l'a montré vendredi dernier à l'Opéra.

Il faudra que vous me l'ameniez. C'est une tête qui m'amuserait à faire.[1]

—Lui, mais il est affreux ! ... Vous ne l'avez pas bien regardé.

—Parfaitement, au contraire. Il était en face de nous... Ce masque d'Éthiopien blanc serait superbe en marbre. Et pas banal, au moins, celui-là... D'ailleurs, puisqu'il est si laid que ça, vous ne serez pas aussi malheureux que l'an dernier quand je faisais le buste de Mora... Quelle mauvaise figure[2] vous aviez, Jenkins, à cette époque ! ”

Puis, sans le regarder, sans ajouter une parole, elle s'enfonça dans une de ces activités muettes par lesquelles les vrais artistes échappent à eux-mêmes et à tout ce qui les entoure.

Jenkins prit son chapeau et marcha vers la porte.

“ Ainsi, c'est entendu... Il faut vous l'amener.

—Qui donc ?

—Mais le Nabab... C'est vous qui à l'instant même...

—Ah ! oui... fit l'étrange personne dont les caprices ne duraient pas longtemps, amenez-le si vous voulez ; je n'y tiens pas autrement.”

Et sa belle voix morne, où quelque chose semblait brisé, l'abandon de tout son être disaient bien que c'était vrai, qu'elle ne tenait à rien au monde.

Jenkins sortit de là très troublé, le front assombri. Mais, sitôt dehors, il reprit sa physionomie riante et cordiale, étant de ceux qui vont masqués dans les rues. La matinée s'avançait, et quand le docteur eut dit à Joë : “ place Vendôme,” le cheval, comme s'il avait compris qu'on allait chez le Nabab, agita fièrement ses gourmettes étincelantes, et le coupé partit à fond de train,[1] transformant en soleil chaque essieu de ses roues. . . Midi sonnait partout dans le soleil. Sorti de son rideau de brume, Paris luxueux, réveillé et debout, commençait sa journée tourbillonnante.

II.

UN DEJEUNER PLACE VENDÔME.

Ils n'étaient guère plus d'une vingtaine ce matin-là dans la salle à manger du Nabab. D'abord, le maître du logis, espèce de géant, — tanné, hâlé, safrané, la tête dans les épaules,[1] — à qui son nez court et perdu dans la bouffissure du visage, ses cheveux crêpus massés comme un bonnet d'astrakan sur un front bas et têtu, ses sourcils en broussailles donnaient l'aspect féroce d'un Kalmouck d'un sauvage de frontières, vivant de guerre et de rapines. Heureusement le bas de la figure, la lèvre lippue et double, qu'un sourire adorable de bonté épanouissait, relevait, retournait tout à coup, tempérait d'une expression à la saint Vincent de Paul[2] cette laideur farouche, cette physionomie si originale qu'elle en oubliait d'être commune. Et pourtant l'extraction inférieure se trahissait d'autre façon par la voix, une voix de marinier du Rhône, éraillée et voilée, où l'accent méridional devenait plus grossier que dur, et deux mains élargies et courtes, phalanges velues, doigts carrés et sans ongles, qui, posées sur la blancheur de la nappe, parlaient de leur passé avec une éloquence gênante.

En face, de l'autre côté de la table, dont il était un des commensaux habituels, se tenait le marquis de Monpavon, mais un Monpavon qui ne ressemblait en rien au spectre maquillé, aperçu plus haut, un homme superbe et sans âge,[3] grand nez majestueux, prestance seigneuriale, étalant un large plastron de linge immaculé. De grande famille, richement apparenté, mais ruiné par le jeu et les spéculations, l'amitié du duc de Mora lui avait valu une recette[1] générale de première classe. Malheureusement sa santé ne lui avait pas permis de garder ce beau poste, — les gens bien informés disaient que sa santé n'y était pour rien, — et depuis un an il vivait à Paris, attendant 5 d'être guéri, disait-il, pour reprendre sa position. Les mêmes gens assuraient qu'il ne la retrouverait jamais, et que même, sans de hautes protections... Du reste,[2] le personnage important du déjeuner; cela se sentait à la façon dont les domestiques le servaient, dont le Nabab le consultait, l'appelant 10 "monsieur le marquis," comme à la Comédie-Française, moins encore par déférence que par fierté, pour l'honneur qui en rejaillissait sur lui-même. Plein de dédain pour l'entourage, M. le marquis parlait peu, de très haut, et comme en se penchant vers ceux qu'il honorait de sa conversation. De temps 15 en temps, il jetait au Nabab, par-dessus la table, quelques phrases énigmatiques pour tous.

"J'ai vu le duc hier... M'a beaucoup parlé de vous à propos de cette affaire... Vous savez, chose... machin... Comment donc?

20 — Vraiment?... Il vous a parlé de moi?" Et le bon Nabab, tout glorieux,[3] regardait autour de lui avec des mouvements de tête tout à fait risibles.

— Son Excellence vous verrait avec plaisir entrer dans la chose.

25 — Elle vous l'a dit?

— Demandez au gouverneur... l'a entendu comme moi."

Celui qu'on appelait le gouverneur, Paganetti de son vrai nom, était un petit homme expressif et gesticulant, fatigant à regarder, tellement sa figure prenait d'aspects divers en une 30 minute. Il dirigeait la *Caisse territoriale*[4] de la Corse, une vaste entreprise financière, et venait dans la maison pour la première fois, amené par Monpavon; aussi occupait-il une place d'honneur. De l'autre côté du Nabab, un vieux, boutonné jusqu'au menton dans une redingote sans revers[5] à collet droit comme une tunique orientale, la face tailladée de mille petites éraillures, une moustache blanche coupée militairement. C'était Brahim-Bey, le plus vaillant colonel de la régence de Tunis, aide de camp de l'ancien bey qui avait fait la fortune de Jansoulet.

Les autres convives s'étaient assis pêle-mêle, au hasard de l'arrivée, de la rencontre, car le logis s'ouvrait à tout le monde, et le couvert était mis chaque matin pour trente personnes. Il y avait là le directeur du théâtre que le Nabab commanditait, Cardailhac, renommé pour son esprit presque autant que pour ses faillites, et à côté de ce pontife au rabat ciré, le vieux Schwalbach, le fameux marchand de tableaux. Puis le chanteur Garrigou, un "pays" de Jansoulet, ventriloque distingué, qui chantait Figaro dans le patois du Midi et n'avait pas son pareil pour les imitations d'animaux. Un peu plus loin, Cabassu, un autre "pays,"[1] mettait ses deux coudes sur la table avec l'aplomb d'un charlatan qu'on reçoit le matin et qui sait les petites infirmités, les misères intimes de l'intérieur où il se trouve. M. Bompain complétait ce défilé des subalternes, Bompain, le secrétaire, l'intendant, l'homme de confiance, entre les mains de qui toutes les affaires de la maison passaient ; et il suffisait de voir cette attitude solennellement abrutie, cet air vague, ce fez turc posé maladroitement sur cette tête d'instituteur de village pour comprendre à quel personnage des intérêts comme ceux du Nabab avaient été abandonnés.

Enfin, pour remplir les vides parmi ces figures esquissées, la turquerie ! Des Tunisiens, des Marocains, des Égyptiens, des Levantins ; et, mêlée à cet élément exotique, toute une bohème parisienne et multicolore de gentilshommes décavés,[2] d'industriels louches, de journalistes vidés, d'inventeurs de produits bizarres, de gens du Midi débarqués sans un sou, tout ce que cette grande fortune attirait, comme la lumière d'un phare, de navires perdus à ravitailler, ou de bandes d'oiseaux tourbillonnant dans le noir.

Il semble que cette diversité de convives, — j'allais dire de passagers, — dût rendre le repas animé et bruyant. Loin de là. Ils mangeaient tous nerveusement, silencieusement, en s'observant du coin de l'œil, et même les plus mondains,[1] ceux qui paraissaient le plus à l'aise, avaient dans le regard l'égarement 5 et le trouble d'une pensée fixe, une fièvre anxieuse qui les faisaient parler sans répondre, écouter sans comprendre un mot de ce qu'on avait dit.

Tout à coup la porte de la salle à manger s'ouvrit :

" Ah ! voilà Jenkins, fit le Nabab tout joyeux... Salut, salut, 10 docteur... Comment, ça va, mon camarade ? "

Un sourire circulaire, une énergique poignée de main à l'amphitryon, et Jenkins s'assit en face de lui, à côté de Monpavon, devant le couvert qu'un domestique venait d'apporter en toute hâte et sans avoir reçu d'ordre, exactement comme à une table 15 d'hôte. Au milieu de ces figures préoccupées et fiévreuses, au moins celle-là contrastait par sa bonne humeur. Et quel robuste appétit, avec quel entrain, quelle liberté de conscience il manœuvrait, tout en parlant, sa double rangée de dents blanches :

20 " Eh bien ! Jansoulet, vous avez lu ?

— Quoi donc ?

— Comment ! vous ne savez pas ?... Vous n'avez pas lu ce que le *Messager* dit de vous ce matin ? "

Sous le hâle épais de ses joues, le Nabab rougit comme un 25 enfant, et les yeux brillants de plaisir :

" C'est vrai ?... le *Messager* a parlé de moi ?

— Pendant deux colonnes... Comment Moëssard ne vous l'a-t-il pas montré ?

— Oh ! fit Moëssard modestement, cela ne valait pas la 30 peine."

C'était un petit journaliste, blondin et poupin, assez joli garçon, mais dont la figure présentait cette fanure particulière aux garçons de restaurants de nuit, et aux comédiens, faite de grimaces de convention et du reflet blafard du gaz. Mais

Jansoulet insista pour lire l'article, impatient de savoir ce qu'on disait de lui. Malheureusement, Jenkins avait laissé son exemplaire chez le duc.

" Qu'on aille vite me chercher un *Messager*, dit le Nabab au domestique derrière lui." 5

Moëssard intervint :

" C'est inutile, je dois avoir la chose sur moi."

Et il la passait à Jansoulet ; mais Jenkins réclama :

— Non.. . non.. . lisez tout haut."

L'assemblée faisant chorus, Moëssard reprit son épreuve 10 et commença à lire à haute voix l'ŒUVRE DE BETHLÉEM et M. BERNARD JANSOULET, un long dithyrambe en faveur de l'allaitement artificiel, écrit sur des notes de Jenkins, et finissant, après une pompeuse description du splendide établissement de Nanterre, par l'éloge de Jenkins et la glorification de 15 Jansoulet : " O Bernard Jansoulet, bienfaiteur de l'enfance. . ."

La large face du Nabab rayonnait. Puis tout à coup, la lecture finie, au milieu d'un débordement de joie, d'une de ces effusions méridionales qui forcent à penser tout haut, il s'écria, en avançant vers ses convives son sourire franc et lippu : 20

" Ah ! mes amis, mes chers amis, si vous saviez comme je suis heureux, quel orgueil j'éprouve ! "

Il n'y avait guère que six semaines qu'il était débarqué. A part deux ou trois compatriotes, il connaissait à peine de la veille et pour leur avoir prêté de l'argent ceux qu'il appelait 25 ses amis. Aussi cette subite expansion parut assez extraordinaire ; mais Jansoulet, trop ému pour rien observer, continua :

" Après ce que je viens d'entendre, quand je me vois là dans ce grand Paris, entouré de tout ce qu'il contient de noms illustres, d'esprits distingués, et puis que je me souviens de 30 l'échoppe paternelle ! Car je suis né dans une échoppe.. . Mon père vendait des vieux clous au coin d'une borne, au Bourg-Saint-Andéol. C'est à peine si nous avions du pain chez nous tous les jours et du fricot tous les dimanches.

Demandez à Cabassu. Il m'a connu dans ce temps-là. Il peut dire si je mens... Oh ! oui, j'en ai fait [1] de la misère. — Il releva la tête avec un sursaut d'orgueil en humant le goût des truffes répandu dans l'air étouffé. — J'en ai fait, et de la
5 vraie, et pendant longtemps. J'ai eu froid, j'ai eu faim, mais la grande faim, vous savez, celle qui soûle, qui tord l'estomac, vous fait des ronds dans la tête,[2] vous empêche d'y voir comme si on vous vidait l'intérieur des yeux avec un couteau à huîtres. J'ai passé des journées au lit faute d'un paletot pour sortir ;
10 heureux encore quand j'avais un lit, ce qui manquait quelquefois. J'ai demandé mon pain à tous les métiers ; et ce pain m'a coûté tant de mal, il était si noir, si coriace que j'en ai encore un goût amer et moisi dans la bouche. Et comme ça jusqu'à trente ans. Oui, mes amis, à trente ans — et je n'en
15 ai pas cinquante — j'étais encore un gueux, sans un sou, sans avenir, avec le remords de la pauvre maman devenue veuve qui crevait la faim là-bas dans son échoppe et à qui je ne pouvais rien donner."

Venait ensuite l'histoire de sa chance, le prodigieux hasard
20 qui l'avait mis tout à coup sur le chemin de la fortune. "J'errais sur le port de Marseille, avec un camarade aussi pouilleux que moi, qui s'est enrichi chez le bey, lui aussi, et, après avoir été mon copain, mon associé, est devenu mon plus cruel ennemi. Je peux bien vous dire son nom, pardi ! Il est assez connu..
25 Hemerlingue... Oui, Messieurs, le chef de la grande maison de banque "Hemerlingue et fils" n'avait pas, en ce temps-là, de quoi seulement se payer deux sous de *clauvisses*,[3] sur le quai... Grisés par l'air voyageur qu'il y a là-bas, la pensée nous vint de partir, d'aller chercher notre vie dans quelque pays de soleil,
30 puisque les pays de brume nous étaient si durs... Huit jours après, je débarquais à Tunis avec un demi-louis dans ma poche, et j'en reviens aujourd'hui avec vingt-cinq millions.."

Il y eut une commotion électrique autour de la table, un éclair dans tous les yeux, même dans ceux des domestiques.

"Oui, mes enfants, vingt-cinq millions liquides, sans parler de tout ce que j'ai laissé à Tunis, de mes deux palais du Bardo, de mes navires dans le port de la Goulette, de mes diamants, de mes pierreries, qui valent certainement plus du double. Et vous savez, ajouta-t-il avec son bon sourire, sa voix éraillée et canaille, quand il n'y en aura plus il y en aura encore." 5

Toute la table se leva, galvanisée.

"Bravo... Ah ! bravo...

—Ça, c'est envoyé.[1]

—Un homme comme celui-là devrait être à la Chambre. 10

—Il y sera, per Bacco,[2] j'en réponds," dit le gouverneur d'une voix éclatante ; et, dans un transport d'admiration, ne sachant comment prouver son enthousiasme, il prit la grosse main velue du Nabab et la porta à ses lèvres par un mouvement irréfléchi. Ils sont démonstratifs dans ce pays-là... Tout le 15 monde était debout ; on ne se rassit pas.

Jansoulet, rayonnant, s'était levé à son tour et jetant sa serviette :

"Allons prendre le café..."

Le café servi à l'orientale, avec tout son marc, dans de petites 20 tasses filigranées d'argent, les convives se groupèrent autour, se hâtant de boire, s'échaudant, se surveillant du regard, guettant surtout le Nabab et l'instant favorable pour lui sauter dessus, l'entraîner dans un coin de ces immenses pièces et négocier enfin leur emprunt. Car voilà ce qu'ils attendaient depuis deux 25 heures, voilà l'objet de leur visite et l'idée fixe qui leur donnait, pendant le repas, cet air égaré, faussement attentif. Mais ici plus de gêne, plus de grimace. Cela se sait dans ce singulier monde qu'au milieu de la vie encombrée du Nabab l'heure du café reste la seule libre pour les audiences confidentielles, et 30 chacun voulant en profiter, tous venus là pour arracher une poignée à cette toison d'or[3] qui s'offre d'elle-même avec tant de bonhomie, on ne cause plus, on n'écoute plus, on est tout à son affaire.

C'est le bon Jenkins qui commence. Il a pris son ami Jansoulet dans une embrasure et lui soumet les devis de la maison de Nanterre. Une grosse acquisition, fichtre ![1] Cent cinquante mille francs d'achat, puis des frais considérables
5 d'installation. Beaucoup d'argent... Mais comme ils seront bien là, ces chers petits êtres ; quel service rendu à Paris, à l'humanité ! Le gouvernment ne peut pas manquer de récompenser d'un bout de ruban rouge[2] un dévouement philanthropique aussi désintéressé. "La croix, le 15 août..."[3] Avec ces
10 mots magiques, Jenkins aura tout ce qu'il veut. Signer sur son genou un chèque de deux cent mille francs ne coûte pas plus à Jansoulet que de tirer un louis de sa poche.

Furieux, le nez dans leur tasse, les autres guettent de loin cette petite scène. Puis, lorsque Jenkins s'en va, léger, souri-
15 ant, saluant d'un geste les différents groupes, Monpavon saisit le gouverneur : "à nous." Et tous deux, s'élançant sur le Nabab, l'entraînent vers un divan, l'asseyent de force, le serrent entre eux avec un petit air féroce qui semble signifier : "Qu'est-ce que nous allons lui faire ?" Lui tirer de l'argent,
20 le plus d'argent possible. Il en faut, pour remettre à flot la *Caisse territoriale*, ensablée depuis des années, enlisée[4] jusqu'en haut de sa mâture... Une opération superbe, ce renflouement, s'il faut en croire ces deux messieurs. On y a englouti des capitaux considérables, et c'est le nouveau venu, l'ouvrier de
25 la dernière heure, qui bénéficiera de tout.

Pendant qu'avec son accent italien, des gestes effrénés, le Corse énumère les "esplendeurs"[5] de l'affaire, Monpavon, hautain et digne, approuve de la tête avec conviction, et de temps en temps, quand il juge le moment convenable, jette
30 dans la conversation le nom du duc de Mora, qui fait toujours son effet sur le Nabab.

"Enfin, qu'est-ce qu'il faudrait ?

—Des millions," dit Monpavon fièrement, du ton d'un homme qui n'est pas embarrassé pour s'adresser ailleurs. Oui, des millions. Mais l'affaire est magnifique. Et, comme disait Son Excellence, il y aurait là pour un capitaliste une haute situation à prendre, même une situation politique. Pensez donc ! On pouvait devenir conseiller général, député... Le Nabab tressaille... Et le petit Paganetti, qui sent l'appât frémir sur 5 son hameçon : " Oui, député, vous le serez quand je voudrai... Sur un signe de moi, toute la Corse est à votre dévotion..." Puis il se lance dans une improvisation étourdissante, comptant les voix dont il dispose, les cantons qui se lèveront à son appel. L'affaire est enlevée.[1] Nouvelle apposition de la signature de 10 Jansoulet sur un feuillet, que le gouverneur enfourne[2] d'un air négligent et qui opère sur sa personne une subite transformation. Le Paganetti, si humble, si plat tout à l'heure, s'éloigne avec l'aplomb d'un homme équilibré de quatre cent mille francs, tandis que Monpavon, portant plus haut encore que d'habitude, le suit 15 dans ses pas et le couve d'une sollicitude plus que paternelle.

" Voilà une bonne affaire de faite, se dit le Nabab, je vais pouvoir prendre mon café." Mais dix emprunteurs l'attendent au passage. Le plus prompt, le plus adroit, c'est Cardailhac, le directeur, qui le happe et l'emporte dans un salon à l'écart : 20 " Causons un peu, mon bon. Il faut que je vous expose la situation de notre théâtre..." C'est le journaliste Moëssard qui vient se faire payer l'article du *Messager ;* le Nabab saura ce qu'il en coûte pour se faire appeler " bienfaiteur de l'enfance " dans les journaux du matin. C'est le curé de pro- 25 vince qui demande des fonds pour reconstruire son église, et prend les chèques d'assaut avec la brutalité d'un Pierre l'Ermite.[3] C'est le vieux Schwalbach s'approchant, le nez dans sa barbe, clignant de l'œil d'un mystérieux. " Chut !... il a drufé une berle "[4] pour la galerie de monsieur, un Hobbéma[5] 30 qui vient de la collection du duc de Mora, et pendant que ces heureux défilent, d'autres surveillent à l'entour, enragés d'impatience, rongeant leurs ongles jusqu'aux phalanges ; car tous sont venus dans la même intention. Depuis le bon Jenkins, qui a ouvert la marche, jusqu'au masseur Cabassu, qui la ferme, tous ramènent le Nabab dans un salon écarté. Mais si loin qu'ils l'entraînent dans cette galerie de pièces de réception, il se trouve quelque glace indiscrète pour refléter la silhouette du maître de la maison et la mimique de son large dos. Ce dos est d'une éloquence ! Par moments, il se redresse indigné. "Oh ! non... c'est trop." Ou bien il s'affaisse avec une resignation comique : "Allons, puisqu'il le faut." Et toujours le fez de Bompain dans quelque coin du paysage...

Quand ceux-là ont fini, il en arrive encore ; c'est le frétin[1] qui vient à la suite des gros mangeurs dans les chasses féroces des rivières. Il y a un va-et-vient continuel à travers ces beaux salons blanc et or, un bruit de portes, un courant établi d'exploitation effrontée et banale attiré des quatre coins de Paris et de la banlieue par cette gigantesque fortune et cette incroyable facilité.

Pour ces petites sommes, cette distribution permanente, on n'avait pas recours au livre à souches.[2] Le Nabab gardait à cet effet, dans un de ses salons, une commode en bois d'acajou, horrible petit meuble représentant des économies de concierge, le premier que Jansoulet eût acheté lorsqu'il avait pu renoncer aux garnis, qu'il conservait depuis, comme un fétiche de joueur,[3] et dont les trois tiroirs contenaient toujours deux cent mille francs en monnaie courante. C'est à cette ressource constante qu'il avait recours les jours de grandes audiences, mettant une certaine ostentation à remuer l'or, l'argent, à pleines mains brutales, à l'engloutir au fond de ses poches pour le tirer de là avec un geste de marchand de bœufs, une certaine façon canaille de relever les pans de sa redingote, et d'envoyer sa main "à fond et dans le tas." Aujourd'hui, les tiroirs de la petite commode doivent avoir une terrible brèche...

Après tant de chuchotements mystérieux, de demandes plus ou moins nettement formulées, d'entrées fortuites, de sorties triomphantes, le dernier client expédié, la commode refermée à clef, l'appartement de la place Vendôme se désemplissait. Les domestiques desservaient le café, le raki,[1] emportaient les boîtes à cigares ouvertes et à moitié vides. Le Nabab, se croyant seul, eut un soupir de soulagement : "Ouf !... c'est fini..." Mais non. En face de lui, quelqu'un se détache d'un angle déjà obscur et s'approche une lettre à la main. 5

Encore !

Et tout de suite, machinalement, le pauvre homme fit son geste éloquent de maquignon.[2] Instinctivement aussi, le visiteur eut un mouvement de recul si prompt, si offensé, que le Nabab comprit qu'il se méprenait et se donna la peine de regarder le jeune homme qui se tenait devant lui, simplement mais correctement vêtu, le teint mat, sans le moindre frison de barbe, les traits réguliers, peut-être un peu trop sérieux et fermés pour son âge, ce qui, avec ses cheveux d'un blond pâle, frisés par petites boucles comme une perruque poudrée, lui donnait l'aspect d'un jeune député du tiers[3] sous Louis XVI, la tête d'un Barnave à vingt ans. Cette physionomie, quoique le Nabab la vît pour la première fois, ne lui était pas absolument inconnue. 10 15 20

"Que désirez-vous, Monsieur ?"

Prenant la lettre que le jeune homme lui offrait, il s'approcha d'une fenêtre pour la lire.

"Té ![4]... C'est de maman..."

Il dit cela d'un air si heureux, ce mot de "maman" illumina toute sa figure d'un sourire si jeune, si bon, que le visiteur, d'abord repoussé par l'aspect vulgaire de ce parvenu, se sentit plein de sympathie pour lui. 25

A demi-voix, le Nabab lisait ces quelques lignes d'une grosse écriture incorrecte et tremblée, qui contrastait avec le grand papier satiné, ayant pour en-tête : "Château de Saint-Romans." 30

"Mon cher fils, cette lettre te sera remise par l'aîné des enfants de M. de Géry, l'ancien juge de paix du Bourg-Saint-Andéol, qui s'est montré si bon pour nous..."

Le Nabab s'interrompit :

" J'aurais dû vous reconnaître, monsieur de Géry... Vous ressemblez à votre père... Asseyez-vous, je vous en prie."

Puis il acheva de parcourir la lettre. Sa mère ne lui de-
5 mandait rien de précis, mais, au nom des services que la famille de Géry leur avait rendus autrefois, elle lui recommandait M. Paul. Orphelin, chargé de ses deux jeunes frères, il s'était fait recevoir avocat dans le Midi et venait à Paris chercher fortune. Elle suppliait Jansoulet de l'aider, " car il
10 en avait bien besoin, le pauvre." Et elle signait : " Ta mère qui se languit de toi, Françoise."

Cette lettre de sa mère, qu'il n'avait pas vue depuis six ans, ces expressions méridionales où il trouvait des intonations connues, cette grosse écriture qui dessinait pour lui un visage adoré,
15 tout ridé, brûlé, crevassé, mais riant sous une coiffe de paysanne, avaient ému le Nabab. Depuis six semaines qu'il était en France, perdu dans le tourbillon de Paris, de son installation, il n'avait pas encore pensé à sa chère vieille ; et maintenant il la revoyait toute dans ces lignes. Il resta un moment à regarder
20 la lettre, qui tremblait entre ses gros doigts...

Puis, cette émotion passée :

" Monsieur de Géry, dit-il, je suis heureux de l'occasion qui va me permettre de vous rendre un peu des bontés que les vôtres ont eues pour les miens... Dès aujourd'hui, si vous y
25 consentez, je vous prends avec moi... Voilà qui est entendu, n'est-ce pas?... Je vous prends comme secrétaire... Vous aurez un appointement[1] fixe que nous allons régler tout à l'heure ; et je vous fournirai l'occasion de faire votre fortune rapidement..."

30 Et comme de Géry, tiré subitement de toutes ses incertitudes d'arrivant, de solliciteur, de néophyte, ne bougeait pas de peur de s'éveiller d'un rêve :

" Maintenant, lui dit le Nabab d'une voix douce, asseyez-vous là, près de moi, et parlons un peu de maman."

III.

UN DÉBUT DANS LE MONDE.

" MONSIEUR Bernard Jansoulet ! . . ."

Ce nom plébéien, accentué fièrement par la livrée,[1] lancé d'une voix retentissante, sonna dans les salons de Jenkins comme un coup de cymbale, un de ces gongs qui, sur les théâtres de féerie, annoncent les apparitions fantastiques. Les lustres pâlirent, il y eut une montée de flamme dans tous les yeux, à l'éblouissante perspective des trésors d'Orient, des pluies de sequins et de perles secouées par les syllabes magiques de ce nom hier inconnu.

Lui, c'était lui, le Nabab, le riche des riches, la haute curiosité parisienne, épicée de ce ragoût d'aventures qui plaît tant aux foules rassasiées. Toutes les têtes se tournèrent, toutes les conversations s'interrompirent ; il y eut vers la porte une poussée de monde, une bousculade comme sur le quai d'un port de mer pour voir entrer une felouque chargée d'or.

Jenkins lui-même, si accueillant, si maître de lui, qui se tenait dans le premier salon pour recevoir ses invités, quitta brusquement le groupe d'hommes dont il faisait partie et s'élança au-devant des galions.[2]

" Mille fois, mille fois aimable. . . Madame Jenkins va être bien heureuse, bien fière. . . Venez que je vous conduise."

Et, dans sa hâte, dans sa vaniteuse jouissance, il entraîna si vite Jansoulet que celui-ci n'eut pas le temps de lui présenter son compagnon Paul de Géry, auquel il faisait faire son début dans le monde. Le jeune homme fut bien heureux de cet oubli. Il se faufila dans la masse d'habits noirs sans cesse refoulée plus loin à chaque nouvelle entrée, s'y engloutit, pris de cette terreur folle qu'éprouve tout jeune provincial introduit dans un salon de Paris, surtout lorsqu'il est intelligent et fin, et qu'il ne porte pas comme une cotte de mailles sous son plastron de toile l'imperturbable aplomb des rustres.

De l'endroit où il se trouvait, il assistait au défilé curieux et non encore terminé à minuit des invités de Jenkins, toute la clientèle du médecin à la mode. Puis après avoir erré dans la bibliothèque du docteur, la serre, la salle de billard où l'on fumait, ennuyé de conversations graves et arides, il se rapprocha de la porte du grand salon, où sur les sièges bas, les femmes groupées, pressées, confondant presque les couleurs vaporeuses de leurs toilettes, formaient une immense corbeille de fleurs vivantes, au-dessus de laquelle flottaient le rayonnement des épaules nues, des chevelures semées de diamants, gouttes d'eau sur les brunes, reflets scintillants sur les blondes, et le même parfum capiteux, le même bourdonnement confus et doux, fait de chaleur vibrante et d'ailes insaisissables, qui caresse en été toute la floraison d'un parterre. Parfois un petit rire, montant dans cette atmosphère lumineuse, un souffle plus vif qui faisait trembler des aigrettes et des frisures, se détacher tout à coup un beau profil. Tel était l'aspect du salon.

Quelques hommes se trouvaient là, en très petit nombre, tous des personnages de marque, chargés d'années et de croix, qui causaient au bord d'un divan, appuyés au renversement d'un siège avec cet air de condescendance que l'on prend pour parler à des enfants. Mais dans le susurrement paisible de ces conversations une voix ressortait éclatante et cuivrée, celle du Nabab, qui évoluait tranquillement à travers cette serre[1] mondaine avec l'assurance que lui donnaient son immense fortune et un certain mépris de la femme, rapporté d'Orient.

En ce moment, étalé sur un siège, ses grosses mains gantées de jaune croisées sans façon l'une sur l'autre, il causait avec une très-belle personne dont la physionomie originale — beaucoup de vie sur des traits sévères — se détachait en pâleur au milieu des minois[1] environnants, comme sa toilette toute blanche, classique de plis et moulée sur sa grâce souple, contrastait avec des mises plus riches, mais dont aucune n'avait cette allure de simplicité hardie. De son coin, de Géry admirait ce front court et uni sous la frange des cheveux abaissés, ces yeux long ouverts, d'un bleu profond, d'un bleu d'abîme, cette bouche qui ne cessait de sourire que pour détendre sa forme pure dans une expression lassée et retombante. En tout, l'apparence un peu hautaine d'un être d'exception.

Quelqu'un près de lui la nomma... Félicia Ruys... Dès lors il comprit l'attrait rare de cette jeune fille, continuatrice du génie de son père, et dont la célébrité naissante était arrivée jusqu'à sa province, auréolée d'une réputation de beauté. Pendant qu'il la contemplait, qu'il admirait ses moindres gestes, un peu intrigué par l'énigme de ce beau visage, il entendit chuchoter derrière lui :

" Mais voyez donc comme elle est aimable avec le Nabab... Si le duc arrivait...

— Le duc de Mora doit venir ?

— Certainement. C'est pour lui que la soirée est donnée ; pour le faire rencontrer avec Jansoulet.

— Et vous pensez que le duc et mademoiselle Ruys...

— D'où sortez-vous ?... Ah ! voilà madame Jenkins qui va chanter."

Il se fit un mouvement dans le salon, une pesée plus forte de la foule auprès de la porte, et les conversations cessèrent pour un moment. Paul de Géry respira. Ce qu'il venait d'entendre lui avait serré le cœur. Il se sentait atteint, sali par cette boue jetée à pleine main sur l'idéal qu'il s'était fait de cette jeunesse splendide, mûrie au soleil de l'art d'un charme si pénétrant. Il s'éloignait un peu, changeait de place, quand tout près de lui une voix murmura, — ce n'était pourtant pas la même qui avait parlé tout à l'heure :

" Vous savez ce qu'on dit... que les Jenkins ne sont pas mariés.

5 — Quelle folie !

— Je vous assure... il paraîtrait qu'il y a une véritable madame Jenkins quelque part, mais pas celle qu'on nous a montrée... Du reste, avez-vous remarqué... "

Le dialogue continua à voix basse, madame Jenkins s'ap-
10 prochait, saluant, souriant, tandis que le docteur, arrêtant un plateau au passage, lui apportait un verre de bordeaux avec l'empressement d'une mère, d'un imprésario, d'un amoureux... " Mais c'est hideux, le monde ! " se disait de Géry épouvanté, les mains froides. Puis tout à coup se révoltant : " Allons
15 donc ! ce n'est pas possible." Et, comme si elle avait voulu répondre à cette exclamation, derrière lui, la médisance reprit d'un ton dégagé : " Après tout, vous savez, je n'en suis pas sûr autrement. Je répète ce qu'on m'a dit... Tiens ! la baronne Hemerlingue... Il a tout Paris, ce Jenkins."

20 La baronne s'avançait au bras du docteur, qui s'était précipité au-devant d'elle, et si maître qu'il fût de tous les jeux de son visage, semblait un peu troublé et déconfit. Il avait imaginé cela, le bon Jenkins, de profiter de sa soirée pour réconcilier entre eux son ami Hemerlingue et son ami Jansoulet, ses
25 deux clients les plus riches, et qui l'embarrassaient beaucoup avec leur guerre intestine. Le Nabab ne demandait pas mieux. Il n'en voulait pas à son ancien copain. Leur brouille était venue à la suite du mariage d'Hemerlingue avec une des favorites de l'ancien bey. " Histoire de femme, en somme," disait
30 Jansoulet, et qu'il aurait été heureux de voir finir, toute antipathie pesant à cette nature exubérante. Mais il paraît que le baron ne tenait pas à un rapprochement ; car, malgré la promesse qu'il avait faite à Jenkins, sa femme arrivait seule, au grand dépit de l'Irlandais. Et vous pensez si la curiosité mon-

daine s'empressait autour de cette ancienne odalisque devenue catholique fervente, s'avançant escortée d'une figure livide de sacristain à lunettes, maître Le Merquier, député de Lyon, l'homme d'affaires d'Hemerlingue, qui accompagnait la baronne quand le baron "était un peu souffrant," comme ce soir. 5

A leur entrée dans le second salon, le Nabab vint droit à elle, croyant voir apparaître à la suite la figure bouffie de son vieux camarade, auquel il était convenu qu'il irait tendre la main. La baronne l'aperçut, devint encore plus blanche. Un éclair d'acier filtra sous ses longs cils. Ses narines s'ouvrirent, 10 palpitèrent, et, comme Jansoulet s'inclinait, elle pressa le pas, la tête haute et droite, laissant tomber de ses lèvres minces un mot arabe que personne ne put comprendre, mais où le pauvre Nabab entendit bien l'injure, lui ; car, en se relevant, son visage hâlé était de la couleur d'une terre cuite qui sort du four. Il 15 resta un moment sans bouger, ses gros poings crispés, sa bouche tuméfiée de colère. Jenkins vint le rejoindre, et de Géry, qui avait suivi de loin toute cette scène, les vit causer ensemble vivement d'un air préoccupé.

Tout à coup la porte s'ouvrit à deux battants : 20

"Son Excellence M. le duc de Mora."

Un long frémissement l'accueillit, une curiosité respectueuse, rangée sur deux haies, au lieu de la presse brutale qui s'était jetée sur les pas du Nabab.

Nul mieux que lui ne savait se présenter dans le monde, 25 traverser un salon gravement, monter en souriant à la tribune, donner du sérieux aux choses futiles, traiter légèrement les choses graves ; c'était le résumé de son attitude dans la vie, une distinction paradoxale. Encore beau malgré ses cinquante-six ans, d'une beauté faite d'élégance et de proportion où la 30 grâce du dandy se raffermissait par quelque chose de militaire dans la taille et la fierté du visage, il portait merveilleusement l'habit noir, sur lequel, pour faire honneur à Jenkins, il avait mis quelques-unes de ses plaques,[1] qu'il n'arborait jamais qu'aux

jours officiels. Le reflet du linge, de la cravate blanche, l'argent
mat des décorations, la douceur des cheveux rares et grisonnants ajoutaient à la pâleur de la tête, plus exsangue que tout
ce qu'il y avait d'exsangue ce soir-là chez l'Irlandais.

5 Il menait une vie si terrible ! La politique, le jeu sous toutes
ses formes, coups de bourse et coups de baccarat, et cette
réputation d'homme à bonnes fortunes[1] qu'il fallait soutenir à
tout prix. Oh ! celui-là était un vrai client de Jenkins ; et
cette visite princière, il la devait bien à l'inventeur de ces
10 mystérieuses perles qui donnaient à son regard cette flamme,
à tout son être cet en-avant si vibrant et si extraordinaire.

"Mon cher duc, permettez-moi de vous..."

Monpavon, solennel, le jabot gonflé, essayait de faire la présentation si attendue ; mais l'Excellence, distraite, n'entendait
15 pas, continuait sa route vers le grand salon, emportée par un de
ces courants électriques qui rompent la monotonie mondaine.
Sur son passage les femmes se penchaient un peu avec des airs
attirants, un rire doux, une préoccupation de plaire. Mais lui
n'en voyait qu'une seule. Félicia, debout au centre d'un groupe
20 d'hommes, discutant comme au milieu de son atelier, et qui
regardait venir le duc, tout en mangeant tranquillement un
sorbet. Elle l'accueillit avec un naturel parfait. Il semblait
n'y avoir entre eux qu'une camaraderie toute spirituelle, une
familiarité enjouée.

25 "Je suis allé chez vous, Mademoiselle, en montant au Bois.

—On me l'a dit. Vous êtes même entré dans l'atelier.

—Et j'ai vu le fameux groupe... mon groupe.

—Eh bien?

—C'est très beau... Le lévrier court comme un enragé...
30 Le renard détale admirablement... Seulement je n'ai pas bien
compris... Vous m'aviez dit que c'était notre histoire à tous
les deux?

—Ah ! voilà... Cherchez... C'est un apologue que j'ai lu
dans Rabelais. Voici : Bacchus a fait un renard prodigieux,

imprenable à la course. Vulcain de son côté a donné à un chien de sa façon le pouvoir d'attraper toute bête qu'il poursuivra. "Or, comme dit mon auteur, advint qu'ils se rencontrèrent." Vous voyez quelle course enragée et... interminable. Il me semble, mon cher duc, que le destin nous a mis ainsi en présence, munis de qualités contraires, vous qui avez reçu des dieux le don d'atteindre tous les cœurs, moi dont le cœur ne sera jamais pris.

— Mais comment les dieux se sont-ils tirés de ce mauvais pas?

— En changeant les deux coureurs en pierre.

— Par exemple, dit-il, voilà un dénoûment que je n'accepte point... Je défie les dieux de jamais pétrifier mon cœur."

Une flamme courte jaillit de ses prunelles, éteinte aussitôt à la pensée qu'on les regardait.

En effet, on les regardait beaucoup, mais personne aussi curieusement que Jenkins qui rôdait autour d'eux, impatient, crispé, comme s'il en eût voulu[1] à Félicia de prendre pour elle seule le personnage important de la soirée. La jeune fille en fit, en riant, l'observation au duc :

"On va dire que je vous accapare."

Elle lui montrait Monpavon attendant, debout près du Nabab qui, de loin, adressait à l'Excellence le regard quêteur et soumis d'un bon gros dogue. Le ministre d'État se souvint alors de ce qui l'avait amené. Il salua la jeune fille et revint à Monpavon, qui put lui présenter enfin "son honorable ami, M. Bernard Jansoulet." L'Excellence s'inclina, le parvenu s'humilia plus bas que terre, puis ils causèrent un moment.

De l'angle où il s'était blotti, de Géry regardait la scène avec intérêt, sachant quelle importance son ami attachait à cette présentation, quand le hasard qui avait si cruellement démenti, toute la soirée, ses naïvetés de débutant, lui fit distinguer ce court dialogue, près de lui, dans cette houle[2] des conversations particulières où chacun entend juste le mot qui l'intéresse :

"C'est bien le moins que Monpavon lui fasse faire quelques bonnes connaissances. Il lui en a tant procuré de mauvaises... Vous savez qu'il vient de lui jeter sur les bras Paganetti et toute sa bande.

— Le malheureux !... Mais ils vont le dévorer.

— Bah ! ce n'est que justice qu'on lui fasse un peu rendre gorge[1]... Il en a tant volé là-bas chez les Turcs.

— Vraiment, vous croyez ?...

— Si je crois ! J'ai là-dessus des détails très précis que je tiens du baron Hemerlingue, le banquier qui a fait le dernier emprunt tunisien... Il en connaît des histoires, celui-là, sur le Nabab. Imaginez-vous..."

Et les infamies commencèrent. Pendant quinze ans, Jansoulet avait indignement exploité l'ancien bey. On citait des noms de fournisseurs et des tours admirables d'aplomb, d'effronterie. Puis on accentuait des accusations plus graves mais aussi certaines, puisqu'elles venaient toujours de la même source. Il avait fait jadis à Paris — avant son départ pour l'Orient — les plus singuliers métiers : marchand de contremarques,[2] gérant d'un bal de barrière[3]... Et les chuchotements se terminaient dans un rire étouffé, le rire lippu des hommes causant entre eux.

Le premier mouvement du jeune provincial, en entendant ces calomnies infâmes, fut de se retourner et de crier : "Vous en avez menti."

Quelques heures plus tôt, il l'aurait fait sans hésiter ; mais, depuis qu'il était là, il avait appris la méfiance, le scepticisme. Il se contint donc et écouta jusqu'au bout, immobile à la même place, ayant tout au fond de lui-même le désir inavoué de connaître mieux celui qu'il servait. Quant au Nabab, sujet bien inconscient de cette hideuse chronique,[4] tranquillement installé dans un petit salon auquel ses tentures bleues, deux lampes à abat-jour communiquaient un air recueilli, il faisait sa partie d'écarté avec le duc de Mora.

O magie du galion ! Le fils du revendeur de ferraille seul à une table de jeu en face du premier personnage de l'empire. Jansoulet en croyait à peine la glace de Venise où se reflétaient sa figure resplendissante et le crâne auguste, séparé d'une large raie.[1] Aussi, pour reconnaître ce grand honneur, s'appliquait-il 5 à perdre décemment le plus de billets de mille francs possible, se sentant quand même le gagnant de la partie et tout fier de voir passer son argent dans ces mains aristocratiques dont il étudiait les moindres gestes pendant qu'elles jetaient, coupaient ou soutenaient les cartes. 10

" Le ciel est beau, le pavé sec... Si vous voulez, mon cher enfant, nous renverrons la voiture et nous rentrerons à pied," dit Jansoulet à son compagnon en sortant de chez Jenkins.

Jamais il n'avait été si heureux de vivre ; et cette soirée chez Jenkins, son entrée dans le monde, à lui aussi, lui avait laissé 15 une impression de portiques dressés comme pour un triomphe, de foule accourue, de fleurs jetées sur son passage... Tant il est vrai que les choses n'existent que par les yeux qui les regardent... Quel succès ! Le duc, au moment de le quitter, l'engageant à venir voir sa galerie ; ce qui signifiait les portes 20 de l'hôtel Mora ouvertes pour lui avant huit jours. Félicia Ruys consentant à faire son buste, de sorte qu'à la prochaine exposition le fils du cloutier aurait son portrait en marbre par la même grande artiste qui avait signé celui du ministre d'État. N'était-ce pas le contentement de toutes ses vanités enfantines ? 25

Et tous deux ruminant leurs pensées sombres ou joyeuses, ils marchaient l'un près de l'autre, absorbés, absents d'eux-mêmes, si bien que la place Vendôme, silencieuse, inondée d'une lumière bleue et glacée, sonna sous leurs pas avant qu'ils se fussent dit un mot. 30

" Déjà, dit le Nabab... J'aurais bien voulu marcher encore un peu.. Ça vous va-t-il ?" Et, tout en faisant deux ou trois fois le tour de la place, il laissait aller, par bouffées, l'immense joie dont il était plein :

"Comme il fait bon ![1] Comme on respire !... Tonnerre de Dieu ! ma soirée de ce soir, je ne la donnerais pas pour cent
5 mille francs... Quel brave cœur que ce Jenkins... Aimez-vous le genre de beauté de Félicia Ruys ? Moi, j'en raffole[2]... Et le duc, quel grand seigneur ! si simple, si aimable... C'est beau, Paris, n'est-ce pas, mon fils ?

— C'est trop compliqué pour moi ... ça me fait peur, répondit
10 Paul de Géry d'une voix sourde.

— Oui, oui, je comprends, reprit l'autre avec une fatuité adorable. Vous n'avez pas encore l'habitude, mais on s'y fait vite, allez ! Regardez comme en un mois je me suis mis à l'aise.

15 — C'est que vous étiez déjà venu à Paris, vous... Vous l'aviez habité autrefois.

— Moi ? jamais de la vie... Qui vous a dit cela ?

— Tiens, je croyais ... répondit le jeune homme ; et tout de suite une foule de réflexions se précipitant dans son esprit :

20 — Que lui avez-vous donc fait à ce baron Hemerlingue ? C'est une haine à mort entre vous."

Le Nabab resta une minute interdit. Ce nom d'Hemerlingue, jeté tout à coup dans sa joie, lui rappelait le seul épisode fâcheux de la soirée :

25 " A celui-là comme aux autres, dit-il d'une voix attristée, je n'ai jamais fait que du bien. Nous avons commencé ensemble, misérablement. Nous avons grandi, prospéré côte à côte. Quand il a voulu partir de ses propres ailes,[3] je l'ai toujours aidé, soutenu de mon mieux. C'est moi qui lui ai fait avoir dix
30 ans de suite les fournitures de la flotte et de l'armée ; presque toute sa fortune vient de là. Puis un beau matin, cet imbécile de Bernois à sang lourd ne va-t-il pas se toquer[4] d'une odalisque que la mère du bey avait fait chasser du harem ? La drôlesse était belle, ambitieuse, elle s'est fait épouser, et naturellement,

après ce beau mariage, Hemerlingue a été obligé de quitter Tunis... On lui avait fait croire que j'excitais le bey à lui fermer la principauté. Ce n'est pas vrai. J'ai obtenu, au contraire, de Son Altesse, qu'Hemerlingue fils — un enfant de sa première femme — resterait à Tunis pour surveiller leurs intérêts 5 en suspens, pendant que le père venait à Paris fonder sa maison de banque... Du reste, j'ai été bien récompensé de ma bonté... Lorsque, à la mort de mon pauvre Ahmed, le mouchir,[1] son frère, est monté sur le trône, les Hemerlingue, rentrés en faveur, n'ont cessé de me desservir auprès du nouveau maître. Le bey 10 me fait toujours bon visage ; mais mon crédit est ébranlé. Eh bien ! malgré cela, malgré tous les mauvais tours qu'Hemerlingue m'a joués, qu'il me joue encore, j'étais prêt ce soir à lui tendre la main... Non seulement ce misérable-là me la refuse ; mais il me fait insulter par sa femme, une bête sauvage et méchante, 15 qui ne me pardonne pas de n'avoir jamais voulu la recevoir à Tunis... Après tout, bah ! qu'ils disent ce qu'ils voudront. Je me moque d'eux. Qu'est-ce qu'ils peuvent contre moi ? Me démolir près du bey ? Ça m'est égal. Je n'ai plus rien à faire en Tunisie, et je m'en retirerai le plus tôt possible... Il 20 n'y a qu'une ville, qu'un pays au monde, c'est Paris, Paris accueillant, hospitalier, pas bégueule,[2] où tout homme intelligent trouve du large[3] pour faire de grandes choses... Et moi, maintenant, voyez-vous, de Géry, je veux faire de grandes choses... J'en ai assez de la vie de mercanti[4]... J'ai travaillé 25 pendant vingt ans pour l'argent ; à présent je suis goulu de gloire, de considération, de renommée. Je veux être quelqu'un dans l'histoire de mon pays, et cela me sera facile. Avec mon immense fortune, ma connaissance des hommes, des affaires, ce que je sens là dans ma tête, je puis arriver à tout et j'aspire à 30 tout... Aussi croyez-moi, mon cher enfant, ne me quittez jamais — restez fidèlement à mon bord. La mâture est solide ; j'ai du charbon plein mes soutes[5]... Je vous jure que nous irons loin, et vite, nom d'un sort ! "

A mesure que le Nabab parlait, de Géry sentait fuir ses soupçons et toute sa sympathie renaître avec une nuance de pitié... Non, bien certainement cet homme-là n'était pas un coquin, mais un pauvre être illusionné à qui la fortune montait à la tête comme un vin trop capiteux pour un estomac longtemps abreuvé d'eau. Seul au milieu de Paris, entouré d'ennemis et d'exploiteurs, Jansoulet lui faisait l'effet d'un piéton chargé d'or traversant un bois mal hanté, dans l'ombre et sans armes. Et il pensait qu'il serait bien au protégé de veiller sans en avoir l'air sur le protecteur, de devenir le Télémaque [1] clairvoyant de ce Mentor aveugle, de lui montrer les fondrières, de le défendre contre les détrousseurs, de l'aider enfin à se débattre dans tout ce fourmillement d'embuscades nocturnes qu'il sentait rôder férocement autour du Nabab et de ses millions.

IV.

FÉLICIA RUYS.

"Et votre fils, Jenkins, qu'est-ce que vous en faites?... Pourquoi ne le voit-on plus chez vous?... Il était gentil ce garçon."

Tout en disant cela de ce ton de brusquerie dédaigneuse qu'elle avait presque toujours lorsqu'elle parlait à l'Irlandais, Félicia travaillait au buste du Nabab qu'elle venait de commencer, posait son modèle, quittait et reprenait l'ébauchoir, essuyait lestement ses doigts à la petite éponge, tandis que la lumière et la tranquillité d'une belle après-midi de dimanche tombaient sur la rotonde vitrée de l'atelier. Félicia "recevait" tous les dimanches, si c'est recevoir que laisser sa porte ouverte, les gens entrer, sortir, s'asseoir un moment, sans bouger pour eux de son travail ni même interrompre la discussion commencée pour faire accueil aux arrivants. C'étaient des artistes, têtes fines, barbes rutilantes, avec çà et là une toison blanche de vieux romantiques[1] amis du père Ruys; puis des amateurs, des hommes du monde, banquiers, agents de change[2] et quelques jeunes gandins[3] venus plutôt pour la belle fille que pour sa sculpture, pour avoir le droit de dire au club le soir: "J'étais aujourd'hui chez Félicia." Parmi eux, Paul de Géry, silencieux, absorbé dans une admiration qui lui entrait au cœur chaque jour un peu plus, cherchait à comprendre le beau sphinx enveloppé de cachemire pourpre et de guipures écrues qui taillait bravement en pleine glaise,[4] un tablier de brunisseuse — remonté presque jusqu'au cou, — laissant la tête petite et fière émerger avec ces tons transparents, ces lueurs de rayons voilés dont l'esprit, l'inspiration colorent les visages en passant. Paul se rappelait toujours ce qu'on avait dit d'elle devant lui, essayait de se faire une opinion, doutait, plein de trouble et 5 charmé, se jurant chaque fois qu'il ne reviendrait plus, et ne manquant pas un dimanche. Il y avait là aussi de fondation, toujours à la même place, une petite femme en cheveux gris et poudrés, une fanchon autour de sa figure rose, pastel un peu effacé par les ans qui, sous le jour discret d'une embrasure, 10 souriait doucement, les mains abandonnées sur ses genoux, dans une immobilité de fakir. Jenkins, aimable, la face ouverte, avec ses yeux noirs et son air d'apôtre, allait de l'un à l'autre, aimé et connu de tous. Lui non plus ne manquait pas un des jours de Félicia ; et vraiment il y mettait de la patience, 15 toutes les rebuffades de l'artiste et de la jolie femme étant réservées à lui seul. Sans paraître s'en apercevoir, avec la même sérénité souriante, indulgente, il continuait à venir chez la fille de son vieux Ruys, de celui qu'il avait tant aimé, soigné jusqu'à la dernière minute.

20 Cette fois cependant la question que venait de lui adresser Félicia à propos de son fils lui parut extrêmement désagréable ; et c'est le sourcil froncé, avec une expression réelle de mauvaise humeur, qu'il répondit :

"Ce qu'il est devenu, ma foi ! je n'en sais pas plus que 25 vous... Il nous a quittés tout à fait. Il s'ennuyait chez nous... Il n'aime que sa bohème[1]..."

Félicia eut un bond qui les fit tous tressaillir, et l'œil dardé, la narine frémissante :

"C'est trop fort... Ah ça ! voyons, Jenkins, qu'est-ce que 30 vous appelez la bohème ?... Mais votre clientèle de médecin à la mode, ô sublime Jenkins, n'est faite que de cela. Bohème de l'industrie, de la finance, de la politique ; des déclassés, des tarés de toutes les castes, et plus on monte, plus il y en a, parce que le rang donne l'impunité et que la fortune paie bien des silences."

Elle parlait, très animée, l'air dur, la lèvre retroussée par un dédain féroce. L'autre riait d'un rire faux, prenait un petit ton léger, condescendant : « Ah ! tête folle... tête folle. » Et son regard se tournait, inquiet et suppliant, du côté du Nabab, comme pour lui demander grâce de toutes ces impertinences paradoxales.

Mais Jansoulet, bien loin de paraître vexé, lui qui était si fier de poser devant cette belle artiste, si orgueilleux de l'honneur qu'on lui faisait, remuait la tête d'un air approbatif :

“Elle a raison, Jenkins, dit-il à la fin, elle a raison. La vraie bohème, c'est nous autres. Regardez-moi, par exemple, regardez Hemerlingue, deux des plus gros manieurs d'écus[1] de Paris. Quand je pense d'où nous sommes partis, tous les métiers à travers lesquels on a roulé sa bosse.[2] Hemerlingue, un ancien cantinier de régiment;[3] moi, qui pour vivre, ai porté des sacs de blé sur le port de Marseille... Et les coups de raccroc[4] dont notre fortune s'est faite, comme se font d'ailleurs toutes les fortunes maintenant... Allez-vous-en[5] sous le péristyle de la Bourse[6] de trois à cinq... Mais, pardon, Mademoiselle, avec ma manie de gesticuler en parlant, voilà que j'ai perdu la pose... voyons, comme ceci?...

— C'est inutile, dit Félicia en jetant son ébauchoir d'un geste d'enfant gâté. Je ne ferai plus rien aujourd'hui.”

C'était une étrange fille, cette Félicia. Une vraie fille d'artiste, d'un artiste génial et désordonné, bien dans la tradition romantique, comme était Sébastien Ruys. Jusqu'à treize ans, elle était restée chez son père, mettant une note enfantine et tendre dans cet atelier encombré de flâneurs, de modèles, de grands lévriers couchés en long sur les divans. Il y avait là un coin réservé pour elle, pour ses essais de sculpture, toute une installation microscopique, un trépied, de la cire; et le vieux Ruys criait à ceux qui entraient :

“Va pas par là... Dérange rien... C'est le coin de la petiote...”

Ce qui fait qu'à dix ans elle savait à peine lire et maniait l'ébauchoir avec une merveilleuse adresse. Elle devenait bruyante, turbulente, mal élevée, mais sans être atteinte par tout ce qui passait au-dessus de sa petite âme au ras de terre.
5 Tous les ans, à la belle saison, elle allait demeurer quelques jours chez sa marraine, Constance Crenmitz, la Crenmitz aînée, que l'Europe entière avait si longtemps appelée " l'illustre danseuse," et qui vivait paisiblement retirée à Fontainebleau.

Constance Crenmitz fut le seul élément féminin dans l'en-
10 fance de Félicia. Elle seule entreprit de redresser le jeune sauvageon,[1] et d'éveiller discrètement la femme dans cet être étrange sur le dos duquel les manteaux, les fourrures, tout ce que la mode inventait d'élégant, prenait des plis trop droits ou des brusqueries singulières. Elle prit de plus la responsabilité
15 de chercher une pension convenable, une pension qu'elle choisit à dessein très cossue et très bourgeoise, tout en haut d'un faubourg aéré, installée dans une vaste demeure du vieux temps, entourée de grands murs, de grands arbres, une sorte de couvent, moins la contrainte et le mépris des sérieuses
20 études.

Dans l'atmosphère purifiée du pensionnat Belin, elle ressentait une douceur extrême à se féminiser, à reprendre son sexe, à connaître l'ordre, la régularité, autrement que de cette danseuse aimable dont les baisers gardaient toujours un goût
25 de fard et les expansions des ronds de bras [2] peu naturels. Le père Ruys s'extasiait, chaque fois qu'il venait voir sa fille, de la trouver plus demoiselle, sachant entrer, marcher, sortir d'une pièce avec cette jolie révérence qui faisait désirer à toutes les pensionnaires de madame Belin le frou-frou [3] traînant d'une
30 longue robe.

D'abord il vint souvent, puis comme le temps lui manquait pour tous les travaux acceptés, entrepris, dont les avances payaient les gâchis,[4] les facilités de son existence, on le vit moins au parloir. Enfin, la maladie s'en mêla. Terrassé par une anémie invincible, il restait des semaines sans sortir, sans travailler. Alors il voulut ravoir sa fille ; et du pensionnat ombragé d'une paix si saine, Félicia retomba dans l'atelier paternel que hantaient toujours les mêmes commensaux, le parasitisme installé autour de toute célébrité, parmi lequel la 5 maladie avait introduit un nouveau personnage, le docteur Jenkins.

Cette belle figure ouverte, l'air de franchise, de sérénité répandu sur la personne de ce médecin, déjà connu, qui parlait de son art avec tant de sans-façon et opérait pourtant des 10 cures miraculeuses, les soins dont il entourait son père, firent une grande impression sur la jeune fille. Tout de suite Jenkins fut l'ami, le confident, un tuteur vigilant et doux. Tout le jour elle travaillait à sa sculpture, fixait ses rêveries avec ce bonheur de la jeunesse instinctive qui prête tant de charme aux pre- 15 mières œuvres ; cela l'empêchait de trop regretter l'austérité de l'institution Belin, abritante et légère comme le voile d'une novice sans vœux, et cela la gardait aussi des conversations dangereuses, inentendues[1] dans sa préoccupation unique.

Aux derniers temps, Félicia — grande artiste et toujours enfant 20 — exécutait la moitié des travaux paternels ; et rien n'était plus touchant que cette collaboration du père et de la fille, dans le même atelier, autour du même groupe. Mais soudainement Ruys s'éteignit, s'écroula d'un coup, comme tous ceux que soignait l'Irlandais. Quelques amis du sculpteur se réunirent en 25 conseil de famille pour délibérer sur le sort de cette malheureuse enfant sans parents ni fortune. On parla d'organiser une vente. Félicia, consultée, répondit que cela lui était égal qu'on vendît tout, mais, pour Dieu ! qu'on la laissât tranquille.

La vente n'eut pas lieu cependant, grâce à la marraine, la 30 bonne Crenmitz, qu'on vit apparaître tout à coup, tranquille et douce comme d'habitude :

"Ne les écoute pas, ma fille, ne vends rien. Ta vieille Constance a quinze mille francs de rente qui t'étaient destinés. Tu en profiteras dès à présent, voilà tout. Nous vivrons ensemble ici. Tu verras, je ne suis pas gênante. Tu feras ta sculpture, je mènerai la maison. Ça te va-t-il ?"[1]

Ce n'était pas un petit sacrifice que Constance avait fait au cher démon de quitter sa retraite de Fontainebleau pour Paris, dont elle avait la terreur. Et quel singulier ménage d'artistes que celui de ces deux femmes, aussi enfants l'une que l'autre, mettant en commun l'inexpérience et l'ambition, la tranquillité d'une destinée accomplie et la fièvre d'une vie en pleine lutte, toutes les différences visibles même dans la tournure tranquille de cette blonde, toute blanche comme une rose déteinte, paraissant habillée sous ses couleurs claires d'un reste de feu de bengale, et cette brune aux traits corrects, enveloppant presque toujours sa beauté d'étoffes sombres, aux plis simples, comme d'un semblant de virilité.

L'imprévu, le caprice, l'ignorance des moindres choses amenaient dans les ressources du ménage un désordre extrême, d'où l'on ne sortait parfois qu'à force de privations, de renvois de domestiques, de réformes risibles dans leur exagération. Pendant une de ces crises, Jenkins avait fait des offres voilées, délicates, repoussées avec mépris par Félicia.

" Ce n'est pas bien, lui disait Constance, de rudoyer ainsi ce pauvre docteur. En somme, ce qu'il faisait là, n'avait rien d'offensant. Un vieil ami de ton père.

— Lui ! l'ami de quelqu'un... Ah ! le beau tartufe !"[2]

Et Félicia ayant peine à se contenir, tournait en ironie sa rancune, imitait Jenkins, le geste arrondi, la main sur son cœur, puis, gonflant ses joues, disait d'une grosse voix soufflée, pleine d'effusions menteuses :

" Soyons humains, soyons bons... Le bien sans espérance !... tout est là."

Constance riait aux larmes malgré elle, tellement la ressemblance était vraie.

" C'est égal, tu es trop dure... tu finiras par l'éloigner.[1]

— Ah bien oui !..." disait un hochement de tête de la jeune fille.

En effet, il revenait toujours, doux, aimable, dissimulant sa passion visible seulement quand elle se faisait jalouse à l'égard 5 des nouveaux venus, comblant d'assiduités l'ancienne danseuse à laquelle plaisait malgré tout sa douceur, et qui reconnaissait en lui un homme de son temps à elle, du temps où l'on abordait les femmes en leur baisant la main, avec un compliment sur la bonne mine de leur visage. 10

Un matin, Jenkins, étant venu pendant sa tournée, trouva Constance seule dans l'antichambre et désœuvrée.

" Vous voyez, docteur, je monte la garde, fit-elle tranquillement.

— Comment cela? 15

— Oui, Félicia travaille. Elle ne veut pas être dérangée, et les domestiques sont si bêtes. Je veille moi-même à la consigne."

Puis voyant l'Irlandais faire un pas vers l'atelier.

" Non, non, n'y allez pas... Elle m'a bien recommandé de 20 ne laisser entrer personne...

— Mais moi?

— Je vous en prie... vous me feriez gronder."

Jenkins allait se retirer, quand un éclat de rire de Félicia passant à travers les tentures lui fit lever la tête. 25

" Elle n'est donc pas seule?

— Non. Le Nabab est avec elle... Ils ont séance... pour le portrait.

— Et pourquoi ce mystère?... Voilà qui est singulier..."

Il marchait de long en large, l'air furieux, mais se contenant. 30 Enfin, il éclata.

C'était d'une inconvenance inouïe de laisser une jeune fille s'enfermer ainsi avec un homme.

Il s'étonnait qu'une personne aussi sérieuse, aussi dévouée que Constance... De quoi avait-on l'air?...

La vieille dame le regardait avec stupeur. Comme si Félicia était une jeune fille pareille aux autres! Et puis quel
5 danger y avait-il avec le Nabab, un homme si sérieux, si laid? D'ailleurs Jenkins devait bien savoir que Félicia ne consultait jamais personne, qu'elle n'agissait qu'à sa tête.[1]

"Non, non, c'est impossible, je ne peux pas tolérer cela," fit l'Irlandais.

10 Et, sans s'inquiéter autrement de la danseuse qui levait les bras au ciel pour le prendre à témoin de ce qui allait se passer, il se dirigea vers l'atelier; mais, au lieu d'entrer droit, il entr'ouvrit la porte doucement, et souleva un coin de tenture par lequel une partie de la pièce, celle où posait précisément le
15 Nabab, devint visible pour lui, quoique à une assez grande distance.

Jansoulet assis, sans cravate, le gilet ouvert, causait avec un air d'agitation, à demi-voix. Félicia répondait de même en chuchotements rieurs. La séance était très animée... Puis
20 un silence, un "frou" de jupes, et l'artiste, s'approchant de son modèle, lui rabattit d'un geste familier son col de toile tout autour en faisant courir sa main légère sur cette peau basanée.

Ce masque éthiopien dont les muscles tressaillaient d'une
25 ivresse de bien-être avec ses grands cils baissés de fauve endormi qu'on chatouille, la silhouette hardie de la jeune fille penchée sur cet étrange visage pour en vérifier les proportions, puis un geste violent, irrésistible, agrippant la main fine au passage et l'appliquant sur deux grosses lèvres éperdues,
30 Jenkins vit tout cela dans un éclair rouge...

Le bruit qu'il fit en entrant remit les deux personnages dans leurs positions respectives, et, sous le grand jour qui éblouissait ses yeux de chat guetteur, il aperçut la jeune fille debout devant lui, indignée, stupéfaite: "Qui est là? Qui se permet?" et le Nabab sur son estrade, le col rabattu, pétrifié, monumental.

Jenkins, un peu penaud, effaré de sa propre audace, balbutia quelques excuses. Il avait une chose très pressée à dire à M. Jansoulet, une nouvelle très importante et qui ne souffrait aucun retard... "Il savait de source certaine qu'il y aurait des croix données pour le 16 mars."[1] Aussitôt la figure du Nabab, un instant contractée, se détendit.

"Ah ! vraiment ?"

Il quitta la pose... L'affaire en valait la peine, diable ! M. de la Perrière, un secrétaire des commandements, avait été chargé par l'impératrice de visiter l'asile de Bethléem. Jenkins venait chercher le Nabab pour le mener aux Tuileries[2] chez le secrétaire et prendre jour.[3] Cette visite à Bethléem, c'était la croix pour lui.

"Vite, partons ; mon cher docteur, je vous suis."

Il n'en voulait plus à Jenkins d'être venu le déranger, et fébrilement il rattachait sa cravate, oubliant sous l'émotion nouvelle le bouleversement de tout à l'heure, car chez lui l'ambition primait tout.

Pendant que les deux hommes causaient à demi-voix, Félicia, immobile devant eux, les narines frémissantes, le mépris retroussant sa lèvre, les regardait de l'air de dire : "Eh bien ! j'attends."

Jansoulet s'excusa d'être obligé d'interrompre la séance ; mais une visite de la plus haute importance... Elle eut un sourire de pitié :

"Faites, faites... Au point où nous en sommes, je puis travailler sans vous.

— Oh ! oui, dit le docteur, l'œuvre est à peu près terminée."

Il ajouta d'un air connaisseur :

"C'est un beau morceau."

Et, comptant sur ce compliment pour se faire une sortie, il s'esquivait, les épaules basses ; mais Félicia le retint violemment :

“Restez, vous... J’ai à vous parler.”

Il vit bien à son regard qu’il fallait céder, sous peine d’un éclat :

“Vous permettez, cher ami?... Mademoiselle a un mot à me dire... Mon coupé est à la porte... Montez. Je vous rejoins.”

L’atelier refermé sur ce pas lourd qui s’éloignait, ils se regardèrent tous deux bien en face.

“Il faut que vous soyez ivre ou fou pour vous être permis une chose pareille? Comment, vous osez entrer chez moi quand je ne veux pas recevoir?... Pourquoi cette violence? de quel droit?...

Un enfant pris en faute ne courbe pas plus humblement la tête que Jenkins répondant :

“C’est vrai... J’ai eu tort... Un moment de folie, d’aveuglement... Mais pourquoi vous plaisez-vous à me déchirer le cœur comme vous faites?

—Je pense bien à vous, seulement...

—Que vous pensiez ou non à moi, je suis là, je vois ce qui se passe, et votre coquetterie me fait un mal affreux.”

Un peu de rouge lui vint aux joues devant ce reproche :

“Coquette, moi?... et avec qui?

—Avec ça...” dit l’Irlandais en montrant le buste simiesque et superbe.

Elle essaya de rire :

“Le Nabab... Quelle folie !

—Ne mentez donc pas... Croyez-vous que je sois aveugle, que je ne me rende pas compte de tous vos manèges? Vous restez seule avec lui très longtemps... Tout à l’heure j’étais là... Je vous voyais...” Il baissait la voix comme si le souffle lui eût manqué... “Que cherchez-vous donc, étrange et cruelle enfant? Je vous ai vue repousser les plus beaux, les plus nobles, les plus grands. Ce petit de Géry vous dévore des yeux, vous n’y prenez pas garde. Le duc de Mora lui-même n'a pas pu arriver jusqu'à votre cœur. Et c'est celui-là qui est affreux, vulgaire, qui ne pensait pas à vous, qui a toute autre chose que l'amour en tête... Vous avez vu comme il est parti !... Où voulez-vous donc en venir? Qu'attendez-vous de lui?

—Je veux... Je veux qu'il m'épouse. Voilà." 5

Froidement, d'un ton radouci, comme si cet aveu l'avait rapprochée de celui qu'elle méprisait tant, elle exposa ses motifs. La vie qu'elle menait la poussait à une impasse. Elle avait des goûts de luxe, de dépense, des habitudes de désordre que rien ne pouvait vaincre et qui la conduiraient fatalement à 10 la misère, elle et cette bonne Crenmitz, qui se laissait ruiner sans rien dire. Dans trois ans, quatre ans au plus, tout serait fini. Et alors les expédients, les dettes, la loque et les savates des petits ménages d'artistes.

—Non, ce qu'il me faut, ce que je veux, c'est un mari qui 15 me défende des autres et de moi-même, qui me garde d'un tas de choses noires dont j'ai peur quand je m'ennuie, des gouffres où je sens que je puis m'abîmer, quelqu'un qui m'aime pendant que je travaille, et relève de faction [1] ma pauvre vieille fée à bout de forces... Celui-là me convient et j'ai pensé à lui dès 20 que je l'ai vu. Il est laid, mais il a l'air bon ; puis il est follement riche et la fortune, à ce degré-là, ce doit être amusant... Oh ! je sais bien. Il y a sans doute dans sa vie quelque tare qui lui a porté chance. Tout cet or ne peut pas être fait d'honnêteté... Mais là, vrai, Jenkins, la main sur ce cœur 25 que vous invoquez si souvent, pensez-vous que je sois une épouse bien tentante pour un honnête homme? Voyez: de tous ces jeunes gens qui sollicitent comme une grâce de venir ici, lequel a songé à demander ma main? Jamais un seul. Pas plus de Géry que les autres... Je séduis, mais je fais 30 peur... Cela se comprend... Que peut-on supposer d'une fille élevée comme je l'ai été, sans mère, sans famille, à tas avec les modèles... Et Jenkins pour seul protecteur... Oh ! quand je pense... Quand je pense..."

Et de cette mémoire déjà lointaine, des choses lui arrivaient qui montaient d'un ton sa colère : "Eh ! oui, parbleu ! Je suis une fille d'aventure, et cet aventurier est bien le mari qu'il me faut.

5 — Vous attendrez au moins qu'il soit veuf, répondit Jenkins tranquillement... Et, dans ce cas, vous risquez d'attendre longtemps encore, car sa Levantine a l'air de se bien porter."

Félicia Ruys devint blême.

"Il est marié ?

10 — Marié, certes, et père d'une trimballée [1] d'enfants. Toute la smala [2] est débarquée depuis deux jours."

Elle resta une minute atterrée, regardant le vide, un frisson aux joues.

En face d'elle, le large masque du Nabab, avec son nez 15 épaté, sa bouche sensuelle et bonasse, criait de vie et de vérité dans les luisants de l'argile. Elle le contempla un moment, puis fit un pas, et, d'un geste de dégoût, renversa avec sa haute selle de bois le bloc luisant et gras qui s'écrasa par terre en tas de boue.

---

20 Marié, il l'était depuis douze ans, mais n'en avait parlé à personne de son entourage parisien, par une habitude orientale, ce silence que les gens de là-bas gardent sur le gynécée. Subitement on apprit que Madame allait venir, qu'il fallait préparer des appartements pour elle, ses enfants et ses femmes.

25 Elle débarqua dans un état d'affaissement épouvantable, anéantie, ahurie de son long voyage en wagon,[3] le premier de sa vie, car, amenée toute enfant à Tunis, elle ne l'avait jamais quitté. Elle était fille d'un Belge immensément riche qui faisait le commerce du corail, et chez qui Jansoulet, à son arrivée dans 30 le pays, avait été employé pendant quelques mois. Mademoiselle Afchin, alors une délicieuse poupée d'une dizaine d'années, éblouissante de teint, de cheveux, de santé, venait souvent

chercher son père au comptoir dans le grand carrosse attelé de mules qui les emmenait à leur belle villa de la Marse, aux environs de Tunis. Cette gamine, toujours décolletée, aux épaules éclatantes, entrevue dans un cadre luxueux, avait ébloui l'aventurier ; et, des années après, lorsque devenu riche, favori du bey, il songea à s'établir, ce fut à elle qu'il pensa. L'enfant s'était changé en une grosse fille, lourde et blanche. Son intelligence, déjà bien obtuse, s'était encore obscurcie dans l'engourdissement d'une existence de loisir, l'incurie d'un père tout aux affaires,[1] l'usage des tabacs saturés d'opium et des confitures de rose, la torpeur de son sang flamand compliquée de paresse orientale ; en outre, mal élevée, gourmande, sensuelle, altière, un bijou levantin perfectionné.

Mais Jansoulet ne vit rien de tout cela ; et puis il était si occupé !

Mille affaires : la *Caisse territoriale*, l'installation de la galerie de tableaux, des courses au Tattersall[2] avec Bois-l'Héry, un bibelot à aller voir, ici ou là, chez des amateurs désignés par Schwalbach, des heures passées avec les entraîneurs, les jockeys, les marchands de curiosités, l'existence encombrée et multiple d'un bourgeois gentilhomme du Paris moderne. Son existence était réellement très remplie, et encore, de Géry le déchargeait-il de la plus grande corvée,[3] le département si compliqué des demandes et des secours.

Maintenant, le jeune homme assistait à sa place à toutes les inventions audacieuses et burlesques, à toutes les combinaisons héroï-comiques de cette mendicité de grande ville, organisée comme un ministère, innombrable comme une armée, abonnée aux journaux, et sachant son *Bottin*[4] par cœur. A certains jours, il sortait de ces séances écœuré jusqu'à la nausée. Toute l'honnêteté de sa jeunesse se révoltait ; il essayait auprès du Nabab des tentatives de réforme. Mais celui-ci, au premier mot, prenait la physionomie ennuyée des natures faibles, mises en demeure[5] de se prononcer, ou bien il répondait avec un haussement de ses solides épaules : " Mais, c'est Paris, cela, mon cher enfant ... Ne vous effarouchez pas, laissez-moi faire... Je sais où je vais et ce que je veux."

Il voulait alors deux choses, la députation et la croix. Pour lui, c'étaient les deux premiers étages de la grande montée, où son ambition le poussait. Député, il le serait certainement par la *Caisse territoriale*, à la tête de laquelle il se trouvait. Paganetti de Porto-Vecchio le lui disait souvent :

" Quand le jour sera venu, l'île se lèvera et votera pour vous, comme un seul homme."

Pour la croix, tout allait encore mieux. L'œuvre de Bethléem avait décidément fait aux Tuileries un bruit du diable. On n'attendait plus que la visite de M. de la Perrière et son rapport qui ne pouvait manquer d'être favorable, pour inscrire sur la liste du 16 mars, à la date d'un anniversaire impérial, le glorieux nom de Jansoulet... Le 16 mars, c'est-à-dire avant un mois... Que dirait le gros Hemerlingue de cette insigne faveur, lui qui, depuis si longtemps, devait se contenter du Nisham.[1] Et le bey, à qui l'on avait fait croire que Jansoulet était au ban de la société parisienne, et la vieille mère, là-bas, à Saint-Romans, toujours si heureuse des succès de son fils ! ... Est-ce que cela ne valait pas quelques millions habilement gaspillés et laissés aux oiseaux sur cette route de la gloire où le Nabab marchait en enfant, sans souci d'être dévoré tout au bout ?

Était-ce possible ?

" *Par décret du* 12 *mars* 1865, *rendu sur la proposition du ministre de l'intérieur, M. le docteur Jenkins, président-fondateur de l'œuvre de Bethléem, est nommé chevalier de l'ordre impérial de la Légion d'honneur. Grand dévouement à la cause de l'humanité.*"

En lisant ces lignes à la première page du *Journal officiel*, le matin du 16, le pauvre Nabab eut un éblouissement.

Jenkins décoré, et pas lui.

Il relut la note deux fois, croyant à une erreur de sa vision. Ses oreilles bourdonnaient. Les lettres dansaient, doubles, devant ses yeux avec ces cercles rouges qu'elles prennent au grand soleil. Il s'attendait si bien à voir son nom à cette place; 5 Jenkins—la veille encore—lui avait dit avec tant d'assurance: "C'est fait!" qu'il lui semblait toujours s'être trompé. Mais non, c'était bien Jenkins... Le coup fut profond, intime, prophétique, comme un premier avertissement du destin, et ressenti d'autant plus vivement que, depuis des années, cet homme 10 n'était plus habitué aux déconvenues, vivait au-dessus de l'humanité. Tout ce qu'il y avait de bon en lui apprit en même temps la méfiance.

"Eh bien, dit-il à de Géry, entrant comme chaque matin dans sa chambre et qui le surprit tout ému le journal à la main, 15 vous avez vu?... je ne suis pas à *l'Officiel.*"

Il essayait de sourire, les traits gonflés comme un enfant qui retient des larmes. Puis, tout à coup, avec cette franchise qui plaisait tant chez lui: "Cela me fait beaucoup de peine... je m'y attendais trop." 20

La porte s'ouvrit sur ces mots, et Jenkins se précipita essoufflé, balbutiant, extraordinairement agité:

"C'est une infamie... Une infamie épouvantable... Cela ne peut pas être, cela ne sera pas."

Les paroles se pressaient en tumulte sur ses lèvres, voulant 25 toutes sortir à la fois; puis il parut renoncer à exprimer sa pensée, et jeta sur la table une petite boîte en chagrin, et une grande enveloppe, toutes deux au timbre de la chancellerie.

"Voilà ma croix et mon brevet... Ils sont à vous, ami... Je ne saurais les conserver..." 30

Au fond, cela ne signifiait pas grand'chose. Jansoulet se parant du ruban de Jenkins se serait fait très bien condamner pour port illégal de décoration. Mais un coup de théâtre[1] n'est pas forcé d'être logique: celui-ci amena entre les deux hommes une effusion, des étreintes, un combat généreux, à la suite duquel Jenkins remit les objets dans sa poche, en parlant de réclamations, de lettres aux journaux... Le Nabab fut encore obligé de l'arrêter :

5 "Gardez-vous-en bien, malheureux... D'abord, ce serait me nuire pour une autre fois... Qui sait? peut-être qu'au 15 août[1] prochain...

— Oh ! ça, par exemple..." dit Jenkins sautant sur cette idée ; et le bras tendu, comme dans le *Serment* de David :[2]
10 "J'en prends l'engagement sacré."

L'affaire en resta là. Au déjeuner, le Nabab ne parla de rien, fut aussi gai que de coutume. Cette bonne humeur ne se démentit pas de la journée ; et de Géry, pour qui cette scène avait été une révélation sur le vrai Jenkins, l'explication des
15 ironies, des colères contenues de Félicia Ruys en parlant du docteur, se demandait en vain comment il pourrait éclairer son cher patron sur tant d'hypocrisie. Il aurait dû[3] savoir pourtant que chez les Méridionaux, en dehors et tout effusion, il n'y a jamais d'aveuglement complet, "d'emballement"[4] qui résiste
20 aux sagesses de la réflexion. Dans la soirée, le Nabab avait ouvert un petit portefeuille misérable, écorné aux angles, où depuis dix ans il faisait battre des millions, écrivant dessus en hiéroglyphes connus de lui seul, ses bénéfices et ses dépenses. Il s'absorbait dans ses comptes depuis un moment, quand se
25 tournant vers de Géry :

"Savez-vous ce que je fais, mon cher Paul? demanda-t-il.

— Non, Monsieur.

— Je suis en train — et son regard farceur, bien de son pays, raillait la bonhomie de son sourire — je suis en train de calculer
30 que j'ai déboursé quatre cent trente mille francs pour faire décorer Jenkins."

Quatre cent trente mille francs ! Et ce n'était pas fini..

V.

LES FÊTES DU BEY.

De Valence à Marseille, dans toute la vallée du Rhône, Saint-Romans de Bellaigue est célèbre comme un palais de fées ; et c'est bien une vraie féerie dans ces pays brûlés de mistral[1] que cette oasis de verdure et de belle eau jaillissante.

" Quand je serai riche, maman, disait Jansoulet tout gamin[2] à sa mère qu'il adorait, je te donnerai Saint-Romans de Bellaigue." 5

Et comme la vie de cet homme semblait l'accomplissement d'un conte des *Mille et une Nuits*,[3] il avait acheté Saint-Romans, pour l'offrir à sa mère, meublé à neuf et grandiosement restauré. Quoiqu'il y eût dix ans de cela, la brave femme ne s'était pas 10 encore faite[4] à cette installation splendide. Ces fortunes de roi ont les charges, les tristesses des existences royales. Cette pauvre mère Jansoulet, dans son milieu éblouissant, était bien comme une vraie reine, connaissant les longs exils, les séparations cruelles et les épreuves qui compensent la grandeur ; son 15 fils, au lointain, écrivant peu, absorbé par ses grandes affaires, disant toujours : " Je viendrai," et ne venant pas. En douze ans, elle ne l'avait vu qu'une fois dans le tourbillon d'une visite du bey à Saint-Romans : un train de chevaux, de carrosses, de pétards, de fêtes. Mais à ce voyage-ci, le sachant en France 20 pour plusieurs mois, peut-être pour toujours, elle espérait avoir son Bernard tout à elle. Et voici qu'il lui arrivait un beau soir, enveloppé de la même gloire triomphante, du même appareil officiel, entouré d'une foule de comtes, de marquis, de beaux messieurs de Paris, remplissant, eux et leurs domestiques, les 25 deux grands breacks[1] qu'elle avait envoyés les attendre à la petite gare de Giffas, de l'autre côté du Rhône.

"Mais, embrassez-moi donc, ma chère maman. Il n'y a pas de honte à serrer bien fort contre son cœur son garçon, qu'on
5 n'a pas vu depuis des années... D'ailleurs, tous ces messieurs sont nos amis... Voici M. le marquis de Monpavon, M. le marquis de Bois-l'Héry... Ah ! ce n'est plus le temps où je vous amenais pour manger la soupe de fèves avec nous, le petit Cabassu et Bompain Jean-Baptiste. Vous connaissez M. de
10 Géry?... Avec mon vieux Cardailhac, que je vous présente, voilà la première fournée[2]... Mais il va en arriver d'autres... Préparez-vous à un branle-bas[3] terrible... Nous recevons le bey dans quatre jours.

—Encore le bey!... dit la bonne femme épouvantée. Je
15 croyais qu'il était mort."

Jansoulet et ses invités ne purent s'empêcher de rire devant cet effarement comique, accentué par l'intonation meridionale.

"Mais c'est un autre, maman... Il y en a toujours des beys... Heureusement, sapristi!... Seulement, n'ayez pas
20 peur. Vous n'aurez pas, cette fois, autant de tracas... L'ami Cardailhac s'est chargé de l'organisation. Nous allons avoir des fêtes superbes..."

Cardailhac, qui voyait grand, avait déjà tout son plan fait. Toute la soirée il ne fut question que de cela entre eux.
25 Les coudes sur la table, dans la salle à manger somptueuse, enflammés et repus, ils combinaient, discutaient.

"D'abord, carte blanche, n'est-ce pas, Nabab?

—Carte blanche, mon vieux. Et que le gros Hemerlingue en crève de male rage[4]."

30 Alors le directeur racontait ses projets, la fête divisée en journées comme à Vaux quand Fouquet[5] reçut Louis XIV; un jour la comédie, un autre jour les fêtes provençales, farandoles, taureaux, musiques locales; le troisième jour... Et déjà avec sa manie directoriale il esquissait des programmes, des affiches,

pendant que le marquis de Monpavon toujours à la tenue[1] redressait son plastron à chaque instant pour se tenir éveillé.

Le lendemain, dès la première heure, le branle-bas commença par l'arrivée des comédiennes et des comédiens, une avalanche de toques, de chignons, de grandes bottes, de jupes 5 courtes, de cris étudiés, de voiles flottant sur la fraîcheur du maquillage. Tout ce monde-là, émoustillé par le voyage, la surprise du grand air, une hospitalité plantureuse, aussi l'espoir de pêcher quelque chose dans ce passage de beys, de nababs et autres porte-sequins, ne demandait qu'à s'ébaudir, rigoler et 10 chanter avec l'entrain canaille d'une flotte de canotiers de la Seine descendus des planches[2] en terre ferme. Mais Cardailhac ne l'entendait pas ainsi. Assis au milieu du perron, comme à l'avant-scène de son théâtre, en surveillant les répétitions, il commandait à un peuple d'ouvriers, de jardiniers, faisait abattre 15 les arbres qui gênaient le point de vue, dessinait la coupe des arcs triomphaux, envoyait des dépêches, des estafettes aux maires, aux sous-préfets, à Arles pour avoir une députation des filles du pays en costume national, à Barbantane, où sont les plus beaux farandoleurs,[3] à Faraman, renommé pour ses 20 *manades*[4] de taureaux sauvages et de chevaux camarguais;[5] et comme le nom de Jansoulet flamboyait au bas de toutes les missives, que celui du bey de Tunis s'y ajoutait, de partout on acquiesçait avec empressement, les fils télégraphiques n'arrêtaient pas, les messagers crevaient des chevaux sur les routes, 25 et cette espèce de petit Sardanapale[6] de Porte-Saint-Martin[7] qu'on appelait Cardailhac répétait toujours: "Il y a de quoi faire," heureux de jeter l'or à la volée comme des poignées de semailles, d'avoir à brasser une mise en scène de cinquante lieues, toute cette Provence, dont ce Parisien forcené était 30 originaire et connaissait à fond les ressources en pittoresque.

Dépossédée de ses fonctions, la vieille maman ne se montrait plus guère, s'occupait seulement de la ferme, effarée par cette foule de visiteurs, ces domestiques insolents qu'on ne distinguait pas de leurs maîtres, ces femmes à l'air effronté et coquet, ces vieux rasés qui ressemblaient à de mauvais prêtres, tous ces fous se poursuivant la nuit dans les couloirs à grands coups d'oreillers, d'éponges mouillées, de glands[1] de rideaux qu'ils arrachaient pour en faire des projectiles. Et la soigneuse ménagère, se rappelant l'état où le passage de l'ancien bey avait laissé le château, dévasté comme par un cyclone, disait dans son patois en mouillant fièvreusement le lin de sa quenouille :

" Que le feu de Dieu les brûle les beys et puis les beys ! "

Enfin il arriva le jour, ce jour fameux dont on parle encore aujourd'hui dans tout le pays de là-bas. Oh ! vers trois heures de l'après-midi, après un déjeuner somptueux présidé cette fois par la vieille mère avec une cambrésine neuve à sa coiffe, lorsque[2] Jansoulet, en habit noir et cravate blanche, entouré de ses convives, sortit sur le perron et qu'il vit dans ce cadre splendide de nature pompeuse, au milieu des drapeaux, des arcs, des trophées, ce fourmillement de têtes, ce flamboiement de costumes s'étageant sur les pentes, au tournant des allées ; ici, groupées en corbeille sur une pelouse, les plus jolies filles d'Arles, dont les petites têtes mates sortaient délicatement des fichus de dentelles ; au-dessous, la farandole de Barbantane, ses huit tambourins en queue, prête à partir, les mains enlacées, rubans au vent, chapeau sur l'oreille, la *taillole*[3] rouge autour des reins ; plus bas, dans la succession des terrasses, les orphéons alignés tout noirs sous leurs casquettes éclatantes, le porte-bannière en avant, grave, convaincu, les dents serrées, tenant haut sa hampe ouvragée ; plus bas encore, sur un vaste rond-point transformé en cirque de combat, des taureaux noirs entravés et les gauchos[4] camarguais sur leurs petits chevaux à longue crinière blanche ; après, encore des drapeaux, des casques, des baïonnettes, comme cela[5] jusqu'à l'arc triomphal de l'entrée ; puis, à perte de vue, de l'autre côté du Rhône, sur lequel deux compagnies du train[6] venaient de jeter un pont de bateaux pour arriver de la gare en droite ligne à Saint-

Romans, une foule immense, des villages entiers dévalant par toutes les côtes, s'entassant sur la route de Giffas dans une montée de cris et de poussière, assis au bord des fossés, grimpés sur les ormes, empilés sur les charrettes, formidable haie vivante du cortège ; par là-dessus un large soleil blanc 5 épandu dont un vent capricieux envoyait les flèches dans toutes les directions, au cuivre d'un tambourin, à la pointe d'un trident, à la frange d'une bannière, et le grand Rhône fougueux et libre emportant à la mer le tableau mouvant de cette fête royale. En face de ces merveilles, où tout l'or de ses coffres 10 resplendissait, le Nabab eut un mouvement d'admiration et d'orgueil.

Le directeur leva sa canne ; aussitôt son geste répété courut du haut en bas du parc, faisant éclater à la fois tous les orphéons, toutes les fanfares, tous les tambourins unis dans le rhythme 15 majestueux du chant populaire méridional : *Grand Soleil de la Provence.* Les voix, les cuivres montaient dans la lumière, gonflant les oriflammes, agitant la farandole qui commençait à onduler, à battre ses premiers entrechats sur place, tandis qu'à l'autre bord du fleuve une rumeur courait comme une brise, 20 sans doute la crainte que le bey fût arrivé subitement d'un autre côté. Nouveau geste du directeur, et l'immense orchestre s'apaisa, plus lentement cette fois, avec des retards, des fusées de notes égarées dans le feuillage ; mais on ne pouvait exiger davantage d'une figuration de trois mille personnes. 25

A ce moment les voitures s'avançaient, les carrosses de gala qui avaient servi aux fêtes de l'ancien bey, deux grands chars rose et or à la mode de Tunis, que la mère Jansoulet avait soignés comme des reliques et qui sortaient de la remise avec leurs panneaux peints, leurs tentures et leurs crépines d'or, 30 aussi brillants, aussi neufs qu'au premier jour, et tout s'ébranla sur la route de Giffas.

En l'honneur du bey, la gare, blanche et carrée, posée comme un dé au bord de la voie avait été chamarrée de drapeaux, de trophées, ornée de tapis, de divans, et d'un splendide buffet dressé avec un en-cas[1] et des sorbets tout prêts pour l'Altesse. Une fois là, le Nabab descendu de carrosse sentit se dissiper cette espèce de malaise inquiet que lui aussi, 5 sans qu'il sût pourquoi, éprouvait depuis un moment. Préfets, généraux, députés, habits noirs et fracs brodés se tenaient sur le large trottoir intérieur, formant des groupes imposants, solennels. Et vous pensez si l'on s'écrasait le nez dehors contre les vitres pour voir toutes ces broderies hiérarchiques,[2] le plastron 10 de Monpavon qui s'élargissait, montait comme un soufflé d'œufs à la neige,[3] Cardailhac haletant, donnant ses derniers ordres, et la bonne face de Jansoulet, de leur Jansoulet, dont les yeux étincelants entre les joues bouffies et tannées semblaient deux gros clous d'or dans la gaufrure d'un cuir de Cordoue. Tout à 15 coup des sonneries électriques. Un sifflet strident retentit, et le train apparut. Vrai train royal, rapide et court, chargé de drapeaux français et tunisiens, et dont la locomotive mugissante et fumante, un énorme bouquet de roses sur le poitrail,[4] semblait la demoiselle d'honneur d'une noce de Léviathans.

20 Lancée à toute volée, elle ralentissait sa marche en approchant. Les fonctionnaires se groupèrent, se redressant, assurant les épées, ajustant les faux-cols, tandis que Jansoulet allait au-devant du train, le long de la voie, le sourire obséquieux aux lèvres et le dos arrondi déjà pour le : "Salem alek."[5] Le 25 convoi continuait très lentement. Jansoulet crut qu'il s'arrêtait et mit la main sur la portière du wagon royal étincelant d'or sous le noir du ciel ; mais l'élan était trop fort sans doute, le train avançait toujours, le Nabab marchant à côté, essayant d'ouvrir cette maudite portière qui tenait ferme, et de l'autre 30 main faisant un signe de commandement à la machine. La machine n'obéissait pas. "Arrêtez donc !" Elle n'arrêtait pas. Impatienté, il sauta sur le marchepied garni de velours et avec sa fougue un peu impudente qui plaisait tant à l'ancien bey, il cria, sa grosse tête crépue à la portière :

"Station de Saint-Romans, Altesse."

Vous savez, cette sorte de lumière vague qu'il y a dans le rêve, cette atmosphère décolorée et vide, où tout prend un aspect de fantôme, Jansoulet en fut brusquement enveloppé, saisi, paralysé. Il voulut parler, les mots ne venaient pas; ses mains molles tenaient leur point d'appui si faiblement qu'il manqua tomber à la renverse. Qu'avait-il donc vu? A demi couché sur un divan qui tenait le fond du salon, reposant sur le coude sa belle tête aux tons mats, à la longue barbe soyeuse et noire, le bey, boutonné haut dans sa redingote orientale, sans autres ornements que le large cordon de la Légion d'honneur en travers sur sa poitrine et l'aigrette en diamant[1] de son bonnet, s'éventait, impassible, avec un petit drapeau de sparterie brodée d'or. Deux aides de camp se tenaient debout près de lui ainsi qu'un ingénieur de la compagnie. En face, sur un autre divan, dans une attitude respectueuse, mais favorisée, puisqu'ils étaient les seuls assis devant le bey, jaunes tous deux, leurs grands favoris tombant sur la cravate blanche, deux hiboux, l'un gras et l'autre maigre... C'était Hemerlingue père et fils, ayant reconquis l'Altesse et l'emmenant en triomphe à Paris... L'horrible rêve! Tous ces gens-là, qui connaissaient bien Jansoulet pourtant, le regardaient froidement comme si son visage ne leur rappelait rien... Blême à faire pitié, la sueur au front, il bégaya: "Mais, Altesse, vous ne descendez..." Un éclair livide en coup de sabre suivi d'un éclat de tonnerre épouvantable lui coupa la parole. Mais l'éclair qui brilla dans les yeux du souverain lui parut autrement[2] terrible. Dressé, le bras tendu, d'une voix un peu gutturale habituée à rouler les dures syllabes arabes, mais dans un français très-pur, le bey le foudroya de ces paroles lentes et préparées:

"Rentre chez toi, Mercanti.[3] Le pied va où le cœur le mène, le mien n'ira jamais chez l'homme qui a volé mon pays."

Jansoulet voulut dire un mot. Le bey fit un signe: "Allez!" Et l'ingénieur ayant poussé un timbre électrique auquel un coup de sifflet répondit, le train, qui n'avait cessé de se mouvoir très lentement, tendit et fit craquer ses muscles de fer, et prit l'élan à toute vapeur, agitant ses drapeaux au vent d'orage dans des tourbillons de fumée noire et d'éclairs sinistres.

5 Lui, debout sur la voie, chancelant, ivre, perdu, regardait fuir et disparaître sa fortune, insensible aux larges gouttes de pluie qui commençaient à tomber sur sa tête nue. Puis, quand les autres s'élançant vers lui l'entourèrent, le pressèrent de questions : "Le bey ne s'arrête donc pas?" Il balbutia 10 quelques paroles sans suite : "Intrigues de cour... Machination infâme..." Et tout à coup, montrant le poing au train disparu, du sang plein les yeux, une écume de colère aux lèvres, il cria dans un rugissement de bête fauve :

"Canailles[1] !...

15 — De la tenue, Jansoulet, de la tenue..."

Vous devinez qui avait dit cela, et qui — son bras passé sous celui du Nabab — tâchait de le redresser, de lui cambrer la poitrine à l'égal de la sienne, le conduisait aux carrosses au milieu de la stupeur des habits brodés, et l'y faisait monter, 20 anéanti, stupéfié, comme un parent de défunt qu'on hisse dans une voiture de deuil après la lugubre cérémonie. La pluie commençait à tomber, les coups de tonnerre se succédaient. On s'entassa dans les voitures qui reprirent vite le chemin du retour. Alors il se passa une chose navrante et comique, une 25 de ces farces cruelles du lâche destin accablant ses victimes à terre. Dans le jour qui tombait, l'obscurité croissante de la trombe, la foule pressée aux abords de la gare crut distinguer une Altesse parmi tant de chamarrures et, sitôt que les roues s'ébranlèrent, une clameur immense, une épouvantable braillée 30 qui couvait depuis une heure dans toutes ces poitrines éclata, monta, roula, rebondit de côte en côte, se prolongea dans la vallée : "Vive le bey!" Averties par ce signal, les premières fanfares attaquèrent, les orphéons partirent à leur tour, et le bruit gagnant de proche en proche, de Giffas à Saint-Romans la route ne fut plus qu'une houle,[1] un hurlement ininterrompu. Cardailhac, tous ces messieurs, Jansoulet lui-même avaient beau se pencher aux portières, faire des signes désespérés : " Assez ! . . . assez ! " Leurs gestes se perdaient dans le tumulte, dans la nuit ; ce qu'on en voyait semblait un excitant à crier 5 davantage. Et je vous jure qu'il n'en était nul besoin. Tous ces Méridionaux, dont on chauffait l'enthousiasme depuis le matin, exaltés encore par l'énervement de la longue attente et de l'orage, donnaient tout ce qu'ils avaient de voix, d'haleine, de bruyant enthousiasme, mêlant à l'hymne de la Provence ce 10 cri toujours répété qui le coupait comme un refrain : " Vive le bey ! . . . " La plupart ne savaient pas du tout ce que c'était qu'un bey, mais c'est égal, ils se montaient avec cela, levaient les mains, agitaient leurs chapeaux, s'émotionnaient de leur propre mimique. Des femmes attendries s'essuyaient les yeux ; 15 subitement, du haut d'un orme, des cris suraigus d'enfant partaient : " Maman, maman, je le vois." Il le voyait ! . . . Tous le voyaient, du reste ; à l'heure qu'il est, tous vous jureraient qu'ils l'ont vu.

Devant un pareil délire, dans l'impossibilité d'imposer le 20 silence et le calme à cette foule, les gens des carrosses n'avaient qu'un parti à prendre : laisser faire, lever les glaces et brûler le pavé pour abréger ce dur martyre. Alors ce fut terrible. En voyant le cortége courir, toute la route se mit à galoper avec lui. Au ronflement sourd de leurs tambourins, les farandoleurs 25 de Barbantane, la main dans la main, bondissaient, allant, venant — guirlande humaine — autour des portières. Les orphéons, essoufflés de chanter au pas de course, mais hurlant tout de même, entraînaient leurs porte-bannières, la bannière jetée sur l'épaule ; et les bons gros curés rougeauds, anhélants, poussant 30 devant eux leurs vastes bedaines[2] surmenées, trouvaient encore la force de crier dans l'oreille des mules, d'une voix sympathique et pleine d'effusion : " Vive notre bon bey ! . . ." La pluie sur tout cela, la pluie tombant par écuelles, en paquets, déteignant les carrosses roses, précipitant encore la bousculade, achevant de donner à ce retour triomphal l'aspect d'une déroute, mais d'une déroute comique, mêlée de chants, de rires, de blasphèmes, d'embrassades furieuses et de jurements infernaux.

5 Un roulement sourd et mou annonça au pauvre Nabab immobile et silencieux dans un coin de son carrosse qu'on passait le pont de bateaux. On arrivait.

"Enfin !" dit-il, regardant par les vitres brouillées les flots écumeux du Rhône dont la tempête lui semblait un repos après 10 celle qu'il venait de traverser. Mais au bout du pont, quand la première voiture atteignit l'arc de triomphe, des pétards éclatèrent, les tambours battirent aux champs, saluant l'entrée du monarque sur les terres de son féal,[1] et pour comble d'ironie, dans le crépuscule, tout en haut du château, une flambée de gaz 15 gigantesque illumina soudain le toit de lettres de feu sur lesquelles la pluie, le vent faisaient courir de grandes ombres mais qui montraient encore très-lisiblement : "Viv" L" B"Y M""'HMED."

Maintenant, c'est la nuit. Tout dort dans Saint-Romans, 20 après l'immense brouhaha de la journée. Une pluie torrentielle continue à tomber, et dans le grand parc où les arcs de triomphe, les trophées dressent vaguement leurs carcasses détrempées, on entend rouler des torrents le long des rampes de pierre transformées en cascades. Tout ruisselle et s'égoutte. Un bruit 25 d'eau, un immense bruit d'eau. Seul dans sa chambre somptueuse au lit seigneurial tendu de lampas à bandes pourpres, le Nabab veille encore, marche à grands pas, remuant des pensées sinistres.

Soudain un bruit de pas, des coups précipités à la porte.

30 "Qui est là ?

— Monsieur, dit Noël entrant à demi vêtu, une dépêche très urgente qu'on envoie du télégraphe par estafette.

— Une dépêche !... Qu'y a-t-il encore ?..."

Il prend le pli bleu[1] et l'ouvre en tremblant. Le dieu, atteint déjà deux fois, commence à se sentir vulnérable, à perdre son assurance ; il connaît les peurs, les faiblesses nerveuses des autres hommes... Vite à la signature... *Mora*... Est-ce possible?... Le duc, le duc, à lui !... Oui, c'est bien cela... 5 *M..o..r..a*...

Et au-dessus :

Popolasca est mort. Elections prochaines en Corse. Vous êtes candidat officiel.

Député !... C'était le salut. Avec cela rien à craindre. 10 On ne traite pas un représentant de la grande nation française comme un simple mercanti... Enfoncés les Hemerlingue...

" O mon duc, mon noble duc ! "

Il était si ému qu'il ne pouvait signer. Et tout à coup :

" Où est l'homme qui a porté cette dépêche? 15

— Ici, monsieur Jansoulet," répondit dans le corridor une bonne voix méridionale et familière.

Il avait de la chance,[2] le piéton.

" Entre, dit le Nabab."

Et, lui rendant son reçu, il prit à tas, dans ses poches tou- 20 jours pleines, autant de pièces d'or que ses deux mains pouvaient en tenir et les jeta dans la casquette du pauvre diable bégayant, éperdu, ébloui de la fortune qui lui tombait en surprise dans la nuit de ce palais féerique.

VI.

UNE ÉLECTION CORSE.

Le tourbillon électoral, fit courir son vent de folie dans l'appartement de la place Vendôme envahi du matin au soir par l'élément habituel augmenté d'un arrivage constant de petits hommes bruns comme des caroubes,[1] aux têtes régulières et
5 barbues, les uns turbulents, bredouillants et bavards, les autres, silencieux, contenus et dogmatiques ; les deux types de la race où le climat pareil produit des effets différents. Tous ces insulaires affamés, du fond de leur patrie sauvage se donnaient rendez-vous à la table du Nabab, dont la maison était devenue
10 une auberge, un restaurant, un marché. Dans la salle à manger, où le couvert restait mis à demeure,[2] il y avait toujours un Corse frais débarqué en train de casser une croûte, avec la physionomie égarée et goulue d'un parent de campagne.

On se figure que le livre des chèques et les trois grands
15 tiroirs de la commode en acajou n'étaient pas épargnés par cette trombe de sauterelles dévorantes abattues sur les salons de "Moussiou Jansoulet." Rien de plus comique que la façon hautaine dont ces braves insulaires opéraient leurs emprunts, brusquement et d'un air de défi. Pourtant ce n'étaient pas eux
20 les plus terribles, excepté pour les boîtes de cigares. C'étaient des frais de publicité considérables, les articles de Moëssard expédiés en Corse par ballots de vingt mille, de trente mille exemplaires, avec des portraits, des biographies, des brochures, tout le bruit imprimé qu'il est possible de faire autour d'un
25 nom... Et puis toujours le train habituel des pompes aspi-

rantes[1] établies devant le grand réservoir à millions. Ici l'Œuvre de Bethléem, machine puissante, procédant par coups espacés, pleins d'élans... La *Caisse territoriale*, aspirateur merveilleux, infatigable, à triple et quadruple corps de pompe,[2] de la force de plusieurs milliers de chevaux;[3] et la pompe Schwalbach, et la pompe Bois-l'Héry, et combien d'autres encore, celles-là énormes, bruyantes, les pistons effrontés ou bien sourdes, discrètes, aux clapets savamment huilés, aux soupapes[4] minuscules, pompes-bijoux, aussi ténues que ces trompes[5] d'insectes dont la soif fait des piqûres et qui déposent du venin à l'endroit où elles puisent leur vie, mais toutes fonctionnant avec un même ensemble, et devant fatalement amener, sinon une sécheresse complète, du moins une baisse sérieuse de niveau.

Déjà de mauvais bruits, encore vagues, avaient circulé à la Bourse. Était-ce une manœuvre de l'ennemi, de cet Hemerlingue auquel Jansoulet faisait une guerre d'argent acharnée, essayant de contrecarrer toutes ses opérations financières, et perdant à ce jeu de très fortes sommes, parce qu'il avait contre lui sa propre fureur, le sang-froid de son adversaire et les maladresses de Paganetti qui lui servait d'homme de paille? En tout cas, l'étoile d'or avait pâli. Paul de Géry savait cela par le père Joyeuse, très au fait des choses de la Bourse, à qui il s'était adressé pour prendre des leçons de comptabilité. Mais ce qui l'effrayait surtout, c'était l'agitation singulière du Nabab, ce besoin de s'étourdir succédant à son beau calme de force, de sérénité, et la perte de sa sobriété méridionale, la façon dont il s'excitait avant le repas à grands coups de *raki*, parlant haut, riant fort, comme un gros matelot en bordée.[6] On sentait l'homme qui se surmène pour échapper à une préoccupation visible cependant dans la contraction subite de tous les muscles de son visage au passage de la pensée importune, ou quand il feuilletait fiévreusement son petit carnet dédoré. Ce sérieux entretien, cette explication décisive que Paul désirait tant avoir avec lui, Jansoulet n'en voulait à aucun prix. Il passait ses nuits au cercle, ses matinées au lit, et dès son réveil avait sa chambre remplie de monde, des gens qui lui parlaient pendant qu'il s'habillait, auxquels il répondait le nez dans sa cuvette. Quand par miracle de Géry le saisissait une seconde, il fuyait, 5 lui coupait la parole par un : "Pas maintenant, je vous en prie..." A la fin le jeune homme eut recours aux moyens héroïques.

Un matin, vers cinq heures, Jansoulet, en revenant du cercle, trouva sur sa table, près de son lit, une petite lettre qu'il prit 10 d'abord pour une de ces dénonciations anonymes qu'il recevait à la journée.[1] C'était bien une dénonciation, en effet, mais signée, à visage ouvert, respirant la loyauté et la jeunesse sérieuse de celui qui l'avait écrite. De Géry lui signalait très nettement toutes les infamies, toutes les exploitations dont il 15 était entouré. Sans détour, il désignait les coquins par leur nom. Pas un qui ne lui fût suspect parmi les commensaux ordinaires, pas un qui vînt pour autre chose que voler ou mentir. Du haut en bas de la maison, pillage et gaspillage. Les chevaux de Bois-l'Héry étaient tarés, la galerie Schwalbach, une duperie, 20 les articles de Moëssard, un chantage reconnu. De ces abus effrontés, Géry avait fait un long mémoire détaillé, avec preuves à l'appui ; mais c'était le dossier de la *Caisse territoriale* qu'il recommandait spécialement à Jansoulet, comme le vrai danger de sa situation. Dans les autres affaires, l'argent seul courait 25 des risques ; ici, l'honneur était en jeu. Attirés par le nom du Nabab, son titre de président du conseil, dans cet infâme guet-apens, des centaines d'actionnaires étaient venus, chercheurs d'or à la suite de ce mineur heureux. Cela lui créait une responsabilité effroyable, dont il se rendrait compte en 30 lisant le dossier de l'affaire, qui n'était que mensonge et flouerie d'un bout à l'autre.

"Vous trouverez le mémoire dont je vous parle, disait Paul de Géry en terminant sa lettre, dans le premier tiroir de mon bureau. Diverses quittances y sont jointes. Ce soir, en partant, je vous remettrai la clef. Car, je m'en vais, mon cher bienfaiteur et ami, je m'en vais, plein de reconnaissance pour le bien que vous m'avez fait, et désolé que votre confiance aveugle m'ait empêché de vous le rendre en partie. A l'heure qu'il est, ma conscience d'honnête homme me reprocherait de rester 5 plus longtemps inutile à mon poste. J'assiste à un désastre, au sac d'un Palais d'Été[1] contre lesquels je ne puis rien ; mais mon cœur se soulève à tout ce que je vois. Je donne des poignées de main qui me déshonorent. Je suis votre ami, et je parais leur complice. Et qui sait si, à force de vivre dans une pareille 10 atmosphère, je ne le serais pas devenu ?"

Cette lettre, qu'il lut lentement, profondément, fit au Nabab une impression si vive, qu'au lieu de se coucher, il se rendit tout de suite auprès de son jeune secrétaire, et il entra chez de Géry, déjà levé, debout en face de son bureau ouvert, où 15 il classait des paperasses.

"Avant tout, mon ami, dit Jansoulet en refermant doucement la porte sur leur entretien, répondez-moi franchement à ceci. Est-ce bien pour les motifs exprimés dans votre lettre que vous êtes résolu à me quitter ? N'y a-t-il pas là-dessous quelqu'une 20 de ces infamies, comme je sais qu'il en circule contre moi dans Paris ? Vous seriez, j'en suis sûr, assez loyal pour me prévenir et me mettre à même de me... de me disculper devant vous."

Paul l'assura qu'il n'avait pas d'autres raisons pour partir, mais que celles-là suffisaient certes, puisqu'il s'agissait d'une 25 affaire de conscience.

"Alors, mon enfant, écoutez-moi, et je suis sûr de vous retenir... Votre lettre, si éloquente d'honnêteté, de sincérité, ne m'a rien appris, rien dont je ne sois convaincu depuis trois mois. Oui, mon cher Paul, c'est vous qui aviez raison ; Paris 30 est plus compliqué que je ne pensais. Il m'a manqué en arrivant un cicerone[2] honnête et désintéressé, qui me mît en garde contre les gens et les choses. Moi, je n'ai trouvé que des exploiteurs. Tout ce qu'il y a de coquins tarés par la ville a déposé la boue de ses bottes sur mes tapis... Je les regardais tout à l'heure, mes pauvres salons. Ils auraient besoin d'un fier coup de balai ; et je vous réponds qu'il sera donné, jour de Dieu ! et d'une rude poigne[1]... Seulement, j'attends pour cela d'être député. Tous ces gredins me servent pour mon élection ; et cette élection m'est trop nécessaire pour que je m'expose à perdre la moindre chance... En deux mots, voici la situation. Non seulement, le bey entend ne pas me rendre les quinze millions que je lui ai prêtés ; mais à mon assignation, il a répondu par une demande reconventionnelle de quatre-vingts millions, chiffre auquel il estime l'argent que j'ai soutiré à son frère... Cela, c'est un vol épouvantable, une audacieuse calomnie... Ma fortune est à moi, bien à moi... Je l'ai gagnée dans mes trafics de commissionnaire. J'avais la faveur d'Ahmed ; lui-même m'a fourni l'occasion de m'enrichir... Que j'aie serré la vis[2] quelquefois un peu fort, bien possible. Mais il ne faut pas juger la chose avec des yeux d'Européen... Là-bas, c'est connu et reçu, ces gains énormes que font les Levantins ; c'est la rançon des sauvages que nous initions au bien-être occidental... Ce misérable Hemerlingue, qui suggère au bey toute cette persécution contre moi, en a bien fait d'autres... Mais à quoi bon discuter ? Je suis dans la gueule du loup. En attendant que j'aille m'expliquer devant ses tribunaux, — je la connais, la justice d'Orient, — le bey a commencé par mettre l'embargo sur tous mes biens, navires, palais et ce qu'ils contiennent... L'affaire a été conduite très régulièrement, sur un décret du Conseil-Suprême. On sent la patte[3] d'Hemerlingue fils là-dessous... Si je suis député, ce n'est qu'une plaisanterie. Le Conseil rapporte son décret, et l'on me rend mes trésors avec toutes sortes d'excuses. Si je ne suis pas nommé, je perds tout, soixante, quatre-vingts millions, même la possibilité de refaire ma fortune ; c'est la ruine, le déshonneur, le gouffre... Voyons, mon fils, est-ce que vous allez m'abandonner dans une crise pareille ?... Non, vous ne me laisserez pas seul parmi toutes les calomnies qui rampent autour de moi... C'est terrible, si vous saviez... Au cercle, au théâtre, partout où je vais, j'aperçois la petite tête de vipère de la baronne Hemerlingue, j'entends l'écho de ses sifflements, je sens le venin de sa rage. Partout, des regards 5 railleurs, des conversations interrompues quand j'arrive, des sourires qui mentent ou des bienveillances dans lesquelles se glisse un peu de pitié. Et puis des défections, des gens qui s'écartent comme à l'approche d'un malheur. Ainsi, voilà Félicia Ruys, au moment d'achever mon buste, qui prétexte 10 de je ne sais quel accident pour ne pas l'envoyer au Salon. Je n'ai rien dit, j'ai eu l'air de croire. Mais j'ai compris qu'il y avait de ce côté encore quelque infamie... Et c'est une grande déception pour moi. Dans des crises aussi graves que celle que je traverse, tout a son importance. Mon buste à 15 l'Exposition, signé de ce nom célèbre, m'aurait servi beaucoup dans Paris... Mais non, tout craque, tout me manque... Vous voyez bien que vous ne pouvez pas me manquer..."

VII.

UN JOUR DE SPLEEN.

CINQ heures de l'après-midi. La pluie depuis le matin, un ciel gris et bas[1] à toucher avec les parapluies, rien que de la boue, en flaques lourdes, en traînées luisantes au bord des trottoirs, chassée en vain par les balayeuses mécaniques, enlevée sur d'énormes tombereaux qui l'emportent lentement vers Montreuil, la promènent en triomphe à travers les rues, toujours remuée et toujours renaissante, poussant entre les pavés, éclaboussant les panneaux des voitures, le poitrail des chevaux, les vêtements des passants, mouchetant les vitres, les seuils, les devantures, à croire que Paris entier va s'enfoncer et disparaître sous cette tristesse du sol fangeux où tout se fond et se confond. Et c'est une pitié de voir l'envahissement de cette souillure sur les blancheurs des maisons neuves, la bordure des quais, les colonnades des balcons de pierre... Il y a quelqu'un cependant que ce spectacle réjouit, un pauvre être dégoûté et malade qui, vautré tout de son long[2] sur la soie brodée d'un divan, la tête sur ses poings fermés, regarde joyeusement dehors contre les vitres ruisselantes et se délecte à toutes ces laideurs :

" Vois-tu, ma fée, voilà bien le temps qu'il me fallait aujourd'hui... Regarde-les patauger... Sont-ils hideux, sont-ils sales !... Que de fange ! Il y en a partout, dans les rues, sur les quais, jusque dans la Seine, jusque dans le ciel... Ah ! c'est bon la boue, quand on est triste... Je voudrais tripoter[3] là-dedans, faire de la sculpture avec ça, une statue de cent pieds de haut, qui s'appellerait : " Mon ennui."

— Mais pourquoi t'ennuies-tu, ma chérie, dit avec douceur la vieille danseuse, aimable et rose dans son fauteuil, où elle se tient très droite de peur d'abîmer sa coiffure encore plus soignée que d'habitude... N'as-tu pas tout ce qu'il faut pour être heureuse?"

Et, de sa voix tranquille, pour la centième fois, elle recommence à lui énumérer ses raisons de bonheur, sa gloire, son génie, sa beauté, tous les hommes à ses pieds, les plus beaux, les plus puissants ; oh ! oui, les plus puissants, puisqu'aujourd'hui même... Mais un miaulement[1] formidable, une plainte déchirante du chacal exaspéré par la monotonie de son désert, fait trembler tout à coup les vitres de l'atelier et rentrer dans son cocon l'antique chrysalide épouvantée.

Toujours la pluie, toujours la boue, toujours le beau sphinx accroupi, les yeux perdus dans l'horizon fangeux. A quoi pense-t-il? Qu'est-ce qu'il regarde venir là-bas par ces routes souillées, douteuses sous la nuit qui tombe, avec ce pli au front et cette lèvre expressive de dégoût? Est-ce son destin qu'il attend? Triste destin qui s'est mis en marche par un temps pareil, sans crainte de l'ombre, de la boue...

Quelqu'un vient d'entrer dans l'atelier, un pas plus lourd que le trot de souris de Constance. Le petit domestique sans doute. Et Félicia, brutalement, sans se retourner :

" Va te coucher... Je n'y suis[2] pour personne...

— J'aurais bien voulu vous parler cependant, lui répond une voix amie."

Elle tressaille, se redresse, et radoucie, presque rieuse devant ce visiteur inattendu :

— Tiens ! c'est vous, jeune Minerve... Comment êtes-vous donc entré?

— Bien simplement. Toutes les portes sont ouvertes.

— Cela ne m'étonne pas. Constance est comme folle, depuis ce matin, avec son dîner...

— Oui, j'ai vu. L'antichambre est pleine de fleurs. Vous avez?...

— Oh ! un dîner bête, un dîner officiel. Je ne sais pas comment j'ai pu... Asseyez-vous donc là ; près de moi. Je suis heureuse de vous voir."

Paul, qu'elle avait surnommé Minerve, à cause de sa tranquillité apparente, et de la régularité de son profil, s'assied, un peu troublé. Jamais elle ne lui a paru si belle. Dans le demi-jour de l'atelier, parmi l'éclat brouillé des objets d'art, bronzes, tapisseries, sa pâleur fait une lumière douce, et ses yeux ont des reflets de pierre précieuse. Puis elle parle d'un ton si affectueux, elle semble si heureuse de cette visite. Pourquoi est-il resté aussi longtemps loin d'elle? Voilà près d'un mois qu'on ne l'a vu. Ils ne sont donc plus amis? Lui s'excuse de son mieux. Les affaires, un voyage. D'ailleurs, s'il n'est pas venu ici, il a souvent parlé d'elle, oh ! bien souvent, presque tous les jours.

"Vraiment? Et avec qui?

— Avec un excellent homme à qui vous avez causé une peine bien inutile... Voyons, pourquoi ne lui avez-vous pas fini son buste, à ce pauvre Nabab?... C'était un grand bonheur, une grande fierté pour lui ce buste à l'exposition... Il y comptait."

A ce nom du Nabab, elle s'est troublée légèrement :

"C'est vrai, dit-elle, j'ai manqué à ma parole... Que voulez-vous? Je suis à caprices, moi... Mais mon désir est bien de le reprendre un de ses jours... Voyez, le linge est dessus, tout mouillé, pour que la terre ne sèche pas...

— Et l'accident?... Oh ! vous savez, nous n'y avons pas cru...

— Vous avez eu tort... Je ne mens jamais... Une chute, un à-plat formidable... Seulement la glaise était fraîche. J'ai réparé cela facilement. Tenez !"

Elle enleva le linge d'un geste ; le Nabab surgit avec sa bonne face tout heureuse d'être portraiturée, et si vrai, tellement "nature" que Paul eut un cri d'admiration.

"N'est-ce pas qu'il est bien? dit-elle naïvement. . Encore

quelques retouches là et là... (Elle avait pris l'ébauchoir, la petite éponge et poussé la sellette dans ce qui restait de jour.) Ce serait l'affaire de quelques heures ; mais il ne pourrait toujours pas aller à l'exposition. Nous sommes le 22 ; tous les envois sont faits depuis longtemps. 5

— Bah !... avec des protections[1]..."

Elle eut un froncement de sourcils et sa mauvaise expression retombante de la bouche :

" C'est vrai... La protégée du duc de Mora... Oh ! vous n'avez pas besoin de vous défendre. Je sais ce qu'on dit 10 et je m'en moque comme de ça[2]... (Elle envoya une boulette de glaise s'emplâtrer contre la tenture.) Peut-être même qu'à force de supposer ce qui n'est pas... Mais laissons là ces infamies, dit-elle en relevant sa petite tête aristocratique... Je tiens à vous faire plaisir, Minerve... Votre ami ira au Salon 15 cette année."

A ce moment, un parfum de caramel, de pâte chaude envahit l'atelier où tombait le crépuscule en fine poussière décolorante ; et la fée apparut, un plat de beignets à la main, une vraie fée, parée, rajeunie, vêtue d'une tunique blanche qui lais- 20 sait à l'air, sous des dentelles jaunies, ses beaux bras de vieille femme, les bras, cette beauté qui meurt la dernière.

— Regarde mes *kuchlen*,[3] mignonne, s'ils sont réussis cette fois... Ah ! pardon, je n'avais pas vu que tu avais du monde... Tiens ! Mais c'est M. Paul... Ça va bien, monsieur Paul?... 25 Goûtez donc un de mes gâteaux...

Et l'aimable vieille, à qui ses atours semblaient prêter une vivacité extraordinaire, s'avançait en sautillant, son assiette en équilibre au bout de ses doigts de poupée.

" Laisse-le donc, lui dit Félicia tranquillement... Tu lui en 30 offriras à dîner.

— A dîner?"

La danseuse fut si stupéfaite qu'elle manqua renverser sa jolie pâtisserie, soufflée, légère et excellente comme elle.

"Mais oui, je le garde à dîner avec nous... Oh! je vous en prie, ajouta-t-elle avec une insistance particulière en voyant le mouvement de refus du jeune homme, je vous en prie, ne me dites pas non... C'est un service véritable que vous me 5 rendez en restant ce soir... Voyons, je n'ai pas hésité tout à l'heure, moi..."

Elle lui avait pris la main; et vraiment, l'on sentait une étrange disproportion entre sa demande et le ton suppliant, anxieux, dont elle était faite. Paul se défendit encore. Il 10 n'était pas habillé... Comment voulait-elle?... Un dîner où elle avait du monde...

"Mon dîner?... Mais je le décommande... Voilà comme je suis[1]... Nous serons seuls tous les trois, avec Constance.

—Mais, Félicia, mon enfant, tu n'y songes pas... Eh bien! 15 Et le... l'autre qui va venir tout à l'heure.

—Je vais lui écrire de rester chez lui, parbleu!

—Malheureuse, il est trop tard...

—Pas du tout. Six heures sonnent. Le dîner était pour sept heures et demie... Tu vas vite lui faire porter ça."

20 Elle écrivait, en hâte, sur un coin de table.

"Quelle étrange fille, mon Dieu, mon Dieu!... murmurait la danseuse tout ahurie, pendant que Félicia, ravie, transfigurée, fermait joyeusement sa lettre.

—Voilà mon excuse faite... Oh! que je suis contente; 25 la bonne soirée que nous allons passer..."

Évidemment le dîner, un vrai dîner de gourmandise, surveillé par l'Autrichienne dans ses moindres détails, avait été préparé pour un invité de grande volée.[2] Depuis le haut chandelier kabyle[3] à sept branches de bois sculpté qui rayonnait sur la 30 nappe couverte de broderies, jusqu'aux aiguières à long col enserrant les vins dans des formes bizarres et exquises, l'appareil somptueux du service, la recherche des mets aiguisés[4] d'une pointe d'étrangeté révélaient l'importance du convive attendu, le soin qu'on avait mis à lui plaire. On était bien chez un artiste. Peu d'argenterie, mais de superbes faïences, beaucoup d'ensemble, sans le moindre assortiment. Le vieux Rouen,[1] le Sèvres rose, les cristaux hollandais montés de vieux étains ouvrés[2] se rencontraient sur cette table comme sur un dressoir 5 d'objets rares rassemblés par un connaisseur pour le seul contentement de son goût. Un peu de désordre par exemple[3] dans ce ménage monté au hasard de la trouvaille.[4] Le merveilleux huilier n'avait plus de bouchons. La salière ébréchée débordait sur la nappe, et à chaque instant : "Tiens ! Qu'est 10 devenu le moutardier ?... Qu'est-ce qu'il est arrivé à cette fourchette ?" Cela gênait un peu de Géry pour la jeune maîtresse de maison qui, elle, n'en prenait aucun souci.

Mais quelque chose mettait Paul plus mal à l'aise encore, c'était la préoccupation de savoir quel hôte[5] privilégié il rem- 15 plaçait à cette table, que l'on pouvait traiter à la fois avec tant de magnificence et un sans-façon si complet. Malgré tout, il le sentait présent, offensant pour sa dignité personnelle, ce convive décommandé. Il avait beau vouloir l'oublier ; tout le lui rappelait, jusqu'à la parure de la bonne fée assise en face 20 de lui et qui gardait encore quelques-uns des grands airs dont elle s'était d'avance munie pour la circonstance solennelle. Cette pensée le troublait, lui gâtait la joie d'être là.

En revanche, comme il arrive dans tous les duos où les unissons sont très rares, jamais il n'avait vu Félicia si affec- 25 tueuse, de si joyeuse humeur. C'était une gaieté débordante, presque enfantine, une de ces expansions chaleureuses qu'on éprouve le danger passé, la réaction d'un feu clair flambant, après l'émotion d'un naufrage. Elle riait de toutes ses dents, taquinait Paul sur son accent, ce qu'elle appelait ses idées 30 bourgeoises. "Car vous êtes un affreux bourgeois, vous savez... Mais c'est ce qui me plaît en vous... C'est par opposition sans doute, parce que je suis née sous un pont, dans un coup de vent, que j'ai toujours aimé les natures posées, raisonnables.

— Oh ! ma fille, qu'est-ce que tu vas faire croire à M. Paul, que tu es née sous un pont ? . . disait la bonne Crenmitz, qui ne pouvait se faire[1] à l'exagération de certaines images et prenait tout au pied de la lettre.

5 — Laisse-le croire ce qu'il voudra, ma fée . . . Nous ne le visons pas pour mari. . . Je suis sûre qu'il ne voudrait pas de ce monstre qu'on appelle une femme artiste. Il croirait épouser le diable. . . Vous avez bien raison, Minerve. . . L'art est un despote. Il faut se donner à lui tout entier. On 10 met dans son œuvre ce qu'on a d'idéal, d'énergie, d'honnêteté, de conscience, si bien qu'il ne vous en reste plus pour la vie, et que le travail terminé vous jette là sans force et sans boussole comme un ponton démâté à la merci de tous les flots. . . Triste acquisition qu'une épouse pareille.

15 — Pourtant, hasarda timidement le jeune homme, il me semble que l'art, si exigeant qu'il soit, ne peut pas accaparer la femme à lui tout seul. Que ferait-elle de ses tendresses, de ce besoin d'aimer, de se dévouer, qui est en elle bien plus qu'en nous le mobile de tous ses actes ? "

20 Elle rêva un moment avant de répondre.

" Vous avez peut-être raison, sage Minerve. . . Le fait est qu'il y a des jours où ma vie sonne terriblement creux. . . J'y sens des trous, des profondeurs. Tout disparaît de ce que j'y jette pour la combler. . . Mes plus beaux enthousiasmes 25 artistiques s'engouffrent là-dedans et meurent chaque fois dans un soupir. . . Alors je pense au mariage. Un mari, des enfants, un tas d'enfants qui se rouleraient par l'atelier, le nid à soigner pour tout cela, la satisfaction de cette activité physique qui manque à nos existences d'art, des occupations 30 régulières, du train,[2] des chants, des gaietés naïves, qui vous forceraient à jouer au lieu de penser dans le vide, dans le noir, à rire devant un échec d'amour-propre à n'être qu'une mère satisfaite, le jour où le public ferait de vous une artiste usée, finie. . ."

Et devant cette vision de tendresse la beauté de la jeune fille prit une expression que Paul ne lui avait jamais vue, qui le saisit tout entier, lui donna une envie folle d'emporter dans ses bras ce bel oiseau sauvage rêvant du colombier, pour le défendre, l'abriter dans l'amour sûr d'un honnête homme. 5

Tout à coup, avec une effusion joyeuse elle continua :

"Ah ! Minerve, Minerve, je suis bien contente que vous soyez venu ce soir... Mais il ne faut plus me laisser si longtemps seule, voyez-vous... J'ai besoin d'avoir près de moi un esprit droit comme le vôtre, de voir un vrai visage au milieu 10 des masques qui m'entourent... Un affreux bourgeois tout de même, fit-elle en riant, et un provincial par-dessus le marché.[1].. Mais c'est égal ! c'est encore vous que j'ai le plus de plaisir à regarder... Et je crois que ma sympathie tient surtout à une chose. Vous me rappelez quelqu'un qui a été la grande affec- 15 tion de ma jeunesse, un petit être sérieux et raisonnable lui aussi, cramponné au terre-à-terre de l'existence, mais y mêlant cet idéal que nous autres artistes mettons à part pour le seul profit de nos œuvres... Des choses que vous dites me semblent venir d'elle... Vous avez la même bouche de modèle 20 antique. Est-ce cela qui donne à vos paroles cette similitude? Je n'en sais rien, mais à coup sûr, vous vous ressemblez... Vous allez voir..."

Sur la table chargée de croquis et d'albums devant laquelle elle était assise en face de lui, elle dessinait tout en causant, 25 le front incliné, ses cheveux frisés un peu fous ombrant son admirable petite tête. Ce n'était plus le beau monstre accroupi, au visage anxieux et ténébreux, condamnant sa propre destinée ; mais une femme, une vrai femme qui aime et qui veut séduire... Cette fois, Paul oubliait toutes ses méfiances devant 30 tant de sincérité et tant de grâce. Il allait parler, persuader. La minute était décisive... Mais la porte s'ouvrit, et le petit domestique parut... M. le duc faisait demander si Mademoiselle souffrait toujours de sa migraine ce soir...

"Toujours autant," dit-elle avec humeur.

Le domestique sorti, il y eut entre eux un moment de silence, un froid glacial. Paul s'était levé. Elle continuait son croquis, la tête toujours penchée.

"Tenez ! dit-elle, en jetant devant lui le croquis qu'elle venait de terminer : voilà l'amie dont je vous parlais... Une affection profonde et sûre que j'ai eu la folie de laisser perdre comme une gâcheuse que je suis... C'est elle que j'invoquais dans les moments difficiles, quand il fallait prendre une décision, faire quelque sacrifice... Je me disais : "Qu'en pensera-t-elle ?" comme nous nous arrêtons dans un travail d'artiste pour songer à quelque grand, à un de nos maîtres... Il faut que vous soyez cela pour moi. Voulez-vous ?"

Paul ne répondit pas. Il regardait le portrait d'Aline, la charmante fille de M. Joyeuse chez qui il prenait des leçons de comptabilité. C'était elle, c'était bien elle, son profil pur, sa bouche railleuse et bonne, et la longue boucle en caresse sur le col fin. Ah ! tous les ducs de Mora pouvaient venir maintenant. Félicia n'existait plus pour lui.

Pauvre Félicia, douée de pouvoirs supérieurs, elle était bien comme ces magiciennes qui nouent et dénouent les destins des hommes sans pouvoir rien sur leur propre bonheur.

"Voulez-vous me donner ce croquis ?" dit-il tout bas, la voix émue.

— Très volontiers... Elle est gentille, n'est-ce pas ?... Ah ! ma foi, celle-là, si vous la rencontrez, aimez-la, épousez-la. Elle vaut mieux que toutes. Pourtant, à défaut d'elle... à défaut d'elle..."

Et le beau sphinx apprivoisé levait vers lui ses grands yeux mouillés et rieurs, dont l'énigme n'avait plus rien d'indéchiffrable.

VIII.

L'EXPOSITION.

"SUPERBE !...

— Un succès énorme. Barye[1] n'a jamais rien fait d'aussi beau.

— Et le buste du Nabab ?... Quelle merveille ! C'est Constance Crenmitz qui est heureuse. Regardez-la trotter... 5

— Comment ! c'est la Crenmitz cette petite vieille en mantelet d'hermine ?... Voilà vingt ans que je la croyais morte."

Oh ! non, bien vivante au contraire. Ravie, rajeunie par le triomphe de sa filleule, qui tient[2] décidément le succès de l'Exposition, elle circule parmi la foule d'artistes, de gens du 10 monde formant aux deux endroits où sont exposés les envois[3] de Félicia, comme deux masses de dos noirs, de toilettes mêlées, se pressant, s'étouffant pour regarder. Constance si timide d'ordinaire, se glisse au premier rang, écoute les discussions, attrape au vol des bouts de phrases, des formules qu'elle 15 retient, approuve de la tête, sourit, lève les épaules lorsqu'elle entend dire une bêtise, tentée de foudroyer le premier qui n'admirerait pas.

Quoique le groupe en bronze de Félicia n'eût pas les proportions des grands morceaux, sa valeur exceptionnelle lui avait 20 mérité de décorer un des ronds-points du milieu,[4] dont le public se tenait en ce moment à une distance respectueuse, regardant par-dessus la haie de gardiens et de sergents de ville le bey de Tunis et sa suite, longs burnous aux plis sculpturaux qui mettaient des statues vivantes en face des autres. Le bey, 25 à Paris depuis quelques jours et le lion de toutes les *premières*,

avait voulu voir l'ouverture de l'Exposition. C'était "un prince éclairé, ami des arts," qui possédait au Bardo une galerie de peintures turques étonnantes, et des reproductions chromo-lithographiques de toutes les batailles du premier
5 Empire. Dès en entrant, la vue du grand lévrier arabe l'avait frappé au passage.

Pendant qu'un inspecteur des beaux-arts, accouru en toute hâte, expliquait à Mohammed l'apologue du "Chien et du Renard," raconté au livret avec cette légende : "Advint qu'ils
10 se rencontrèrent," et cette indication : "Appartient au duc de Mora," le gros Hemerlingue, suant et soufflant à côté de l'Altesse, avait bien du mal à lui persuader que cette sculpture magistrale était l'œuvre de la belle amazone qu'ils avaient rencontrée la veille au Bois. Comment une femme aux mains
15 faibles pouvait-elle assouplir[1] ainsi le bronze dur, lui donner l'apparence de la chair? De toutes les merveilles de Paris, c'était celle qui causait au bey le plus d'étonnement. Aussi s'informa-t-il auprès du fonctionnaire s'il n'y avait rien autre à voir du même artiste.

20 "Si fait, Monseigneur, encore un chef-d'œuvre... Si Votre Altesse veut venir de ce côté, je vais la conduire."

Le bey se remit en marche avec sa suite. C'étaient tous d'admirables types, traits ciselés et lignes pures, pâleurs chaudes dont la blancheur du haïck[2] absorbait jusqu'aux reflets. Magni-
25 fiquement drapés, ils contrastaient avec les bustes rangés sur les deux côtés de l'allée qu'ils avaient prise, et qui, perchés sur leurs hautes colonnettes, grêles dans l'air vide, exilés de leur milieu, de l'entourage dans lequel ils auraient rappelé sans doute de grands travaux, une affection tendre, une existence
30 remplie et courageuse, faisaient la triste mine de gens fourvoyés, très penauds de se trouver là. A part deux ou trois figures de femme, riches épaules encadrées de dentelles pétrifiées, chevelures de marbre rendues avec ce flou qui leur donne des légèretés de coiffures poudrées, quelques profils d'enfant

aux lignes simples où le poli de la pierre semble une moiteur de vie, tout le reste n'était que rides, plis, crispations et grimaces, nos excès de travail, de mouvements, nos nervosités et nos fièvres s'opposant à cet art de repos et de belle sérénité.

Au moins la laideur du Nabab avait pour elle l'énergie, son côté aventurier et canaille, et cette expression de bonté, si bien rendue par l'artiste, qui avait eu le soin de foncer son plâtre d'une couche [1] d'ocre lui donnant presque le ton hâlé et basané du modèle. Les Arabes firent, en le voyant, une exclamation étouffée: "Bou-Saïd..." (le père du bonheur). C'était le surnom du Nabab à Tunis, comme l'étiquette de sa chance. Le bey, lui, croyant qu'on avait voulu le mystifier, de le conduire ainsi devant le mercanti détesté, regarda l'inspecteur avec méfiance:

"Jansoulet?... dit-il de sa voix gutturale.

— Oui, Altesse, Bernard Jansoulet, le nouveau député de la Corse..."

Cette fois le bey se tourna vers Hemerlingue, le sourcil froncé.

"Député?

— Oui, Monseigneur, depuis ce matin; mais rien n'est encore terminé."

Et le banquier, haussant la voix, ajouta en bredouillant: "Jamais une Chambre française ne voudra de cet aventurier."

N'importe! le coup était porté à l'aveugle confiance du bey dans son baron financier. Il lui avait si bien affirmé que l'autre ne serait jamais élu, qu'on pouvait agir librement et sans crainte à son endroit. Et voici qu'au lieu de l'homme taré, terrassé, un représentant de la nation se dressait devant lui, un député dont les Parisiens venaient admirer la figure de pierre; car, pour l'Oriental, une idée honorifique se mêlant malgré tout à cette exposition publique, ce buste avait le prestige d'une statue dominant une place. Plus jaune encore que de coutume, Hemerlingue s'accusait en lui-même de maladresse et d'imprudence. Mais comment se serait-il douté d'une chose pareille ? On lui avait assuré que le buste n'était pas fini. Et, de fait, il se trouvait là du matin même et semblait s'y trouver bien, frémissant d'orgueil satisfait, narguant ses ennemis avec le sourire bon enfant de sa lèvre retroussée. Une vraie revanche silencieuse au désastre de Saint-Romans.

Pendant quelques minutes, le bey, aussi froid, aussi impassible que l'image sculptée, la fixa sans rien dire, le front partagé d'un pli droit où les courtisans seuls pouvaient lire sa colère ; puis, après deux mots rapides en arabe pour demander les voitures et rassembler la suite dispersée, il s'achemina gravement vers la sortie sans vouloir plus rien regarder... Qui dira ce qui se passe dans ces augustes cervelles blasées de puissance ? Déjà nos souverains d'Occident ont des fantaisies incompréhensibles ; mais ce n'est rien à côté des caprices orientaux. M. l'inspecteur des Beaux-Arts, qui comptait bien montrer toute l'exposition à Son Altesse et gagner à cette promenade le joli ruban rouge et vert du Nicham-Iftikahr, ne sut jamais le secret de cette soudaine fuite.

Au moment où les haïcks blancs disparaissaient sous le porche, juste à temps pour voir flotter leurs derniers plis, le Nabab faisait son entrée par la porte du milieu. Le matin, il avait reçu la nouvelle : " *Élu à une écrasante majorité ;* " et après un plantureux déjeuner, où l'on avait fortement toasté au nouveau député de la Corse, il venait, avec quelques-uns de ses convives, se montrer, se voir aussi, jouir de toute sa gloire nouvelle.

La première personne qu'il aperçut en arrivant, ce fut Félicia Ruys, debout, appuyée au socle d'une statue, entourée de compliments et d'hommages auxquels il se hâta de venir mêler les siens. Elle était simplement mise, drapée dans un costume noir brodé et chamarré de jais, tempérant la sévérité de sa tenue par un scintillement de reflets et l'éclat d'un ravissant petit chapeau tout en plumes de lophophores,[1] dont ses cheveux frisés fin sur le front, divisant la nuque en larges ondes, semblaient continuer et adoucir le chatoiement.

Une foule d'artistes, de gens du monde s'empressaient devant tant de génie allié à tant de beauté. Mais en somme les félicitations la laissaient assez froide, parce qu'il lui en manquait 5 une plus désirable que toute autre et qu'elle s'étonnait de n'avoir pas encore reçue... Décidément elle pensait à lui plus qu'elle n'avait pensé à aucun homme. Était-ce enfin l'amour, ou bien un simple rêve de vie honnête et bourgeoise? En tout cas, elle s'y trompait, vivait depuis quelques jours dans 10 un trouble délicieux, car l'amour est si fort, si beau, que ses semblants, ses mirages nous leurrent et peuvent nous émouvoir autant que lui-même.

Vous est-il quelquefois arrivé dans la rue, préoccupé d'un absent dont la pensée vous tient au cœur, d'être averti de sa 15 rencontre par celle de quelques personnes qui lui ressemblent vaguement, images préparatoires, esquisses du type près de surgir tout à l'heure, et qui sortent pour vous de la foule comme des appels successifs à votre attention surexcitée? Ce sont là des impressions magnétiques et nerveuses dont il ne faut pas 20 trop sourire, parce qu'elles constituent une faculté de souffrance. Déjà, dans le flot remuant et toujours renouvelé des visiteurs, Félicia avait cru reconnaître à plusieurs reprises la tête bouclée de Paul de Géry, quand tout à coup elle poussa un cri de joie. Ce n'était pas encore lui pourtant, mais quel- 25 qu'un qui lui ressemblait beaucoup, dont la physionomie régulière et paisible se mêlait toujours maintenant dans son esprit à celle de l'ami Paul par l'effet d'une ressemblance plus morale que physique et l'autorité douce qu'ils exerçaient tous deux sur sa pensée. 30

"Aline!

—Félicia!"

Les amitiés d'enfance conservent chez la femme une franchise d'allure qui les distingue, les fait reconnaître entre toutes, liens tressés naïvement et solides comme ces ouvrages de petites filles où une main inexpérimentée a prodigué le fil et les gros nœuds, plantes venues aux terrains jeunes, fleuries mais fortes en racines, pleines de vie et de repousses.

5 Un peu à l'écart, les deux jeunes filles, à qui il a suffi de se retrouver en face l'une de l'autre pour oublier cinq années d'éloignement, pressent leurs paroles et leurs souvenirs.

"Comme tu dois être heureuse !... Moi, je n'ai encore rien vu ; mais j'entends dire à tout le monde que c'est si 10 beau...

—Heureuse surtout de te retrouver, petite Aline... Et qu'as-tu fait, mignonne, dans tout ce temps?

—Oh ! moi, toujours la même chose... rien dont on puisse parler...

15 —Oui, oui... nous savons ce que tu appelles ne rien faire, petite vaillante... C'est donner ta vie aux autres, n'est-ce pas?"

Mais Aline n'écoutait plus. Elle souriait affectueusement droit devant elle, et Félicia, se retournant pour voir à qui 20 s'adressait ce sourire, aperçut Paul de Géry qui répondait au discret et tendre bonjour de mademoiselle Joyeuse.

"Vous vous connaissez donc?

—Si je connais M. Paul !... Je crois bien. Nous causons de toi assez souvent. Il ne te l'a donc jamais dit?

25 —Jamais... C'est un affreux sournois..."

Elle s'arrêta net, l'esprit traversé d'un éclair ; et vivement, sans écouter de Géry qui s'approchait pour saluer son triomphe, elle se pencha vers Aline et lui parla tout bas. L'autre rougissait, se défendait avec des sourires, des mots à demi-30 voix : "Y songes-tu?... A mon âge... Une bonne maman !" Et saisissait enfin le bras de son père pour échapper à quelque raillerie amicale.

Quand Félicia vit les deux jeunes gens s'éloigner du même pas, quand elle eut compris—ce qu'ils ne savaient pas encore

eux-mêmes — qu'ils s'aimaient, elle sentit comme un écroulement autour d'elle. Puis son rêve par terre, en mille miettes, elle se mit à le piétiner[1] furieusement... Après tout, il avait bien raison de lui préférer cette petite Aline. Est-ce qu'un honnête homme oserait jamais épouser mademoiselle Ruys? 5
Elle, un foyer, une famille, allons donc !...

La journée s'avançait. La foule plus active, avec des vides çà et là, commençait à s'écouler vers la sortie après de grands remous autour des succès de l'année, et Félicia, absorbée dans sa profonde et triste songerie, ne voyait pas celui qui 10
s'avançait vers elle, superbe, élégant, fascinateur, parmi les rangs du public respectueusement ouverts et le nom de "Mora" partout chuchoté.

"Eh bien ! Mademoiselle, voilà un beau succès. Je n'y regrette qu'une chose, c'est le méchant symbole que vous avez 15
caché dans votre chef-d'œuvre."

En voyant le duc devant elle, elle frissonna.

"Ah ! oui, le symbole..." fit-elle en levant vers lui un sourire découragé ; et, s'appuyant contre le socle de la grande statue près de laquelle ils se trouvaient, avec les yeux fermés 20
elle murmura tout bas, bien bas :

"Rabelais a menti, comme mentent tous les hommes... La vérité c'est que le renard n'en peut plus, qu'il est à bout d'haleine et de courage, prêt à tomber dans le fossé, et que si le lévrier s'acharne encore..." 25

Mora tressaillit, devint un peu plus pâle, tout ce qu'il avait de sang refluant à son cœur. Deux flammes sombres se croisèrent, deux mots rapides furent échangés du bout des lèvres ; puis le duc s'inclina profondément et s'éloigna d'une marche envolée et légère comme si les dieux le portaient. 30

Il n'y avait en ce moment dans le palais qu'un homme aussi heureux que lui, c'était le Nabab. Escorté de ses amis, il tenait, remplissait la grande travée à lui seul, parlant haut, gesticulant, tellement glorieux qu'il en paraissait presque beau comme si, à force de contempler son buste naïvement et longuement, il lui avait pris un peu de cette idéalisation splendide dont l'artiste avait nimbé la vulgarité de son type. La tête levée de trois quarts, dégagée du large col entr'ouvert, 5 attirait sur la ressemblance les remarques contradictoires des passants ; et le nom de Jansoulet, répété tant de fois par les urnes électorales, l'était encore par les plus jolies bouches de Paris, par ses voix les plus puissantes. Tout autre que le Nabab eût été gêné d'entendre s'exclamer sur son passage ces 10 curiosités qui n'étaient pas toujours sympathiques. Mais l'estrade, le tremplin [1] allaient bien à cette nature plus brave sous le feu des regards, comme ces femmes qui ne sont belles ou spirituelles que dans le monde, et que la moindre admiration transfigure et complète.

15 Député !

Il riait tout seul en pensant à la figure du baron apprenant la nouvelle, à la stupeur du bey amené devant son buste ; et tout à coup à cette idée qu'il n'était plus seulement un aventurier gavé [2] d'or, excitant l'admiration bête de la foule, ainsi 20 qu'une énorme pépite [3] brute à la devanture d'un changeur, mais qu'on regardait passer en lui un des élus de la volonté nationale, sa face bonasse et mobile s'alourdissait dans une gravité voulue, il lui venait des projets d'avenir, de réforme, et l'envie de profiter des leçons du destin dans ces derniers temps. 25 Déjà, se rappelant la promesse qu'il avait faite à de Géry, il montrait pour le troupeau famélique qui frétillait [4] bassement sur ses talons certaines froideurs dédaigneuses, et se jurait bien de se débarrasser au plus tôt de toute cette bohème [5] mendiante et compromettante, quand l'occasion s'offrit belle à 30 lui de commencer l'exécution. Perçant la foule qui l'entourait, Moëssard, en cravate bleu de ciel, pincé à la taille dans une fine redingote, voyant que le Nabab, après avoir fait vingt fois le tour de la salle de sculpture, se dirigeait vers la sortie, prit son élan et passant son bras sous le sien :

"Vous m'emmenez, vous savez..."

"J'en suis fâché, mon cher, je n'ai pas de place à vous offrir."

Moëssard le regarda stupéfait :

"J'avais pourtant deux mots pressés à vous dire... Au sujet de ma petite lettre... Vous l'avez reçue, n'est-ce pas? 5

—Sans doute, et M. de Géry a dû vous répondre ce matin même... Ce que vous demandez est impossible. Vingt mille francs !... tonnerre de Dieu, comme vous y allez.

—Cependant il me semble que mes services... bégaya le bellâtre.[1] 10

—Vous ont été largement payés. C'est ce qu'il me semble aussi. Deux cent mille francs en cinq mois !... Nous nous en tiendrons là, s'il vous plaît. Vous avez les dents longues, jeune homme ; il faut vous les limer un peu."

Ils échangeaient ces paroles en marchant, poussés par le flot 15 moutonnant de la sortie. Moëssard s'arrêta :

"C'est votre dernier mot?"

Le Nabab hésita une seconde, saisi d'un pressentiment devant cette bouche mauvaise et pâle ; puis il se souvint de la parole qu'il avait donnée à son ami. 20

"C'est mon dernier mot.

—Eh bien ! nous verrons," dit le beau Moëssard, dont la badine fendit l'air avec un sifflement de vipère ; et, tournant sur ses talons, il s'éloigna à grands pas, comme un homme qu'on attend quelque part pour une besogne très-pressée. 25

Jansoulet continua sa marche triomphale. Ce jour-là, il lui en aurait fallu bien plus pour déranger l'équilibre de son bonheur ; au contraire, il se sentait réconforté par l'exécution si vivement faite.

L'immense vestibule était encombré d'une foule compacte 30 que l'approche de la fermeture poussait dehors, mais qu'une de ces ondées subites qui semblent faire partie de l'ouverture du salon retenait sous le porche au terrain battu et sablonneux. Et tandis qu'au milieu de ces élégantes, de ces illustres, de ce tout Paris varié qui se trouvait là avec un nom à mettre sur chacune de ces figures, le bon Nabab posait un peu, en attendant ses gens, une main nerveuse et bien gantée se tendit vers lui, et le duc de Mora, qui allait rejoindre son coupé, lui jeta en passant avec cette effusion que le bonheur donne aux plus réservés :

" Mes compliments, mon cher député. . ."

C'était dit à haute voix et chacun put l'entendre : " Mon cher député."

Il y a dans la vie de tous les hommes une heure d'or, une cime lumineuse où ce qu'ils peuvent espérer de prospérités, de joies, de triomphes, les attend et leur est donné. Cette fin d'après-midi du premier mai, rayée de pluie et de soleil, il faut te la rappeler, pauvre homme, en fixer à jamais l'éclat changeant dans ta mémoire. Ce fut l'heure de ton plein été aux fleurs ouvertes, aux fruits ployant leurs rameaux d'or, aux moissons mûres dont tu jetais si follement les glanes. L'astre maintenant pâlira, peu à peu retiré et tombant, incapable bientôt de percer la nuit lugubre où ton destin va s'accomplir.

IX.

MÉMOIRES D'UN GARÇON DE BUREAU. — A L'ANTICHAMBRE.

Grande fête samedi dernier place Vendôme.

En l'honneur de son élection, M. Bernard Jansoulet, le nouveau député de la Corse, donnait une magnifique soirée avec municipaux[1] à la porte, illumination de tout l'hôtel, et deux mille invitations lancées dans le beau Paris.[2]

J'ai dû à la distinction de mes manières, à la sonorité de mon organe,[3] que le président du conseil d'administration avait pu apprécier aux réunions de la *Caisse territoriale*, de figurer à ce somptueux festival, où, trois heures durant j'envoyai comme un coup de canon dans les cinq salons en enfilade le nom de chaque invité, qu'un suisse[4] étincelant saluait chaque fois du " bing ! " de sa hallebarde sur les dalles.

Que d'observations curieuses j'ai pu faire encore ce soir-là, que de saillies plaisantes, de lazzis de haut goût[5] échangés entre les gens de service[6] sur tout ce monde qui défilait !

Les patrons, par exemple,[7] ne paraissaient pas aussi bien disposés que nous. Dès neuf heures, en arrivant à mon poste, je fus frappé de la physionomie inquiéte, nerveuse du Nabab, que je voyais se promener avec M. de Géry, au milieu des salons allumés et déserts, causant vivement et faisant de grands gestes.

" Je le tuerai, disait-il, je le tuerai. . ."

L'irritation du Nabab m'avait frappé, et voyant passer le valet de chambre qui descendait l'escalier quatre à quatre, je l'attrapai au vol et lui glissai dans le tuyau de l'oreille :

"Qu'est-ce qu'il a donc votre bourgeois, monsieur Noël?

"C'est l'article du *Messager*," me fut-il répondu, et je dus renoncer à en savoir davantage pour le moment, un grand coup de timbre annonçant que la première voiture arrivait, suivie 5 bientôt d'une foule d'autres.

De dix heures et demie à minuit, le timbre ne cessa de retentir, les voitures de rouler sous le porche, les invités de se succéder, députés, sénateurs, conseillers d'État, conseillers municipaux, qui avaient bien plus l'air de venir à une réunion 10 d'actionnaires qu'à une soirée de gens du monde. A quoi cela tenait-il? Je ne parvenais pas à m'en rendre compte, mais un mot du suisse Nicklauss m'ouvrit les yeux.

"Remarquez-vous, M. Passajon, me dit ce brave serviteur, debout en face de moi, la hallebarde au poing, remarquez-vous 15 comme nous avons peu de dames?"

C'était cela, pardieu!... Et nous n'étions pas que nous deux à en faire la remarque. A chaque nouvel arrivant, j'entendais le Nabab, qui se tenait près de la porte, s'écrier avec consternation de sa grosse voix de Marseillais enrhumé:

20 "Tout seul?"

L'invité s'excusait tout bas... *Mn mn mn mn*... sa dame un peu souffrante... Bien regretté certainement... Puis il en arrivait un autre; et le même question amenait la même réponse.

25 A force d'entendre ce mot de "tout seul," on avait fini par en plaisanter à l'antichambre; chasseurs et valets de pied se le jetaient l'un à l'autre quand entrait un invité nouveau "tout seul!" Et l'on riait, on se faisait un bon sang[1]... Mais M. Nicklauss, avec sa grande habitude du monde, trouvait que 30 cette abstention à peu près générale du sexe n'était pas naturelle.

"Ça doit être l'article du *Messager*," disait-il.

Tout le monde en parlait de ce mâtin[2] d'article, et devant la glace entourée de fleurs où chaque invité se contrôlait avant d'entrer, je surprenais des bouts de dialogue à voix basse dans ce genre-ci :

" Vous avez lu ?

— C'est épouvantable.

— Croyez-vous la chose possible ? 5

— Je n'en sais rien. En tout cas, j'ai préféré ne pas amener ma femme.

Quel était donc ce journal, cet article terrible qui menaçait à ce point l'influence d'un homme si riche ? Malheureusement mon service me retenait ; je ne pouvais descendre à l'office[1] ni 10 au vestiaire pour m'informer, causer avec ces cochers, ces valets, ces chasseurs que je voyais debout au pied de l'escalier s'amusant à brocarder[2] les gens qui montaient... Qu'est-ce que vous voulez ? Les maîtres sont trop esbrouffeurs[3] aussi. Comment ne pas rire en voyant passer, l'air insolent et le 15 ventre creux, le marquis et la marquise de Bois-l'Héry, après tout ce qu'on nous a conté sur les trafics de monsieur et les toilettes de madame ? Et le ménage Jenkins si tendre, si uni, le docteur attentionné mettant à sa dame une dentelle sur les épaules de peur qu'elle s'enrhume dans l'escalier ; elle souriante 20 et attifée, tout en velours, long comme ça[4] de traîne, s'appuyant au bras de son mari de l'air de dire : " Comme je suis bien," quand je sais, moi, que depuis la mort de l'Irlandaise, sa vraie légitime, le docteur médite de se débarrasser de son vieux crampon[5] pour pouvoir épouser une jeunesse, et que le vieux 25 crampon passe les nuits à se désoler, à ronger de larmes ce qu'il lui reste de beauté.

Le plaisant, c'est que pas une de ces personnes ne se doutait des bons quolibets,[6] des blagues qu'on leur crachait dans le dos[7] au passage, de ce que la queue des robes ramassait de saletés 30 sur le tapis du vestibule, et tout ce monde-là vous[8] avait des mines dédaigneuses à mourir de rire.

Heureusement que le dernier des effendis[9] venait d'arriver et qu'il n'y avait plus personne à annoncer, et, quand j'entrai au vestiaire, j'y trouvai nombreuse et joyeuse compagnie autour d'une " marquise "[1] au champagne dont toutes mes nièces, en grande tenue,[2] cheveux bouffants et cravates de ruban rose, prenaient très bien leur part malgré des cris, de petites grimaces ravissantes qui ne trompaient personne. Naturellement on parlait du fameux article, un article de Moëssard, à ce qu'il paraît, plein de révélations épouvantables sur toutes sortes de métiers déshonorants qu'aurait faits le Nabab, il y a quinze ou vingt ans, à son premier séjour à Paris.

C'était la troisième attaque de ce genre que le *Messager* publiait depuis huit jours, et ce gueux de Moëssard avait la malice d'envoyer chaque fois le numéro sous bande[3] place Vendôme.

M. Jansoulet recevait cela le matin avec son chocolat; et à la même heure ses amis et ses ennemis, car un homme comme le Nabab ne saurait être indifférent à aucun, lisaient, commentaient, se traçaient vis-à-vis de lui une ligne de conduite pour ne pas se compromettre. Il faut croire que l'article d'aujourd'hui était bien tapé[4] tout de même; car Jansoulet le cocher[5] nous racontait que tantôt au Bois[6] son maître n'avait pas échangé dix saluts en dix tours de lac, quand ordinairement il ne garde pas plus son chapeau sur sa tête qu'un souverain en promenade. Là-dessus le Nabab s'est mis dans une fureur terrible, et il paraît que sans M. de Géry il serait allé tout d'un pas[7] casser la tête au Moëssard.

— Mais, enfin, qu'est-ce qu'il dit cet article, demanda M. Barreau, qui est-ce qui l'a lu?

Personne ne répondit. Plusieurs avaient voulu l'acheter; mais à Paris le scandale se vend comme du pain. A dix heures du matin, il n'y avait plus un numéro du *Messager* sur la place. Alors une de mes nièces, une délurée,[8] s'il en fut, eut l'idée de chercher dans la poche d'un de ces nombreux par-dessus qui garnissaient le vestiaire, bien alignés dans des casiers. Au premier qu'elle atteignit:

" Le voilà! dit l'aimable enfant d'un air de triomphe en

tirant un *Messager* froissé[1] aux plis comme une feuille qu'on vient de lire.

— En voilà un autre ! " cria Tom Bois-l'Héry, qui cherchait de son côté. Troisième par-dessus, troisième *Messager*. Et dans tous la même chose ; fourré au fond des poches ou laissant dépasser son titre, le journal était partout comme l'article devait être dans toutes les mémoires, et l'on se figurait le Nabab là-haut échangeant des phrases aimables avec ses invités qui auraient pu lui réciter par cœur les horreurs imprimées sur son compte. Nous rîmes tous beaucoup à cette idée ; mais il nous tardait[2] de connaître à notre tour cette page curieuse.

— Voyons, père Passajon, lisez-nous ça tout haut." C'était le vœu général et j'y souscrivis.

Cela s'appelait " le Bateau de fleurs..." Une histoire assez embrouillée avec des noms chinois, où il était question d'un mandarin très riche, nouvellement passé de 1re classe, et qui avait tenu dans les temps un " bateau de fleurs " amarré tout au bout de la ville près d'une barrière fréquentée par les guerriers... Au dernier mot de l'article, nous n'étions pas plus avancés qu'au commencement. On essayait bien de cligner de l'œil, de faire le malin ;[3] mais, franchement, il n'y avait pas de quoi. Un vrai rébus sans image ;[4] et nous serions encore plantés[5] devant, si le vieux Francis, qui décidément est un mâtin[6] pour ses connaissances de toutes sortes, ne nous avait expliqué que cette barrière aux guerriers devait être l'École militaire et que le " bateau de fleurs " n'avait pas un aussi joli nom que ça en bon français...

" Permettez, ajouta Francis, ancien trompette au 9e lanciers, le régiment de Mora et de Monpavon, permettez... Il y a une vingtaine d'années, à mon dernier semestre, j'ai été caserné à l'École militaire, et je me rappelle très-bien qu'il y avait près de la barrière un sale bastringue[7] appelé le bal Jansoulet... Que la calomnie soit vraie ou fausse, vous en avez vu l'effet ce soir. On a jeté trop tôt ses béquilles et prétendu marcher tout seul. C'est bon quand on est d'aplomb, ferme sur ses jambes ; mais quand on n'a pas déjà le pied très solide, et qu'on a le malheur de sentir Hemerlingue à ses trousses,[1] mauvaise affaire... Avec ça, le patron commence à manquer d'argent : il a fait des billets [2] au vieux Schwalbach, et ne me parlez pas d'un Nabab qui fait des billets. Un de ces matins Paris l'avalera comme j'avale cette prune, sans cracher le noyau ni la peau ! " [3]

Il était terrible, ce vieux, et malgré son maquillage je me sentais venir du respect pour lui. Pendant qu'il parlait, on entendait là-haut la musique, les chants de la soirée, et sur la place les chevaux des municipaux qui secouaient leurs gourmettes. Du dehors, notre fête devait avoir beaucoup d'éclat, toute flambante de ses milliers de bougies, le grand portail illuminé. Et quand on pense que la ruine était peut-être là-dessous ! Nous nous tenions là dans le vestibule comme des rats qui se consultent à fond de cale, quand le navire commence à faire eau sans que l'équipage s'en doute encore, et je voyais bien que laquais et filles de chambre, tout ce monde ne serait pas long à décamper à la première alerte... Est-ce qu'une catastrophe pareille serait possible ?...

Il m'a laissé froid dans le dos, ce Francis.

X.

UN HOMME PUBLIC.

La chaleur lumineuse d'une claire après-midi de mai tiédissait en vitrages de serre[1] les hautes croisées de l'hôtel de Mora. On savait que jusqu'à trois heures le duc recevait au ministère ; aussi personne ne venait, visiteurs ni solliciteurs, et les valets de pied, perchés comme des flamants sur les marches du perron désert, l'animaient seuls de l'ombre grêle de leurs longues jambes et de leur bâillant ennui d'oisiveté.

Par exception pourtant ce jour-là le coupé marron de Jenkins attendait dans un coin de la cour. Le duc, souffrant depuis la veille, s'était senti plus mal en sortant de table, et bien vite avait mandé l'homme aux perles pour l'interroger sur son état singulier. De douleur nulle part, du sommeil et de l'appétit comme à l'ordinaire ; seulement une lassitude incroyable et l'impression d'un froid terrible que rien ne pouvait dissiper. Il tendait à chaque instant ses doigts engourdis vers la flamme, qui aurait pu les brûler à la surface sans rendre une circulation de vie à leur rigidité blafarde.

Était-ce l'inquiétude causée par le malaise de son illustre client ? Mais Jenkins paraissait nerveux, frémissant, arpentait les tapis à grands pas, furetant, flairant de droite et de gauche, cherchant dans l'air quelque chose qu'il croyait y être, quelque chose de subtil et d'insaisissable comme la trace d'un parfum ou le sillon invisible que laisse un passage d'oiseau. On entendait le pétillement du bois dans la cheminée, le bruit des papiers feuilletés à la hâte, la voix indolente du duc indiquant d'un mot toujours précis et net une réponse à une lettre de quatre pages, et les monosyllabes respectueux de l'attaché : “Oui, monsieur le ministre... Non, monsieur le ministre,” puis le grincement d'une plume rebelle et lourde.

“C'est impossible, dit tout à coup le ministre d'État en se levant... Emportez ça, Lartigues ; vous reviendrez demain... Je ne peux pas écrire... J'ai trop froid... Tenez, docteur, tâtez mes mains, si on ne dirait pas qu'elles sortent d'un seau d'eau frappée...[1] Depuis deux jours, tout mon corps est ainsi... Est-ce assez ridicule avec le temps qu'il fait !

—Ça ne m'étonne pas... grommela l'Irlandais d'un ton maussade et bref, peu ordinaire chez ce melliflu.” Et silencieux, il examinait son malade, auscultait, percutait, puis, sur ce même ton de rudesse que pouvait à la rigueur expliquer son affection inquiète, l'irritation du médecin qui voit ses instructions transgressées :

“Ah ça ! mon cher duc, quelle vie faites-vous donc depuis quelque temps ?”

“Vous vous trompez, docteur, répondit l'Excellence tranquillement... Je n'ai rien changé à mes habitudes.

—Eh bien ! monsieur le duc, vous avez eu tort, fit l'Irlandais avec brutalité, furieux de ne rien découvrir.”

Et tout de suite sentant qu'il allait trop loin, il délaya sa mauvaise humeur et la sévérité de son diagnostic dans une tisane de banalités, d'axiomes... Il fallait prendre garde... La médecine n'était pas de la magie... La puissance des perles Jenkins s'arrêtait aux forces humaines, aux nécessités de l'âge, aux ressources de la nature qui, malheureusement, ne sont pas inépuisables. Le duc l'interrompit d'un ton nerveux :

—Voyons, Jenkins, vous savez bien que je n'aime pas les phrases... Ça ne va donc pas par là ?...[2] Qu'est-ce que j'ai ?... D'où vient ce froid ?

—C'est de l'anémie, de l'épuisement... une baisse d'huile dans la lampe.

— Que faut-il faire ?

— Rien. Un repos absolu... Manger, dormir, pas plus... Si vous pouviez aller passer quelques semaines à Grandbois...

Mora haussa les épaules :

— Et la Chambre, et le Conseil, et... ? Allons donc ! Est-ce que c'est possible ? 5

— En tout cas, monsieur le duc, il faut enrayer, comme disait l'autre, renoncer absolument..."

Jenkins fut interrompu par l'entrée de l'huissier de service qui discrètement sur la pointe des pieds, comme un maître de danse, 10 venait remettre une lettre et une carte au ministre d'État toujours frissonnant devant le feu. En voyant cette enveloppe d'un gris de satin, d'une forme originale, l'Irlandais tressaillait involontairement, tandis que le duc, sa lettre ouverte et parcourue, se levait ragaillardi, ayant aux joues ces couleurs légères de 15 santé factice que toute l'ardeur du brasier n'avait pu lui donner.

— Mon cher docteur, il faut à tout prix.

L'huissier, debout, attendait.

— Qu'est-ce qu'il y a ?... Ah ! oui, cette carte... Faites entrer dans la galerie. J'y vais." 20

La galerie du duc de Mora, ouverte aux visiteurs deux fois par semaine, était pour lui comme un terrain neutre, un endroit public où il pouvait voir n'importe qui sans s'engager ni se compromettre... Puis, l'huissier dehors :

— Jenkins, mon bon, vous avez déjà fait des miracles pour 25 moi. Je vous en demande un encore. Doublez la dose de mes perles, inventez quelque chose, ce que vous voudrez... Mais il faut que je sois alerte pour dimanche... Vous m'entendez, tout à fait alerte.

Et, sur la petite lettre qu'il tenait, ses doigts réchauffés et 30 fiévreux se crispaient avec un frémissement de convoitise.

— Prenez garde, M. le duc, dit Jenkins, très pâle, les lèvres serrées, je ne voudrais pas vous alarmer outre mesure sur votre état de faiblesse, mais il est de mon devoir...

Mora eut un joli sourire d'insolence :

— Votre devoir et mon plaisir sont deux, mon brave. Laissez-moi brûler ma vie, si cela m'amuse. Je n'ai jamais eu d'aussi belle occasion que cette fois.

5 Puis, s'apercevant qu'il tenait toujours sa lettre à la main, il la jeta négligemment dans le tiroir de sa petite table aux signatures et sortit.

Un coup d'œil rapide à chacune des deux portes, et tout de suite Jenkins fut devant le tiroir plein de papiers précieux, 10 où la petite clef d'or restait à demeure avec une négligence insolente qui semblait dire : " On n'osera pas."

Jenkins osa, lui.

La lettre était là, sur un tas d'autres, la première. Le grain du papier, trois mots d'adresse jetés d'une écriture simple et hardie, 15 et puis le parfum, ce parfum grisant, avocateur... C'était donc vrai, son amour jaloux ne l'avait pas trompé... Cet orgueil indomptable se rendait donc enfin ? Mais alors pourquoi pas lui, Jenkins ? Lui qui l'aimait depuis si longtemps, depuis toujours, qui avait dix ans de moins que l'autre et qui ne 20 grelottait pas, certes !... Toutes ces pensées lui traversaient la tête, comme des fers de flèche lancés d'un arc infatigable. Et, criblé,[1] déchiré, les yeux aveuglés de sang, il restait là, regardant la petite enveloppe satinée et froide qu'il n'osait pas ouvrir de peur de s'enlever un dernier doute, quand un bruisse- 25 ment de tenture, qui lui fit vivement rejeter la lettre et refermer le tiroir merveilleusement ajusté de la table de laque, l'avertit que quelqu'un venait d'entrer.

— Tiens ! c'est vous, Jansoulet, comment êtes-vous là ?

— Son Excellence m'a dit de venir l'attendre dans sa 30 chambre," répondit le Nabab très fier d'être introduit ainsi dans l'intimité des appartements, à une heure surtout où l'on ne recevait pas. Le fait est que le duc commençait à montrer une réelle sympathie à ce sauvage. Pour plusieurs raisons : d'abord il aimait les audacieux, les affronteurs, les aventuriers à bonne étoile. N'en était-il pas un lui-même? Puis le Nabab l'amusait; et à ces motifs de sympathie condescendante était venu se joindre en ces derniers temps un sentiment de pitié et d'indignation en face de l'acharnement qu'on mettait à poursuivre ce malheureux, de cette guerre lâche et sans merci, si 5 bien menée que l'opinion publique, toujours crédule et le cou tendu pour prendre le vent, commençait à s'influencer sérieusement. Il faut rendre cette justice à Mora qu'il n'était pas un suiveur de foule. En voyant dans un coin de la galerie la figure toujours bonasse mais un peu piteuse et déconfite du 10 Nabab, il s'était trouvé lâche de le recevoir là et l'avait fait monter dans sa chambre.

Jenkins et Jansoulet, assez gênés en face l'un de l'autre, échangèrent quelques paroles banales. Leur grande amitié s'était bien refroidie depuis quelque temps, Jansoulet ayant 15 refusé net tout nouveau subside à l'œuvre de Bethléem, ce qui laissait l'affaire sur les bras de l'Irlandais, furieux de cette défection, bien plus furieux encore à cette minute de n'avoir pu ouvrir la lettre de Félicia avant l'arrivée de l'intrus. Le Nabab de son côté se demandait si le docteur allait assister à 20 la conversation qu'il désirait avoir avec le duc au sujet des allusions infâmes dont le *Messager* le poursuivait, inquiet aussi de savoir si ces calomnies n'avaient pas refroidi ce souverain bon vouloir qui lui était si nécessaire au moment de la vérification.[1] L'accueil reçu dans la galerie l'avait à demi tranquillisé; il le fut 25 tout à fait, quand le duc rentra et vint vers lui, la main tendue:

— Eh bien! mon pauvre Jansoulet, j'espère que Paris vous fait payer cher la bienvenue. En voilà des criailleries, et de la haine, et des colères.

— Ah! M. le duc, si vous saviez... 30

— Je connais..., j'ai lu..., dit le ministre se rapprochant du feu.

— J'espère bien que Votre Excellence ne croit pas ces infamies... D'ailleurs j'ai là... J'apporte la preuve."

De ses fortes pattes velues, tremblantes d'émotion, il fouillait dans les papiers d'un énorme portefeuille en chagrin qu'il tenait sous le bras.

— Laissez... laissez... Je suis au courant de tout cela... 5 Je sais que volontairement ou non on vous confond avec une autre personne, que des considérations de famille..."

Devant l'effarement du Nabab, stupéfait de le voir si bien renseigné, le duc ne put s'empêcher de sourire :

— Un ministre d'État doit tout savoir... Mais soyez tran- 10 quille. Vous serez validé quand même. Et une fois validé...

Jansoulet eut un soupir de soulagement :

— Ah ! monsieur le duc, que vous me faites du bien en me parlant ainsi. Je commençais à perdre toute confiance... Mes ennemis sont si puissants... Avec ça une mauvaise 15 chance. Comprenez-vous que c'est justement Le Merquier qui est chargé de faire le rapport sur mon élection.

— Le Merquier ?... diable !...

— Oui, Le Merquier, l'homme d'affaires d'Hemerlingue... Voilà huit jours que je devrais être validé et qu'ils font exprès 20 de reculer la séance, parce qu'ils savent la terrible position dans laquelle je me trouve, toute ma fortune paralysée, le bey qui attend la décision de la Chambre pour savoir s'il peut ou non me détrousser... J'ai quatre-vingts millions là-bas, monsieur le duc, et ici je commence à tirer la langue... Pour peu 25 que cela dure...

Il essuya les grosses gouttes de sueur qui coulaient sur ses joues.

— Eh bien ! moi, j'en fais mon affaire de cette validation, dit le ministre avec une certaine vivacité... Je vais écrire à 30 Chose [1] de presser son rapport ; et quand je devrais me faire porter à la Chambre...

— Votre Excellence est malade ? demanda Jansoulet sur un ton d'intérêt qui n'avait rien de menteur, je vous jure.

— Non... un peu de faiblesse... Nous manquons de sang ;

mais Jenkins va nous en rendre... N'est-ce pas, Jenkins? Des perles pour après-demain... Et carabinées !...

Jenkins tressaillit, se secoua comme au saut d'un rêve :

— C'est entendu, mon cher duc, on va vous donner du souffle...[1] Oh ! mais du souffle... à gagner le grand prix du Derby."[2] 5

Il salua et sortit en riant, un vrai rire de loup aux dents écartées et toutes blanches. Le Nabab prit congé à son tour, le cœur plein de gratitude, mais n'osant rien en laisser voir à ce sceptique, en qui toute démonstration éveillait une méfiance. 10 Et le ministre d'État resté seul, pelotonné devant le feu grésillant et brûlant, abrité dans la chaleur capitonnée de son luxe, doublée ce jour-là par la caresse fiévreuse d'un beau soleil de mai, se remettait à grelotter, à grelotter si fort que la lettre de Félicia, rouverte au bout de ses doigts blêmes, et qu'il lisait 15 énamouré, tremblait avec des froissements soyeux d'étoffe.

C'est une situation bien singulière que celle d'un député dans la période qui suit son élection et précède — comme on dit en jargon parlementaire — la vérification des pouvoirs. Un peu l'alternative du nouveau marié pendant les vingt-quatre 20 heures séparant le mariage[3] à la mairie de sa consécration par l'église. Des droits dont on ne peut user, un demi-bonheur, des demi-pouvoirs, la gêne de se tenir en deçà ou au delà, le manque d'assiette précise. On est marié sans l'être, député sans en être bien sûr ; seulement, pour le député, cette incerti- 25 tude se prolonge des jours et des semaines, et plus elle dure, plus la validation devient problématique.

Cette situation, déjà si énervante, se compliquait pour le Nabab de ces calomnies d'abord chuchotées, imprimées maintenant, circulant à des milliers d'exemplaires et qui lui valaient 30 d'être tacitement mis en quarantaine par ses collègues. Il avait pourtant un ami à la Chambre, un député nouvellement élu dans les Deux-Sèvres, qu'on appelait M. Sarigue, pauvre

homme assez semblable à l'animal inoffensif et disgracié dont il portait le nom. Par une ironie amusante du sort, Jansoulet, agité lui-même de toutes les inquiétudes de sa validation, était choisi dans le huitième bureau pour faire le rapport sur l'élec-
5 tion des Deux-Sèvres, et M. Sarigue conscient de son incapacité, plein d'une peur horrible d'être renvoyé honteusement dans ses foyers, rôdait humble et suppliant autour de ce grand gaillard tout crépu dont les omoplates larges sous une mince et fine redingote se mouvaient en soufflets de forge, sans se douter
10 qu'un pauvre être anxieux comme lui se cachait sous cette enveloppe solide.

En travaillant au rapport de l'élection des Deux-Sèvres, en dépouillant les protestations nombreuses, les accusations de manœuvre électorale, repas donnés, argent répandu, barri-
15 ques de vin mises en perce à la porte des mairies, le train habituel d'une élection de ce temps-là, Jansoulet frémissait pour son propre compte. "Mais j'ai fait tout ça, moi..." se disait-il, terrifié. Ah ! M. Sarigue pouvait être tranquille, jamais il n'aurait mis la main sur un rapporteur mieux intentionné,
20 plus indulgent aussi, car le Nabab, prenant en pitié son patient, sachant par expérience combien cette angoisse d'attente est pénible, avait hâté la besogne, et l'énorme portefeuille qu'il portait sous le bras, en sortant de l'hôtel de Mora, contenait son rapport prêt à être lu au bureau.

25 Que ce fût ce premier essai de fonction publique, les bonnes paroles du duc ou le temps magnifique qu'il faisait dehors, délicieusement ressenti par ce Méridional aux impressions toutes physiques, habitué à évoluer au bleu du ciel et à la chaleur du soleil ; toujours est-il que les huissiers du Corps législatif virent
30 paraître ce jour là un Jansoulet superbe et hautain qu'ils ne connaissaient pas encore. La voiture du gros Hemerlingue, entrevue à la grille, reconnaissable à la largeur inusitée de ses portières, acheva de le remettre en possession de sa vraie nature d'aplomb et toute en audace. "L'ennemi est là...

Attention." En traversant la salle des Pas-Perdus, il aperçut en effet l'homme de finance causant dans un coin avec Le Merquier le rapporteur, passa tout près d'eux et les regarda d'un air triomphant qui fit penser aux autres : " Qu'est-ce qu'il y a donc ? " 5

Puis, enchanté de son sang-froid, il se dirigea vers les bureaux, où il lut le rapport rédigé par de Géry.

Les membres du bureau le regardaient émerveillés. C'était un résumé net, limpide et rapide de leurs travaux de la quinzaine, dans lequel ils retrouvaient leurs idées si bien exprimées 10 qu'ils avaient grand'peine à les reconnaître. Tant d'aplomb, tant d'éloquence les avait enthousiasmés. Le rapport adopté, on fit venir M. Sarigue pour quelques explications supplémentaires. Il arriva blême, défait, bégayant comme un criminel sans conviction, et vous auriez ri de voir de quel air d'autorité 15 et de protection Jansoulet l'encourageait, le rassurait : " Remettez-vous donc, mon cher collègue. . ."

Quand Jansoulet sortit du Corps législatif, reconduit jusqu'à sa voiture par son collègue reconnaissant, il était environ six heures. Le temps splendide, un beau soleil couchant sur la 20 Seine toute en or vers le Trocadéro[1] tenta pour un retour à pied ce plébeien robuste, à qui les convenances imposaient de monter en voiture et de mettre des gants, mais qui s'en passait[2] le plus souvent possible. Il renvoya ses gens, et, sa serviette[3] sous le bras, s'engagea sur le pont de la Concorde. Depuis 25 le 1er mai, il n'avait pas éprouvé un bien-être semblable. Roulant des épaules, le chapeau un peu en arrière dans l'attitude qu'il avait vu prendre aux hommes politiques excédés, bourrelés d'affaires, laissant s'évaporer à la fraîcheur de l'air toute la fièvre laborieuse de leur cerveau, comme une usine 30 lâche sa vapeur au ruisseau à la fin d'une journée de travail, il marchait parmi d'autres silhouettes pareilles à la sienne, visiblement sorties de ce temple à colonnes qui fait face à la Madeleine[4] par-dessus les fontaines monumentales de la place.

Sur leur passage, on se retournait, on disait: "Voilà des députés..." Et Jansoulet en ressentait une joie d'enfant, une joie de peuple faite d'ignorance et de vanité naïve.

"Demandez le *Messager*, édition du soir."

5 Cela sortait du kiosque à journaux[1] au coin du pont, à cette heure rempli de feuilles fraîches en tas que deux femmes pliaient vivement et qui sentaient bon la presse humide, les nouvelles récentes, le succès du jour ou son scandale. Presque tous les députés achetaient un numéro, en passant, le parcou-
10 raient bien vite dans l'espoir de trouver leur nom. Jansoulet, lui, eut peur d'y voir le sien et ne s'arrêta pas. Puis tout de suite il songea: "Est-ce qu'un homme public ne doit pas être au-dessus de ces faiblesses? Je suis assez fort pour tout lire maintenant." Il revint sur ses pas et prit un journal
15 comme ses collègues. Il l'ouvrit, très-calme, droit à la place habituelle des articles de Moëssard. Justement il y en avait un. Toujours le même titre: *Chinoiseries*, et un *M* pour signature.

—Ah! ah! fit l'homme public, ferme et froid comme un
20 marbre, avec un beau sourire méprisant. Seulement, tout calcul fait dans les événements hâtés de nos existences, il faut encore compter sur l'imprévu; et c'est pourquoi le pauvre Nabab sentit tout à coup un flot de sang l'aveugler, un cri de rage s'étrangler dans la contraction subite de sa gorge... Sa
25 mère, sa vieille Françoise se trouvait mêlée cette fois à l'infâme plaisanterie du "bateau de fleurs." Comme il visait bien, ce Moëssard, comme il savait les vraies places sensibles dans ce cœur si naïvement découvert!

"Du calme, Jansoulet, du calme..."

30 Il avait beau se répéter cela sur tous les tons, la colère, une colère folle, cette ivresse de sang qui veut du sang l'enveloppait... L'avoir roulée là-dedans, elle aussi.. Oh! si elle lisait, si elle pouvait comprendre... Quel châtiment inventer pour un pareil infâme... Il arrivait à la rue Royale. En face

du ministère de la marine, un phaéton très-haut sur ses roues légères manqua d'accrocher le trottoir en tournant.

Le Nabab leva la tête, étouffa un cri. A côté d'une fille peinte, le joli Moëssard trônait insolemment. Jansoulet lâcha sa serviette, et comme s'il avait laissé choir en même temps toute sa gravité, son prestige d'homme public, il fit un bond terrible et sauta au mors de la bête, qu'il maintint de ses fortes mains à poils.

Une arrestation rue Royale, et en plein jour, il fallait ce Tartare pour oser un coup pareil !

— A bas,[1] dit-il à Moëssard dont la figure s'était plaquée de vert et de jaune en l'apercevant. A bas, tout de suite...

— Voulez-vous bien lâcher mon cheval, espèce d'enflé !...[2]

Dans un remous de voitures arrêtées faute de circulation possible ou qui tournaient lentement l'obstacle avec des milliers de prunelles curieuses, parmi des cris de cochers, des cliquetis de mors, deux poignets de fer secouaient tout l'équipage...

— Descendez, nom de Dieu, ou je chavire tout...

A peine Moëssard eut-il mis pied à terre, avant qu'il se fût réfugié sur le trottoir où des képis noirs se hâtaient, Jansoulet se jetait sur lui, le soulevait par la nuque comme un lapin, et sans souci de ses protestations, de ses bégaiements effarés :

— Oui, oui, je te rendrai raison,[3] misérable... Mais avant, je veux te faire ce qu'on fait aux bêtes malpropres pour qu'elles n'y reviennent plus...

Et rudement il se mit à le frotter, à le débarbouiller de son journal qu'il tenait en tampon et dont il l'étouffait, l'aveuglait avec des écorchures où le fard saignait.[4] On le lui arracha des mains, violet, suffoqué. En se montant encore un peu, il l'aurait tué.

La lutte finie, rajustant ses manches qui remontaient, son linge froissé, ramassant sa serviette d'où les papiers de l'élection Sarigue volaient éparpillés jusque dans le ruisseau, le

Nabab répondit aux sergents de ville qui lui demandaient son nom pour dresser procès-verbal : " Bernard Jansoulet, député de la Corse."

Homme public !

5 Alors seulement il se souvint qu'il l'était. Qui s'en serait douté à le voir ainsi essoufflé et tête nue comme un portefaix qui sort d'une rixe, sous les regards avides, railleurs à froid, du rassemblement en train de se disperser ?

XI.

LES PERLES JENKINS.

ENVIRON huit jours après son aventure avec Moëssard, complication nouvelle dans le terrible gâchis de ses affaires, Jansoulet en sortant de la Chambre, un jeudi, se fit conduire à l'hôtel de Mora. Il n'y était pas retourné depuis l'algarade de la rue Royale, et l'idée de se trouver en présence du duc faisait courir sous son solide épiderme quelque chose de la panique qui agite un lycéen[1] montant chez le proviseur après une rixe à l'Étude.[2] Il fallait pourtant subir la gêne de cette première entrevue. Le bruit courait par les bureaux que Le Merquier avait terminé son rapport, chef-d'œuvre de logique et de férocité, concluant à l'invalidation et devant l'emporter haut la main,[3] à moins que Mora, si puissant à l'Assemblée, ne vînt lui-même lui donner son mot d'ordre. Partie sérieuse, comme on voit, et qui enfiévrait les joues du Nabab, pendant que dans les glaces biseautées de son coupé il étudiait sa mine, ses sourires de courtisan, cherchant à se préparer une entrée ingénieuse, un de ses coups d'effronterie bon enfant qui avaient causé sa fortune chez Ahmed et le servaient encore auprès de l'Excellence française, — le tout accompagné de battements de cœur et de ces frissons entre les épaules qui précèdent, même faites en carrosse doré, les démarches décisives.

Arrivé à l'hôtel par le bord de l'eau, il fut très étonné de voir que le suisse du quai, comme aux jours de grande réception, faisait prendre aux voitures la rue de Lille, afin de laisser une porte libre pour la sortie. Il songea, un peu troublé :

"Qu'est-ce qu'il se passe?" Et ce trouble s'accrut encore lorsque Jansoulet, après avoir traversé la cour d'honneur au milieu du fracas des portières refermées, d'un roulement sourd et continu sur le sable, se trouva — le perron franchi — dans
5 l'immense salon d'antichambre rempli d'une foule qui ne dépassait aucune des portes intérieures, concentrant son va-et-vient anxieux autour de la table du suisse où s'inscrivaient tous les noms célèbres du grand Paris. Il semblait qu'un coup de vent de désastre eût traversé la maison, emporté un
10 peu de son calme grandiose, laissé filtrer dans son bien-être l'inquiétude et le danger.

"Quel malheur!...

— Ah! c'est affreux...

— Et si subitement..."

15 Les gens se croisaient en échangeant des mots semblables. Jansoulet eut une pensée rapide:

"Est-ce que le duc est malade? demanda-t-il à un domestique.

— Ah! Monsieur... Il va mourir... Il ne passera pas la nuit."

20 La toiture du palais s'écroulant sur sa tête ne l'aurait pas mieux assommé. Il vit tourbillonner des papillons [1] rouges, chancela et se laissa tomber assis sur une banquette de velours, fixant les dalles, se répétant tout haut à lui-même: "Je suis perdu... Je suis perdu..."

25 Le duc se mourait. Cela l'avait pris subitement le dimanche en revenant du Bois. Il s'était senti atteint d'intolérables brûlures d'entrailles qui lui dessinaient comme au fer rouge toute l'anatomie de son corps, alternaient avec un froid léthargique et de longs assoupissements. Jenkins, mandé tout de
30 suite, ne dit pas grand'chose, ordonna quelques calmants. Le lendemain, les douleurs recommencèrent plus fortes et suivies de la même torpeur glaciale, plus accentuée aussi, comme si la vie s'en allait par secousses violentes, déracinée. A l'entour, personne ne s'en émut, et la belle figure de Jenkins gardait sa

sérénité. A peine si dans ses visites du matin il avait parlé à deux ou trois personnes de l'indisposition du duc, et si légèrement qu'on n'y avait pris garde.

Mora lui-même, malgré son extrême faiblesse, bien qu'il se sentît la tête absolument vide, et comme il disait, "pas une idée sous le front," était loin de se douter de la gravité de son état. Le troisième jour seulement, en s'éveillant le matin, la vue d'un simple filet de sang qui de sa bouche avait coulé sur sa barbe et l'oreiller rougi, fit tressaillir ce délicat, cet élégant qui avait horreur de toutes les misères humaines, surtout de la maladie, et la voyait arriver sournoisement avec ses souillures, ses faiblesses et l'abandon de soi-même, première concession faite à la mort. Monpavon, entrant derrière Jenkins, surprit le regard subitement troublé du grand seigneur en face de la vérité terrible, et fut en même temps épouvanté des ravages faits en quelques heures sur le visage émacié de Mora, où toutes les rides de son âge, soudainement apparues se mêlaient à des plis de souffrance, à ces dépressions de muscles qui trahissent de graves lésions intérieures. Il prit Jenkins à part, pendant qu'on apportait au mondain de quoi faire sa toilette sur son lit, tout un appareil de cristal et d'argent contrastant avec la pâleur jaune de la maladie.

"Ah ça ! voyons, Jenkins ... mais le duc est très mal.

— J'en ai peur..., dit l'Irlandais tout bas.

— Enfin, qu'est-ce qu'il a ?

— Ce qu'il cherchait, parbleu ! fit l'autre avec une sorte de fureur... On n'est pas impunément jeune à son âge..."

Quelque mauvais sentiment triomphait en lui qu'il fit taire aussitôt, et transformé, gonflant sa face comme s'il avait la tête pleine d'eau, il soupira profondément en serrant les mains du vieux gentilhomme :

"Pauvre duc... Pauvre duc... Ah ! mon ami, je suis désespéré.

— Prenez garde, Jenkins, dit froidement Monpavon en

dégageant ses mains, vous assumez une responsabilité terrible ... Comment! le duc est si mal que cela... Voyez personne?[1]... Consultez pas?..."

L'Irlandais leva les bras, comme pour dire: "A quoi sert?"

5 L'autre insista. Il fallait absolument faire appeler Brisset, Jousselin, Bouchereau, tous les grands.

"Mais vous allez l'effrayer."

Le Monpavon enfla son poitrail, seule fierté du vieux coursier[2] fourbu:

10 "Mon cher, si vous aviez vu Mora et moi dans la tranchée de Constantine[3]... Jamais baissé les yeux... Connaissons pas la peur... Prévenez vos confrères, je me charge de l'avertir."

La consultation eut lieu dans la soirée en grand secret, le duc l'ayant exigé ainsi par une pudeur singulière de son mal, 15 de cette souffrance qui le découronnait, faisait de lui l'égal des autres hommes. Pareil à ces rois africains qui se cachent pour mourir au fond de leurs palais, il aurait voulu qu'on pût le croire enlevé, transfiguré, devenu dieu.

Il avait toujours détesté les scènes, les sentiments exagérés, 20 tout ce qui pouvait l'émouvoir, déranger l'équilibre harmonieux de sa vie. Non pas qu'il fût dur aux malheureux, peut-être même se sentait-il trop ouvert à la pitié qu'il regardait comme un sentiment inférieur, une faiblesse indigne des forts, et, la refusant aux autres, il la redoutait pour lui-même, pour l'in-25 tégrité de son courage. Personne dans le palais, excepté Monpavon et Louis le valet de chambre, ne sut donc ce que venaient faire ces trois personnages introduits mystérieusement auprès du ministre d'État.

Elle fut, cette consultation, ce qu'elles sont toutes: solen-30 nelle et sinistre. Les médecins n'ont plus leurs grandes perruques du temps de Molière,[4] mais ils revêtent toujours la même gravité de prêtres d'Isis,[5] d'astrologues, hérissés de formules cabalistiques[6] avec des hochements de tête, auxquels il ne manque, pour l'effet comique, que le bonnet pointu[7] d'autrefois. Ici la scène empruntait à son milieu un aspect imposant. Dans la vaste chambre, transformée, comme agrandie par l'immobilité du maître, ces graves figures s'avançaient autour du lit, où se concentrait la lumière éclairant dans la blancheur du linge et la pourpre des courtines une tête ravinée, pâlie des 5 lèvres aux yeux, mais enveloppée de sérénité comme d'un voile, comme d'un suaire. Les consultants parlaient bas, se jetaient un regard furtif, un mot barbare,[1] demeuraient impassibles sans un froncement de sourcil. Mais cette expression muette et fermée du médecin et du magistrat, cette solennité 10 dont la science et la justice s'entourent pour cacher leur faiblesse ou leur ignorance n'avaient rien qui pût émouvoir le duc.

L'agité, le fiévreux, c'était Jenkins.

Plein d'un empressement obséquieux pour " ses illustres confrères," comme il disait la bouche en rond, il rôdait autour de 15 leur conciliabule, essayait de s'y mêler ; mais les confrères le tenaient à distance, lui répondaient à peine, avec hauteur, comme Fagon[2] — le Fagon de Louis XIV — pouvait parler à quelque empirique appelé au chevet royal. Le vieux Bouchereau surtout avait des regards de travers pour l'inventeur des 20 perles Jenkins. Enfin, quand ils eurent bien examiné, interrogé leur malade, ils se retirèrent pour délibérer entre eux dans un petit salon tout en laque, plafonds et murs luisants et colorés, rempli de bibelots assortis dont la futilité contrastait étrangement avec l'importance du débat. 25

Minute solennelle, angoisse de l'accusé attendant la décision de ses juges, vie, mort, sursis ou grâce !

De sa main blanche et longue, Mora continua à caresser sa moustache d'un geste favori, à parler avec Monpavon du cercle, du foyer[3] des Variétés, demandant des nouvelles de la Chambre, où en était[4] l'élection du Nabab, tout cela froidement, 30 sans la moindre affectation. Puis, fatigué sans doute ou craignant que son regard, toujours ramené sur cette tenture en face de lui, par laquelle l'arrêt du destin allait sortir tout à l'heure, ne trahît l'émotion qui devait être au fond de son âme, il appuya sa tête, ferma les yeux et ne les rouvrit plus qu'à la rentrée des docteurs. Toujours les mêmes visages froids et sinistres, vraies physionomies de juges ayant au bord des lèvres 5 le terrible mot de la destinée humaine, le mot Final que les tribunaux prononcent sans effroi, mais que les médecins, dont il raille toute la science, éludent et font comprendre par périphrases.

"Eh bien, Messieurs, que dit la Faculté ?... demanda le 10 malade."

Il y eut quelques encouragements menteurs et balbutiés, des recommandations vagues ; puis les trois savants se hâtèrent au départ, pressés de sortir, d'échapper à la responsabilité de ce désastre. Monpavon s'élança derrière eux. Jenkins resta 15 près du lit, atterré des vérités cruelles qu'il venait d'entendre pendant la consultation. Il avait eu beau mettre la main sur son cœur, citer sa fameuse devise, Bouchereau ne l'avait pas ménagé. Ce n'était pas le premier client de l'Irlandais qu'il voyait s'écrouler subitement ainsi ; mais il espérait bien que la 20 mort de Mora serait aux gens du monde un avertissement salutaire.

Le duc comprit tout de suite que ni Jenkins ni Louis ne lui diraient l'issue vraie de la consultation. Il n'insista donc pas auprès d'eux, subit leur confiance jouée, affecta même de la 25 partager, de croire au mieux qu'ils lui annonçaient. Mais quand Monpavon rentra, il l'appela près de son lit, et devant le mensonge visible même sous la peinture de cette ruine :

"Oh ! tu sais, pas de grimace... De toi à moi, la vérité... Qu'est-ce qu'on dit ?... Je suis bien bas, n'est-ce pas ?"

30 Monpavon espaça sa réponse d'un silence significatif : puis brutalement, cyniquement, de peur de s'attendrir aux paroles :

"F..., mon pauvre Auguste."[1]

Le duc reçut cela en plein visage sans sourciller.

"Ah ! dit-il simplement."

Il effila sa moustache d'un mouvement machinal ; mais ses traits demeurèrent immobiles. Et tout de suite son parti fut pris.

Que le misérable qui meurt à l'hôpital sans asile ni famille, d'autre nom que le numéro du chevet, accepte la mort comme 5 une délivrance ou la subisse en dernière épreuve, que le vieux paysan qui s'endort, tordu en deux, cassé, ankylosé, dans son trou de taupe[1] enfumé et obscur, s'en aille sans regret, qu'il savoure d'avance le goût de cette terre fraîche qu'il a tant de fois tournée et retournée, cela se comprend. Et encore com- 10 bien parmi ceux-là tiennent à l'existence par leur misère même, combien qui crient en s'accrochant à leurs meubles sordides, à leurs loques : " Je ne veux pas mourir. . . " et s'en vont les ongles brisés et saignants de cet arrachement suprême. Mais ici rien de semblable. 15

Tout avoir et tout perdre. Quel effondrement !

Dans le premier silence de cette minute effroyable, ce qui retenait cet homme à la vie, puissance, honneurs, fortune, toute cette splendeur dut lui apparaître déjà lontaine et dans un irrévocable passé. Il fallait un courage d'une trempe bien 20 exceptionnelle pour résister à un coup pareil sans aucune excitation d'amour-propre. Personne ne se trouvait là que l'ami, le médecin, le domestique, trois intimes au courant de tous les secrets ; les lumières écartées laissaient le lit dans l'ombre, et le mourant aurait pu se tourner contre la muraille, 25 s'attendrir sur lui-même sans qu'on le vît. Mais non. Pas une seconde de faiblesse, ni d'inutiles démonstrations. Sans casser une branche aux marronniers du jardin, sans faner une fleur dans le grand escalier du palais, en amortissant ses pas sur l'épaisseur des tapis, la Mort venait d'entrouvrir la porte de 30 ce puissant et de lui faire signe : " Arrive." Et lui, répondait simplement : " Je suis prêt." Une vraie sortie d'homme du monde, imprévue, rapide et discrète.

Homme du monde ! Mora ne fut autre chose que cela.

Circulant dans la vie, masqué, ganté, plastronné, du plastron de satin blanc des maîtres d'armes[1] les jours de grand assaut, gardant immaculée et nette sa parure de combat, sacrifiant tout à cette surface irréprochable qui lui tenait lieu d'une armure, il
5 s'était improvisé homme d'État en passant d'un salon sur une scène plus vaste, et fit en effet un homme d'État de premier ordre rien qu'avec ses qualités de mondain, l'art d'écouter et de sourire, la pratique des hommes, le scepticisme et le sang-froid. Ce sang-froid ne le quitta pas au suprême instant.
10 Les yeux fixés sur le temps limité et si court qui lui restait encore, car la noire visiteuse était pressée, et il sentait sur sa figure le souffle de la porte qu'elle n'avait pas refermée, il ne songea plus qu'à le bien remplir et à satisfaire toutes les obligations d'une fin comme la sienne, qui ne doit laisser aucun
15 dévouement sans récompense ni compromettre aucun ami. Il donna la liste des quelques personnes qu'il voulait voir et qu'on envoya chercher tout de suite, fit prévenir son chef de cabinet, et comme Jenkins trouvait que c'était beaucoup de fatigue :

"Me garantissez-vous que je me réveillerai demain matin?
20 J'ai un sursaut de force en ce moment... Laissez-moi en profiter."

Il fit approcher de son lit la petite table de laque pour trier lui-même les lettres à détruire; mais, sentant ses forces décroître, il appela Monpavon : "Brûle tout," lui dit-il d'une
25 voix éteinte, et le voyant s'approcher de la cheminée où la flamme montait malgré la belle saison :

"Non... pas ici... Il y en a trop... On pourrait venir."

Monpavon prit le léger bureau, fit signe au valet de chambre de l'éclairer. Mais Jenkins[2] s'élança :

30 "Restez, Louis... le duc peut avoir besoin de vous."

Il s'empara de la lampe; et marchant avec précaution tout le long du grand corridor, explorant les salons d'attente, les galeries dont les cheminées s'encombraient de plantes artificielles sans un reste de cendre, ils erraient pareils à des spectres dans le silence et la nuit de l'immense demeure, vivante seulement là-bas vers la droite où le plaisir chantait comme un oiseau sur un toit qui va s'effondrer.

"Il n'y a de feu nulle part... Que faire de tout cela?" se demandaient-ils très-embarrassés. On eût dit deux voleurs traînant une caisse qu'ils ne savent comment forcer. A la fin Monpavon, impatienté, marcha droit à une porte, la seule qu'ils n'eussent pas encore ouverte.

—Ma foi, tant pis!... Puisque nous ne pouvons pas les brûler, nous les noierons... Éclairez-moi, Jenkins."

Et ils entrèrent.

Où étaient-ils?... Saint-Simon [1] racontant la débâcle d'une de ces existences souveraines, le désarroi des cérémonies, des dignités, des grandeurs causé par la mort et surtout par la mort subite, Saint-Simon seul aurait pu vous le dire... De ses mains délicates et soignées, le marquis de Monpavon pompait. L'autre lui passait les lettres déchirées. Mais tout à coup Jenkins s'arrêta dans sa besogne destructive. Deux lettres d'un gris de satin frémissaient sous ses doigts...

"Qui ça? demanda Monpavon devant l'écriture inconnue et le trouble nerveux de l'Irlandais... Ah! docteur, si vous voulez tout lire, nous n'en finirons pas..."

Jenkins, les joues enflammées, ses deux lettres à la main, était dévoré du désir de les emporter, pour les savourer à son aise, se martyriser avec délices en les lisant, peut-être aussi se faire une arme de cette correspondance contre l'imprudente qui l'avait signée. Mais la tenue rigoureuse du marquis l'intimidait. Comment le distraire, l'éloigner? L'occasion s'offrit d'elle-même. Perdue dans les mêmes feuillets, une page minuscule, d'une écriture sénile et tremblée, attira la curiosité du charlatan, qui dit d'un air naïf:

"Oh! oh! voici qui n'a pas l'air d'un billet doux... *Mon duc, au secours, je me noie. La cour des comptes* [2] *a mis de nouveau le nez dans mes affaires...*

—Qu'est-ce que vous lisez donc là?... fit Monpavon brusquement, en lui arrachant la lettre des mains. Et tout de suite, grâce à la negligence de Mora laissant traîner ainsi des lettres aussi intimes, la situation terrible dans laquelle le laissait
5 la mort de son protecteur lui revint à l'esprit. Dans sa douleur, il n'y avait pas encore songé. Il se dit qu'au milieu de tous ses préparatifs de départ, le duc pourrait bien l'oublier; et, laissant Jenkins terminer seul la noyade,[1] il revint précipitamment vers la chambre. Au moment d'entrer, le bruit d'un
10 débat le retint derriere la portière abaissée. C'était la voix de Louis, larmoyante comme celle d'un pauvre sous un porche, cherchant à apitoyer le duc sur sa détresse et demandant la permission de prendre quelques rouleaux d'or qui traînaient dans un tiroir. Oh! quelle réponse rauque, excédée, à
15 peine intelligible, où l'on sentait l'effort du malade obligé de se retourner dans son lit, de détacher ses yeux d'un lointain déjà entrevu:

—Oui, oui... prenez... Mais, pour Dieu! laissez-moi dormir... laissez-moi dormir..."

20 Des tiroirs ouverts, refermés, un souffle haletant et court... Monpavon n'en entendit pas davantage et revint sur ses pas sans entrer. La rapacité féroce de ce domestique venait d'avertir ses fiertés. Tout plutôt que de s'avilir à ce point-là.

25 Ce sommeil que Mora réclamait si instamment, cette léthargie, pour mieux dire, dura toute une nuit, une matinée encore avec de vagues réveils traversés de souffrances atroces, que des soporifiques calmaient chaque fois. On ne le soignait plus, on ne cherchait qu'à lui adoucir les derniers instants, à le
30 faire glisser sur cette terrible dernière marche dont l'effort est si douloureux. Ses yeux s'étaient rouverts pendant ce temps, mais déjà obscurcis, fixant dans le vide des ombres flottantes, des formes indécises, telles qu'un plongeur en voit trembler au vague de l'eau. Dans l'après-midi du jeudi,[2] vers trois heures.

il se réveilla tout à fait et reconnaissant Monpavon, Cardailhac, deux ou trois autres intimes, il leur sourit et trahit d'un mot sa préoccupation unique :

"Qu'est-ce qu'on dit de cela dans Paris ?"

On en disait bien des choses, diverses et contradictoires ; 5 mais à coup sûr, on ne parlait que de lui, et la nouvelle répandue depuis le matin par la ville que Mora était au plus mal, agitait les rues, les salons, les cafés, les ateliers, ravivait la question politique dans les bureaux de journaux, les cercles,[1] jusque dans les loges de concierge et sur les omnibus, partout où les 10 feuilles publiques déployées encadraient de commentaires ce foudroyant bruit du jour.

Il était, ce Mora, l'incarnation la plus brillante de l'Empire. Ce qu'on voit de loin dans un édifice, ce n'est pas sa base solide ou branlante, sa masse architectural, c'est la flèche dorée 15 et fine, brodée, découpée à jour,[2] ajoutée pour la satisfaction du coup d'œil. Ce qu'on voyait de l'Empire en France et dans toute l'Europe, c'était Mora. Celui-là tombé, le monument se trouvait démantelé de toute son élégance, fendu de quelque longue et irréparable lézarde. Et que d'existences 20 entraînées dans cette chute subite, que de fortunes ébranlées par les contre-coups affaiblis du désastre !

Pour le Nabab, cette mort, c'était sa mort, la ruine, la fin de tout. Il le sentait si bien qu'en apprenant, à son entrée dans l'hôtel, l'état désespéré du duc, il n'avait eu ni apitoiements, ni 25 grimaces d'aucune sorte, seulement le mot féroce de l'égoïsme humain : "Je suis perdu." Et ce mot lui revenait toujours, il le répétait machinalement chaque fois que toute l'horreur de sa situation se montrait à lui, par brusques échappées, ainsi qu'il arrive dans ces dangereux orages de montagne, quand un 30 éclair subitement projeté illumine l'abîme jusqu'au fond, avec les blessantes anfractuosités des parois et les buissons en escalade pour toutes les déchirures de la chute.

"Ah ! je suis perdu.. je suis perdu..."

Dans l'immense salon d'entrée personne ne remarquait son trouble. Cette foule de sénateurs, de députés, de conseillers d'État, toute la haute administration, allait, venait autour de lui sans le voir, accoudant son importance inquiète et des conciliabules mystérieux aux deux cheminées de marbre blanc qui se faisaient face. Tant d'ambitions désappointées, trompées, précipitées se croisaient dans cette visite *in extremis* que les inquiétudes intimes dominaient toute autre préoccupation.

De temps en temps un des familiers du palais, de ceux que le mourant avait appelés auprès de lui, faisait une apparition dans cette mêlée, donnait un ordre, puis s'en allait laissant l'expression effarée de sa figure reflétée sur vingt autres. Jenkins un moment se montra ainsi, la cravate dénouée, le gilet ouvert, les manchettes chiffonnées, dans tout le désordre de la bataille qu'il livrait là-haut contre une effroyable lutteuse. Il se vit tout de suite entouré, pressé de questions. Sa douleur était superbe, une belle douleur mâle et forte qui lui serrait les lèvres, faisait haleter sa poitrine.

"L'agonie est commencée, dit-il lugubrement... Ce n'est plus qu'une affaire d'heures."

Et comme Jansoulet s'approchait, il s'adressa à lui d'un ton emphatique :

"Ah ! mon ami, quel homme !... Quel courage !... Il n'a oublié personne. Tout à l'heure encore il me parlait de vous.

— Vraiment ?

— Ce pauvre Nabab, disait-il, où en est son élection ?"

Et c'était tout. Le duc n'avait rien ajouté de plus.

Jansoulet baissa la tête. Qu'espérait-il donc ? N'était-ce pas assez qu'en un pareil moment, un homme comme Mora eût pensé à lui ?... Il retourna s'asseoir sur sa banquette, retomba dans son anéantissement galvanisé par une minute de fol espoir, assista sans y songer à la désertion presque complète de la vaste salle, et ne s'aperçut qu'il était le seul et dernier visiteur qu'en entendant causer tout haut la valetaille dans le jour qui tombait.

Le Nabab comprit alors qu'il était temps de se retirer.

Où dînerait-il? car il avait faim tout de même, ce robuste... Au cercle?... Place Vendôme?... Entendre encore parler de cette mort qui l'obsédait!... Il préféra s'en aller au hasard, droit devant lui, comme tous ceux que tient une idée fixe qu'ils espèrent dissiper en marchant. La soirée était tiède, parfumée. Ça et là des girandoles s'allumaient pour les concerts. Un bruit de verres et d'assiettes venu d'un restaurant lui donna l'idée d'entrer là.

On le servit sous une vérandah aux parois vitrées, doublées de feuillage et donnant de face sur ce grand porche du Palais de l'Industrie, où le duc, en présence de mille personnes, l'avait salué député. Le visage fin et aristocratique lui apparut en souvenir sous la nuit de la voûte, tandis qu'il le voyait aussi là-bas dans la blancheur funèbre de l'oreiller. Peu à peu cependant la chaleur du repas lui réconforta le cœur. Dans le couloir, il entendait des garçons qui parlaient:

"A-t-on des nouvelles de Mora? Il paraît qu'il est très-malade...

— Laisse-donc, va. Il s'en tirera encore... Il n'y a de chance que pour ceux-là?"

Et l'espérance est si fort ancrée aux entrailles humaines que, malgré ce que Jansoulet avait vu et entendu, il suffit de ces quelques mots aidés de deux bouteilles de bourgogne et de quelques petits verres[1] pour lui rendre le courage. Après tout, on en avait vu revenir d'aussi loin. Les médecins exagèrent souvent le mal pour avoir plus de mérite ensuite à le conjurer. "Si j'allais voir..." Il revint vers l'hôtel, plein d'illusion, faisant appel à cette chance qui l'avait servi tant de fois dans la vie. Et vraiment l'aspect de la princière demeure avait de quoi fortifier son espoir. C'était la physionomie rassurante et tranquille des soirs ordinaires, depuis l'avenue éclairée de loin en loin, majestueuse et déserte, jusqu'au perron au pied duquel un vaste carrosse de forme antique attendait.

Dans l'antichambre, paisible aussi, brûlaient deux énormes lampes. Un valet de pied dormait dans un coin, le suisse 5 lisait devant la cheminée. Il regarda le nouvel arrivant par-dessus ses lunettes, ne lui dit rien, et Jansoulet n'osa rien demander. Des piles de journaux gisant sur la table avec leurs bandes au nom du duc semblaient avoir été jetées là comme inutiles. Le Nabab en ouvrit un, essaya de lire ; mais 10 une marche rapide et glissante, un chuchotement de mélopée [1] lui firent lever les yeux sur un vieillard blanc et courbé, paré de guipures comme un autel, et qui priait en s'en allant à grands pas de prêtre, sa longue soutane rouge déployée en traîne sur le tapis. C'était l'archevêque de Paris, accompagné 15 de deux assistants. La vision avec son murmure de bise glacée passa vite devant Jansoulet, s'engouffra dans le grand carrosse et disparut emportant sa dernière espérance.

"Question de convenance,[2] mon cher, fit Monpavon paraissant tout à coup auprès de lui... Mora est un épicurien, élevé 20 dans les idées de chose... machin...[3] comment donc? Dix-huitième siècle...[4] Mais très mauvais pour les masses, si un homme dans sa position... ps, ps, ps,... Ah! c'est notre maître à tous... ps, ps... tenue irréprochable.

—Alors, c'est fini? dit Jansoulet, atterré... Il n'y a plus 25 d'espoir..."

Monpavon lui fit signe d'écouter. Une voiture roulait sourdement dans l'avenue du quai. Le timbre d'arrivée sonna précipitamment plusieurs coups de suite. Le marquis comptait à haute voix... "Un, deux, trois, quatre..." Au cinquième,[5] 30 il se leva :

"Plus d'espoir maintenant. Voilà l'autre qui arrive," dit-il, faisant allusion à la superstition parisienne qui voulait que cette visite du souverain fût toujours fatale aux moribonds. De partout les laquais se hâtaient, ouvraient les portes à deux battants, formaient la haie, tandis que le suisse, le chapeau en bataille,[1] annonçait du retentissement de sa pique sur les dalles le passage de deux ombres augustes, que Jansoulet ne fit qu'entrevoir confusément derrière la livrée, mais qu'il aperçut dans une longue perspective de portes ouvertes, gravissant le grand escalier, précédées d'un valet portant un candélabre. La femme montait droite et fière, enveloppée de ses noires mantilles d'espagnole ; l'homme se tenait à la rampe, plus lent et fatigué, le collet de son pardessus clair remontant sur un dos un peu voûté qu'agitait un sanglot convulsif.

"Allons-nous-en, Nabab. Plus rien à faire ici," dit le vieux beau, prenant Jansoulet par le bras et l'entraînant dehors. Il s'arrêta sur le seuil, la main haute, fit un petit salut du bout des gants vers celui qui mourait là-haut. "Bojou, ché..."[2] Le geste et l'accent étaient mondains, irréprochables ; mais la voix tremblait un peu.

XII.

LES FUNÉRAILLES.

Félicia quittait Paris. Elle essayait de fuir l'horrible tristesse, l'écœurement sinistre où la mort de Mora venait de la plonger. Un instant elle pensa au suicide, puis l'idée qu'on l'attribuerait à un désespoir de cœur l'arrêta. Alors elle se
5 souvint qu'au lendemain de son grand succès à l'Exposition, le vieux Brahim-Bey était venu la voir, lui faire au nom de son maître des propositions magnifiques pour de grands travaux à exécuter à Tunis. Elle avait dit non, à ce moment-là, sans se laisser tenter par des prix orientaux, une hospitalité splendide,
10 la plus belle cour du Bardo comme atelier avec son pourtour d'arcades en dentelle.[1] Mais à présent elle voulait bien. Elle n'eut qu'un signe à faire, le marché fut tout de suite conclu, et après un échange de dépêches, un emballage hâtif et la maison fermée, elle prit le chemin de la gare comme pour une absence
15 de huit jours, étonnée elle-même de sa prompte décision, flattée dans tous les côtés aventureux et artistiques de sa nature par l'espoir d'une vie nouvelle sous un climat inconnu.

Le yacht de plaisance du bey devait l'attendre à Gênes[2]; et d'avance, fermant les yeux dans le fiacre qui l'emmenait, elle
20 voyait les pierres blanches d'un port italien enserrant une mer irisée où le soleil avait déjà des lueurs d'Orient, où tout chantait, jusqu'au gonflement des voiles sur le bleu. Justement ce jour-là Paris était boueux, uniformément gris, inondé d'une de ces pluies continues qui semblent faites pour lui seul, être montées
25 en nuages de son fleuve, de ses fumées, de son haleine de monstre, et redescendues en ruissellement de ses toits, de

ses gouttières, des innombrables fenêtres de ses mansardes. Félicia avait hâte de le fuir, ce triste Paris, et son impatience fiévreuse s'en prenait[1] au cocher qui ne marchait pas, aux chevaux, deux vraies rosses[2] de fiacre, à un encombrement inexplicable de voitures, d'omnibus refoulés aux abords du pont de la Concorde.

"Mais allez donc, cocher, allez donc...

— Je ne peux pas, Madame..., c'est l'enterrement."

Elle mit la tête à la portière et la retira tout de suite, épouvantée. Une haie de soldats marchant le fusil renversé, une confusion de casques, de coiffures soulevées au-dessus des fronts sur le passage d'un interminable cortége. C'était l'enterrement de Mora qui défilait...

"Ne restez pas là... Faites le tour..., cria-t-elle au cocher..."

La voiture vira péniblement, s'arrachant à regret à ce spectacle superbe que Paris attendait depuis quatre jours, remonta les avenues, prit la rue Montaigne, et, de son petit trot rechigné et lambin déboucha à la Madeleine par le boulevard Malesherbes. Ici, l'encombrement était plus fort, plus compact. Il fallut que le fiacre revînt encore sur ses pas, fît un nouveau détour, et l'on se figure la mauvaise humeur du cocher et de ses bêtes, tous trois Parisiens dans l'âme et furieux de se priver d'une si belle représentation. Alors commença par les rues désertes et silencieuses, toute la vie de Paris s'étant portée dans la grande artère du boulevard, une course capricieuse et désordonnée, un trimballement insensé de fiacre à l'heure, touchant aux points extrêmes du faubourg Saint-Martin, du faubourg Saint-Denis, redescendant vers le centre et retrouvant toujours à bout de circuits et de ruses le même obstacle embusqué, le même attroupement, quelque tronçon du noir défilé entrevu dans l'écartement d'une rue, se déroulant lentement sous la pluie au son des tambours voilés, son mat et lourd comme celui de la terre s'éboulant dans un trou.

Enfin, après mille détours interminables, le fiacre s'arrêta tout à coup, s'ébranla encore péniblement au milieu de cris et d'injures, puis ballotté, soulevé, les bagages de son faîte[1] menaçant son équilibre, il finit par ne plus bouger, arrêté, maintenu, 5 comme à l'ancre.

"Bon Dieu ! que de monde !... murmura la Crenmitz, terrifiée."

Félicia sortit de sa torpeur :

"Où sommes-nous donc ?"

10 Sous un ciel incolore, enfumé, rayé d'un pluie à fins réseaux tendue en gaze sur la réalité des choses, une place s'étendait, un carrefour immense comblé par un océan humain s'écoulant de toutes les voies aboutissantes, immobilisé là autour d'une haute colonne de bronze qui dominait cette houle comme le 15 mât gigantesque d'un navire sombré. Des cavaliers par escadrons, le sabre au poing, des canons en batteries s'espaçaient au bord d'une travée libre, tout un appareil farouche attendant celui qui devait passer tout à l'heure, peut-être pour essayer de le reprendre, l'enlever de vive force à l'ennemi formidable qui 20 l'emmenait. Hélas ! Toutes les charges de cavalerie, toutes les canonnades n'y pouvaient plus rien. Le prisonnier s'en allait solidement garrotté, défendu par une triple muraille de bois dur, de métal et de velours inaccessible à la mitraille, et ce n'était pas de ces soldats qu'il pouvait espérer sa délivrance.

25 "Allez-vous-en... je ne veux pas rester là," dit Félicia furieuse, attrapant le carrick[2] mouillé du cocher, prise d'une terreur folle à l'idée du cauchemar qui la poursuivait, de ce qu'elle entendait venir dans un affreux roulement encore lointain, plus proche de minute en minute. Mais, au premier 30 mouvement des roues, les cris, les huées recommencèrent. Pensant qu'on le laisserait franchir[3] la place, le cocher avait pénétré à grand'-peine jusqu'aux premiers rangs de la foule maintenant refermée derrière lui et refusant de lui livrer passage. Nul moyen de reculer ou d'avancer. La Crenmitz

avait une peur horrible ; Félicia, elle, ne songeait qu'à une chose, c'est qu'il allait passer devant elle, qu'elle serait au premier rang pour le voir.

Tout à coup un grand cri : "Le voilà !" puis le silence se fit sur toute la place débarrassée de trois lourdes heures d'attente. 5

Il arrivait.

Le premier mouvement de Félicia fut de baisser le store de son côté, du côté où le défilé allait avoir lieu. Mais, au roulement tout proche des tambours, prise d'une rage nerveuse de ne pouvoir échapper à cette obsession, peut-être aussi gagnée par la malsaine curiosité environnante, elle fit sauter le store brusquement, et sa petite tête ardente et pâle se campa sur ses deux poings à la portière : 10

"Tiens ! tu veux... Je te regarde..." 15

C'était ce qu'on peut voir de plus beau comme [1] funérailles, les honneurs suprêmes rendus dans tout leur vain apparat aussi sonore, aussi creux que l'accompagnement rhythmé des peaux d'âne [2] tendues de crêpe. D'abord les surplis blancs du clergé entrevus dans le deuil des cinq premiers carrosses ; ensuite, traînés par six chevaux noirs, vrais chevaux de l'Érèbe, aussi noirs, aussi lents, aussi pesants que son flot, s'avançait le char funèbre,[3] tout empanaché, frangé, brodé d'argent, de larmes lourdes, de couronnes héraldiques surmontant des M gigantesques, et tant de baldaquins et de massives tentures dissimulaient la vulgaire carcasse du corbillard, qu'il frémissait, se balançait à chaque pas, de la base au faîte comme écrasé par la majesté de son mort. Sur le cercueil, l'épée, l'habit, le chapeau brodé, défroque de parade qui n'avait jamais servi, reluisaient d'or et de nacre dans la chapelle sombre des tentures parmi l'éclat des fleurs nouvelles qui disaient la date printanière malgré la maussaderie du ciel. A dix pas de distance, les gens de la maison [4] du duc ; puis derrière, dans un isolement majestueux, l'officier en manteau portant les pièces d'honneur, véritable éta- 20 25 30 lage de tous les ordres du monde entier, croix, rubans multicolores qui débordaient du coussin de velours noir à crépines d'argent.

Le maître des cérémonies venait ensuite devant le bureau du Corps législatif, une douzaine de députés désignés par le
5 sort, ayant au milieu d'eux la grande taille du Nabab dans l'étrenne [1] du costume officiel, comme si l'ironique fortune avait voulu donner au représentant à l'essai un avant-goût de toutes les joies parlementaires. Les amis du défunt, qui suivaient, formaient un groupe assez restreint, singulièrement bien choisi pour
10 mettre à nu [2] le superficiel et le vide de cette existence de grand personnage réduite à l'intimité d'un directeur de théâtre trois fois failli, d'un marchand de tableaux enrichi par l'usure, d'un gentilhomme taré et de quelques viveurs et boulevardiers sans renom. Jusque-là tout le monde allait à pied et tête nue ; à
15 peine dans le bureau [3] parlementaire quelques calottes de soie noire qu'on avait mises timidement en approchant des quartiers populeux.[4] Après, commençaient les voitures.

A la mort d'un grand homme de guerre, il est d'usage de faire suivre le convoi par le cheval favori du héros, son cheval
20 de bataille, obligé de régler au pas ralenti du cortége cette allure fringante qui dégage des odeurs de poudre et des flamboiements d'étendards. Ici le grand coupé de Mora, ce "huit-ressorts" qui le portait aux assemblées mondaines ou politiques, tenait la place de ce compagnon des victoires, ses
25 panneaux tendus de noir, ses lanternes enveloppées de longs crêpes légers flottant jusqu'à terre avec je ne sais quelle grâce féminine ondulante. C'était une nouvelle mode funéraire, ces lanternes voilées, le suprême "chic" du deuil ; et il seyait bien à ce dandy de donner une dernière leçon d'élégance aux Parisiens
30 accourus à ses obsèques comme à un Longchamps [5] de la mort.

Encore trois maîtres de cérémonie, puis venait l'impassible pompe officielle,[6] toujours la même pour les mariages, les décès, les baptêmes, l'ouverture des Parlements ou les réceptions de souverains, l'interminable cortége des carrosses de gala, étincelants, larges glaces, livrées voyantes chamarrées de dorures, qui passaient au milieu du peuple ébloui auquel ils rappelaient les contes de fées, les attelages de Cendrillon,[1] en soulevant de ces "Oh !" d'admiration qui montent et s'épanouissent avec les fusées, les soirs des feux d'artifice. Et dans la foule il se trouvait toujours un sergent de ville complaisant, un petit bourgeois érudit et flâneur, à l'affût des cérémonies publiques, pour nommer à haute voix tous les gens des voitures à mesure qu'elles défilaient avec leurs escortes réglementaires de dragons, cuirassiers ou gardes de Paris.

D'abord les représentants de l'empereur, de l'impératrice, de toute la famille impériale ; après, dans un ordre hiérarchique savamment élaboré et auquel la moindre infraction aurait pu causer de graves conflits entre les différents corps de l'État, les membres du conseil privé, les maréchaux, les amiraux, le grand chancelier de la Légion d'honneur, ensuite le Sénat, le Corps législatif, le Conseil d'État, toute l'organisation justicière et universitaire dont les costumes, les hermines, les coiffures vous ramenaient au temps du vieux Paris quelque chose de pompeux et de suranné, dépaysé dans l'époque sceptique de la blouse[2] et de l'habit noir.

L'indifférence était le caractère très particulier de ces funérailles. On la sentait partout, sur les visages et dans les cœurs, aussi bien parmi tous ces fonctionnaires dont la plupart avaient connu le duc de vue seulement, que dans les rangs à pied entre son corbillard et son coupé, l'intimité étroite ou le service de tous les jours. Indifférent et même joyeux, le gros ministre vice-président du conseil, qui, de sa poigne[3] robuste habituée à fendre le bois des tribunes,[4] tenait solidement les cordons du poêle,[5] avait l'air de le tirer en avant, plus pressé que les chevaux et le corbillard de mener à ses six pieds de terre l'ennemi de vingt ans, l'éternel rival, l'obstacle à toutes les ambitions. Les trois autres dignitaires n'avançaient pas avec cette même vigueur de cheval de remonte, mais les

longues laisses flottaient dans leurs mains excédées ou distraites, d'une mollesse significative. Indifférents les prêtres, par profession. Indifférents les gens de service, qu'il n'appelait jamais que "chose," et qu'il traitait, en effet, comme des
5 choses. Indifférent M. Louis, dont c'était le dernier jour de servitude, esclave devenu affranchi, assez riche pour payer sa rançon. Même chez les intimes, ce froid glacial avait pénétré. Quelqu'un pleurait cependant, là-bas, parmi les membres du bureau ; mais celui-là s'attendrissait bien naïvement sur lui-
10 même. Pauvre Nabab, amolli par ces musiques, cette pompe, il lui semblait qu'il enterrait toute sa fortune, toutes ses ambitions de gloire et de dignité. Et c'était encore une variété d'indifférence.

Dans le public le contentement d'un beau spectacle, cette
15 joie de faire d'un jour de semaine un dimanche dominaient tout autre sentiment. Sur le parcours des boulevards, les spectateurs des balcons auraient presque applaudi ; ici, dans les quartiers populeux, l'irrévérence se manifestait encore plus franchement. Les pieds dans l'eau, en blouse, en bourgeron,
20 la casquette levée par habitude, la misère, le travail forcé, le chômage et la grève, regardaient passer en ricanant cet habitant d'une autre sphère, ce brillant duc descendu de tous ses honneurs, et qui jamais peut-être de son vivant n'avait abordé cette extrémité de ville. Mais voilà. Pour arriver là-haut où
25 tout le monde va, il faut prendre la route de tout le monde, le faubourg Saint-Antoine,[1] la rue de la Roquette, jusqu'à cette grande porte d'octroi[2] si largement ouverte sur l'infini. Et dame ! cela semble bon de voir que des seigneurs comme Mora, des ducs, des ministres, remontent tous le même chemin
30 pour la même destination. Cette égalité dans la mort console de bien des injustices de la vie. Demain, le pain semblera moins cher, le vin meilleur, l'outil moins lourd, quand on pourra se dire en se levant : "Tout de même, ce vieux Mora, il y est venu comme les autres ! . . ."

Le défilé continuait toujours, plus fatigant encore que lugubre. A présent c'étaient des sociétés chorales, les députations de l'armée, de la marine, officiers de toutes armes, se pressant en troupeau devant une longue file de véhicules vides, voitures de deuil, voitures de maîtres alignées là pour l'étiquette ; 5 puis les troupes suivaient à leur tour, et dans le faubourg sordide, cette longue rue de la Roquette déjà fourmillante à perte de vue, s'engouffrait toute une armée, fantassins, dragons, lanciers, carabiniers, lourds canons la gueule en l'air, prêts à aboyer, ébranlant les pavés et les vitres, mais ne parvenant pas 10 à couvrir le ronflement des tambours, ronflement sinistre et sauvage qui rappelait l'imagination de Félicia vers ces funérailles de Négous africains où des milliers de victimes immolées accompagnent l'âme d'un prince pour qu'elle ne s'en aille pas seule au royaume des esprits, et lui faisait penser que 15 peut-être cette pompeuse et interminable suite allait descendre et disparaître dans la fosse surhumaine assez grande pour la contenir toute.

Tous les discours sont finis. Quinze fois les canons ont frappé les échos nombreux du cimetière. Robes pourpres,[1] 20 robes noires, habits bleus et verts, aiguillettes d'or, fines épées qu'on assure de la main en marchant, se hâtent de rejoindre les voitures. L'impression générale, c'est le débarras d'une longue et fatigante figuration, un empressement légitime à aller quitter le harnais administratif, les costumes de cérémonie, 25 à déboucler les ceinturons, les hausse-cols et les rabats, à détendre les physionomies qui, elles aussi, portaient des entraves.

Lourd et court, traînant péniblement ses jambes enflées, Hemerlingue se dépêchait vers la sortie, résistant aux offres 30 qu'on lui faisait de monter dans les voitures, sachant bien que la sienne seule était à la mesure de son éléphantiasis.

“ Baron, baron, par ici... Il y a une place pour vous.

— Non, merci. Je marche pour me dégourdir."

Et, afin d'éviter ces propositions qui à la longue le gênaient, il prit une allée transversale presque déserte, trop déserte même, car à peine y fut-il engagé que le baron le regretta. 5 Depuis son entrée dans le cimetière, il n'avait qu'une préoccupation, la peur de se trouver face à face avec Jansoulet dont il connaissait la violence, et qui pourrait bien oublier la majesté du lieu, renouveler en plein Père-Lachaise le scandale de la rue Royale. Deux ou trois fois pendant la cérémonie, il avait 10 vu la grosse tête de l'ancien copain se diriger vers lui, le chercher avec le désir d'une rencontre, et comme il se retournait dans sa peur d'être suivi, les hautes et robustes épaules du Nabab apparurent à l'entrée de l'allée, et une voix éraillée et puissante cria derrière lui :

15 " Lazare ! "

Il s'appelait Lazare, ce richard. Il ne répondit pas, essaya de rejoindre un groupe d'officiers qui marchait devant lui, très-loin.

Mais brusquement une main de fer le harponna. Une sueur 20 de lâcheté courut par tous ses membres avachis, son visage jaunit encore, ses yeux clignotèrent au vent de la formidable claque qu'il attendait venir, tandis que ses gros bras se levaient instinctivement pour parer le coup.

" Oh ! n'aie pas peur... Je ne te veux pas de mal, dit 25 Jansoulet tristement... Seulement je viens te demander de ne plus m'en faire."

Il s'arrêta pour respirer. Le banquier, stupide, effaré, ouvrait ses yeux ronds de chouette devant cette émotion suffocante.

" Écoute, Lazare, c'est toi qui es le plus fort à cette guerre 30 que nous nous faisons depuis si longtemps... Je suis à terre, j'y suis, là... Les épaules ont touché.[1].. Maintenant, sois généreux, épargne ton vieux copain. Fais-moi grâce, voyons, fais-moi grâce... "

Tout tremblait en ce Méridional effondré, amolli par les

démonstrations de la cérémonie funèbre. Hemerlingue, en face de lui, n'était guère plus vaillant. Son vieux copain! C'était la première fois depuis dix ans, depuis la brouille, qu'il le revoyait de si près. Que de choses lui rappelaient ces traits basanés, ces fortes épaules si mal taillés pour l'habit brodé! Presque instinctivement il laissa tomber sa main lourde dans celle que lui tendait le Nabab. Quelque chose d'animal s'émut en eux, plus fort que leur rancune, et ces deux hommes qui, depuis dix ans essayaient de se ruiner, de se déshonorer, se mirent à causer à cœur ouvert. Le Nabab le conduisait jusqu'à un de ces bancs espacés contre les tombes, où se reposent ces deuils inconsolables qui font du cimetière leur promenade et leur séjour habituels. Il l'installait, le couvait du regard, et, par un courant tout naturel dans un pareil endroit, ils en arrivaient à causer de leurs santés, de l'âge qui venait. L'un était hydropique, l'autre sujet aux coups de sang. Tous deux se soignaient par les perles Jenkins, un remède dangereux, à preuve Mora si vite enlevé.

"Mon pauvre duc! dit Jansoulet.

—Une grande perte pour le pays, fit le banquier d'un air pénétré."

Et le Nabab naïvement :

"Pour moi surtout, pour moi, car s'il avait vécu... Ah! tu as de la chance, tu as de la chance."

Craignant de l'avoir blessé, il ajouta bien vite :

"Et puis voilà, tu es fort, très fort."

Le baron le regarda en clignant de l'œil, et si drôlement, que ses petits cils noirs disparurent dans sa graisse jaune.

"Non, dit-il, ce n'est pas moi qui suis fort... C'est Marie. C'est elle qui mène tout à la maison. Elle t'en veut beaucoup, tu sais.

Puis, après un silence, le baron reprit :

"Écoute, Bernard, il n'y a qu'une chose qui compte... Si tu veux que nous soyons camarades comme autrefois, il faut obtenir de ma femme qu'elle se réconcilie avec vous... Sans cela rien de fait... Lorsque mademoiselle Afchin nous a refusé sa porte, tu l'as laissée faire, n'est-ce pas?... Moi de même, si Marie me disait en rentrant: "Je ne veux pas que 5 vous soyez amis..." toutes mes protestations ne m'empêcheraient pas de te flanquer par-dessus bord. Car il n'y a pas d'amitié qui tienne. Ce qui est encore meilleur que tout, c'est d'avoir la paix chez soi.

— Mais alors, comment faire? demanda le Nabab épouvanté.

10 — Je m'en vais te le dire... La baronne est chez elle tous les samedis. Viens avec ta femme, lui faire une visite après-demain. Vous trouverez à la maison la meilleure société de Paris. On ne parlera pas du passé. Ces dames causeront chiffons[1] et toilettes, et puis ce sera une affaire finie. Nous 15 redeviendrons amis comme autrefois; et puisque tu es dans la nasse,[2] eh bien! on t'en tirera.

— Tu crois? C'est que j'y suis terriblement, dit l'autre avec un hochement de tête."

De nouveau les prunelles narquoises d'Hemerlingue disparu-20 rent entre ses joues comme deux mouches dans du beurre:

"Dame, oui... J'ai joué serré.[3] Toi tu ne manques pas d'adresse... Le coup des quinze millions prêtés au bey, c'était trouvé,[4] ça... Ah! tu as du toupet;[5] seulement tu tiens mal tes cartes. On voit ton jeu."[6]

25 Hemerlingue jouissait de voir son ami si humble, lui donnait des conseils sur ses affaires qu'il avait l'air de connaître à fond. Selon lui le Nabab pouvait encore très bien s'en tirer. Tout dépendait de la validation, d'une carte à retourner.[7] Il s'agissait de la retourner bonne... Mais Jansoulet n'avait plus 30 confiance. En perdant Mora, il avait tout perdu.

"Tu perds Mora, mais tu me retrouves. Ça se vaut, dit le banquier tranquillement.

— Non, vois-tu, c'est impossible... Il est trop tard... Le Merquier a fini son rapport. Il est effroyable, paraît-il.

—Eh bien ! s'il a fini son rapport, il faut qu'il en fasse un autre moins méchant.

—Comment cela ?"

Le baron le regarda stupéfait :

"Ah ça ! mais tu baisses,[1] voyons... En donnant cent, deux cent, trois cent mille francs, s'il le faut...

—Y songes-tu ?... Le Merquier, cet homme intègre... "Ma conscience," comme on l'appelle..."

Cette fois le rire d'Hemerlingue éclata avec une expansion extraordinaire, roula jusqu'au fond des mausolées voisins peu habitués à tant d'irrespect.

"Ma conscience," un homme intègre... Ah ! tu m'amuses... Tu ne sais donc pas qu'elle est à moi, cette conscience... Vois-tu, copain, ce dont il faut surtout s'occuper à Paris, c'est de garder les apparences... Il n'y a que cela qui compte... les apparences !... Toi tu ne t'en inquiètes pas assez. Tu t'en vas là-dedans, le gilet déboutonné, bon enfant, racontant tes affaires, tel que tu es... Tu te promènes comme à Tunis. C'est pour cela que tu t'es fait rouler,[2] mon brave Bernard."

Et Hemerlingue, poursuivant sa pensée, montra le monument[3] de Mora, ailé des quatre coins par les draperies, les mains tendues de ses sculptures :

"Tiens ! C'est celui-là qui s'y entendait à garder les apparences."

Jansoulet lui prit le bras pour l'aider à la descente :

"Ah ! oui, il était fort... Mais toi, tu es encore plus fort que tous, ... disait-il avec sa terrible intonation gasconne.

Hemerlingue ne protesta pas.

"C'est à ma femme que je le dois... Aussi je t'engage à faire ta paix avec elle, parce que sans ça...

—Oh ! n'aie pas peur... nous viendrons samedi... mais tu me conduiras chez Le Merquier."

Et pendant que les deux silhouettes, l'une haute, carrée, l'autre massive et courte disparaissaient dans les détours du

grand labyrinthe, pendant que la voix de Jansoulet guidant son ami : " par ici, mon vieux... appuie-toi bien," se perdait insensiblement, un rayon égaré du couchant éclairait derrière eux, sur le terreplein, le buste expressif et colossal, au large front
5 sous les cheveux longs et relevés, à la lèvre puissante et ironique, de Balzac [1] qui les regardait...

XIII.

LA BARONNE HEMERLINGUE.

La baronne Hemerlingue jetait un regard furtif vers l'antique et somptueux cartel accroché dans un angle du salon.

Déjà cinq heures, et la grosse Afchin n'arrivait pas. Heureusement on venait de servir du thé, des vins d'Espagne, une foule de pâtisseries turques délicieuses qu'on ne trouvait que là et dont les recettes se conservent dans les harems comme certains secrets de confiserie raffinée dans nos couvents. Cela fit une diversion. Le gros Hemerlingue qui, le samedi, sortait de temps en temps de son bureau pour venir saluer ces dames, buvait un verre de madère près de la petite table de service, quand sa femme s'approcha de lui, toujours douce et paisible. Il savait quelle colère devait recouvrir ce calme impénétrable, et lui demanda tout bas, timidement :

" Personne ?

— Personne... Vous voyez à quel affront vous m'exposez."

Elle souriait, les yeux à demi-baissés, en lui enlevant du bout de l'ongle une miette de gâteau restée dans ses longs favoris noirs ; mais ses petites narines transparentes frémissaient avec une éloquence terrible. Et les Jansoulet n'arrivaient pas.

Tout à coup une marche robuste, pressée. Le Nabab parut, tout seul, sanglé dans sa redingote noire, correctement cravaté et ganté, mais la figure bouleversée, l'œil hagard, frémissant encore de la scène terrible dont il sortait.

Elle n'avait pas voulu venir.

Il envoyait en entrant un geste désolé au banquier, et s'ap-

prochait de la baronne en balbutiant la phrase toute faite qu'il avait entendu répéter si souvent, le soir de son bal... " Sa femme très souffrante... désespérée de n'avoir pu..." Elle ne lui laissa pas le temps d'achever, se leva lentement, se déroula
5 fine et longue couleuvre dans les draperies biaisées de sa robe étroite, dit sans le regarder avec son accent corrigé : " Oh ! *jé* savais... *jé* savais..." puis changea de place et ne s'occupa plus de lui.

Peu à peu le salon se dégarnissait. Les Levantines dis-
10 paraissaient l'une après l'autre, laissant chaque fois un vide immense à leur place. Il ne restait plus que deux ou trois dames inconnues de Jansoulet, entre lesquelles la maîtresse de la maison semblait s'abriter de lui. Mais Hemerlingue était libre, et le Nabab le rejoignit au moment où il s'esquivait
15 furtivement du côté de ses bureaux situés au même étage, en face des appartements. Jansoulet sortit avec lui, oubliant dans son trouble de saluer la baronne ; et une fois sur le palier décoré en antichambre, le gros Hemerlingue, très froid, très réservé tant qu'il s'était senti sous l'œil de sa femme, reprit
20 une figure un peu plus ouverte.

" C'est très facheux, dit-il à voix basse comme s'il craignait d'être entendu, que madame Jansoulet n'ait pas voulu venir."

Jansoulet lui répondit par un mouvement de désespoir et de farouche impuissance.

25 " Fâcheux... fâcheux... répétait l'autre en soufflant et cherchant sa clef dans sa poche.

— Voyons, vieux, dit le Nabab en lui prenant la main, ce n'est pas une raison parce que nos femmes ne s'entendent pas... Ça n'empêche pas de rester camarades... Quelle
30 bonne causette, hein ? l'autre jour...

— Sans doute... disait le baron, se dégageant pour ouvrir la porte qui glissa sans bruit, montrant le haut cabinet de travail dont la lampe brûlait solitaire devant l'énorme fauteuil vide... Allons, adieu, je te quitte... J'ai mon courrier à fermer.[1]

— *Ya didou, Mouci*. . .* fit le pauvre Nabab essayant de plaisanter, et se servant du patois *sabir* pour rappeler au vieux copain tous les bons souvenirs remués l'avant-veille. . Ça tient[1] toujours notre visite à Le Merquier. . . Le tableau que nous devons lui offrir, tu sais bien. . . Quel jour veux-tu ? 5

— Ah ! oui, Le Merquier. . . C'est vrai. . . Eh bien ! mais prochainement. . . Je t'écrirai. . .

— Bien sûr ?. . . Tu sais que c'est pressé. . .

— Oui, oui, je t'écrirai. . . Adieu."

Et le gros homme referma sa porte vivement comme s'il 10 avait peur que sa femme arrivât.

Deux jours après, le Nabab recevait un mot d'Hemerlingue, presque indéchiffrable sous ces petites pattes de mouches[2] compliquées d'abréviations plus ou moins commerciales derrière lesquelles l'ex-cantinier dissimulait son manque absolu 15 d'orthographe :

[3] *Mon ch/ anc/ cam/*

Je ne puis décid/ t'accom/ chez Le Merq/. Trop d'aff/ en ce mom/. D'aill/ v/ ser/ mieux seuls pour caus/. Vas-y sarrém/. On t'att/. R/ Cassette, tous les mat/ de 8 *à* 10. 20

A toi cor/

HEM/.

Au-dessous, en post-scriptum, une écriture très-fine aussi, mais plus nette, avait écrit très lisiblement :

" *Un tableau religieux, autant que possible !. . .*" 25

Que penser de cette lettre ? Y avait-il bonne volonté réelle ou défaite polie ? En tout cas l'hésitation n'était plus permise. Le temps brûlait.[4] Jansoulet fit donc un effort courageux, car Le Merquier l'intimidait beaucoup, et se rendit chez lui un matin. 30

* Hé, dis donc, Monsieur. . .

En arrivant vers neuf heures devant un ancien hôtel[1] dont le rez-de-chaussée se trouvait occupé par une librairie religieuse endormie dans son odeur de sacristie et de papier grossier[2] à imprimer des miracles, en montant ce large escalier blanchi à la chaux comme celui d'un couvent, Jansoulet se sentit pénétré par cette atmosphère provinciale et catholique où revivaient pour lui les souvenirs d'un passé méridional, des impressions d'enfance encore intactes et fraîches grâce à son long dépaysement, et que le fils de Françoise n'avait eu, depuis son arrivée à Paris, ni le temps ni l'occasion de renier. L'hypocrisie mondaine devant lui avait revêtu toutes ses formes, essayé tous ses masques, excepté celui de l'intégrité religieuse. Aussi se refusait-il à croire à la vénalité d'un homme vivant en un pareil milieu. Non, cette conscience farouche renommée au Palais et à la Chambre, ce personnage austère et froid ne pouvait être traité comme ces gros pachas ventrus,[3] à la ceinture lâche, aux manches flottantes si commodes pour recevoir les bourses. Ce serait s'exposer à un refus scandaleux, à la révolte légitime de l'honneur méconnu, que d'essayer de tels moyens de corruption.

Le Nabab se disait cela, assis sur le banc de chêne qui courait autour de la salle, lustré par les robes de serge et le drap rugueux des soutanes. Malgré l'heure matinale, plusieurs personnes attendaient ainsi que lui. Un dominicain se promenant à grands pas, figure ascetique et sereine, deux bonnes sœurs[4] enfoncées sous la cornette égrenant de longs chapelets qui leur mesuraient l'attente, des prêtres, puis d'autres gens de mine recueillie et sévère. Quelques mots à voix basse, une toux étouffée, le léger susurrement de la prière des bonnes sœurs rappelaient à Jansoulet la sensation confuse et lointaine d'heures d'attente dans un coin de l'église de son village, autour du confessional, aux approches des grandes fêtes.[5]

Enfin, son tour vint de passer, et après un accueil presque cordial en comparaison du froid salut que les deux collègues échangeaient à la Chambre, un "je vous attendais," où se glissait peut-être une intention, l'avocat montra au Nabab le fauteuil près de son bureau, signifia au domestique de ne plus venir que quand on le sonnerait, rangea quelques papiers épars, après quoi, ses jambes croisées l'une sur l'autre, s'enfonçant 5 dans son fauteuil avec le ramassement de l'homme qui se dispose à écouter, qui devient tout oreilles, il mit son menton dans sa main et resta là, les yeux fixés sur un grand rideau de reps vert tombant jusqu'à terre en face de lui.

L'instant était décisif, la situation embarrassante. Mais 10 Jansoulet n'hésita pas. C'était une de ses prétentions, à ce pauvre Nabab, que de se connaître en hommes aussi bien que Mora. Et ce flair, qui, disait-il, ne l'avait jamais trompé, l'avertissait qu'il se trouvait en ce moment devant une honnêteté rigide et inébranlable, une conscience en pierre dure à l'épreuve du 15 pic et de la poudre. "Ma conscience !" Il changea donc subitement son programme, jeta les ruses, les sous-entendus où s'empêtrait sa franche et vaillante nature, et la tête haute, le cœur découvert, tint à cet honnête homme un langage qu'il était fait pour comprendre. 20

"Ne vous étonnez pas, mon cher collègue, — sa voix tremblait, mais elle s'assura bientôt dans la conviction de sa défense, — ne vous étonnez pas si je suis venu vous trouver ici au lieu de demander simplement à être entendu par le troisième bureau.[1] Les explications que j'ai à vous fournir sont d'une nature 25 tellement délicate et confidentielle qu'il m'eût été impossible de les donner dans un lieu public, devant mes collègues assemblés."

Me Le Merquier, par-dessus ses lunettes, regarda le rideau d'un air effaré. Évidemment la conversation prenait un tour 30 imprévu.

"Le fond de la question je ne l'aborde pas, reprit le Nabab... Votre rapport, j'en suis sûr, est impartial et loyal, tel que votre conscience a dû vous le dicter. Seulement il a couru sur mon compte d'écœurantes calomnies auxquelles je n'ai pas répondu et qui ont peut-être influencé l'opinion du bureau. Eh bien! je vous apporte les preuves de mon innocence. Je les découvre devant vous, devant vous seul; car j'ai de graves raisons pour tenir toute cette affaire secrète."

Il montra alors à l'avocat une attestation du consulat de Tunis, que pendant vingt ans il n'avait quitté la principauté que deux fois, la première pour aller retrouver son père mourant au Bourg-Saint-Andéol, la seconde pour faire avec le bey une visite de trois jours à son château de Saint-Romans.

"Comment se fait-il qu'avec un document aussi positif entre les mains je n'aie pas cité mes insulteurs devant les tribunaux pour les démentir et les confondre?... Hélas! Monsieur, il y a dans les familles des solidarités cruelles... J'ai eu un frère, un pauvre être, faible et gâté, qui a roulé longtemps dans la boue de Paris, y a laissé son intelligence et son honneur... Mon père est mort, Me Le Merquier, mais ma mère vit toujours, et c'est pour elle, pour son repos, que j'ai reculé, que je recule encore devant le retentissement de ma justification. En somme, jusqu'à présent, les souillures qui m'ont atteint n'ont pu rejaillir jusqu'à elle. Cela ne sort pas d'un certain monde, d'une presse spéciale,[1] dont la bonne femme est à mille lieues... Mais les tribunaux, un procès, c'est notre malheur promené d'un bout de la France à l'autre, les articles du *Messager* reproduits par tous les journaux, même ceux du petit pays qu'habite ma mère. Ce serait trop pour elle. Il y aurait de quoi la tuer... Voilà pourquoi j'ai eu le courage de me taire, de lasser, si je le pouvais, mes ennemis par le silence. Mais j'ai besoin d'un répondant vis-à-vis de la Chambre. Je veux lui ôter le droit de me repousser pour des motifs déshonorants, et puisqu'elle vous a choisi pour rapporteur, je suis venu tout vous dire comme à un confesseur, à un prêtre, en vous priant de ne rien divulguer de cette conversation, même dans l'intérêt de ma cause... Je ne vous demande que cela, mon cher collègue, une discrétion absolue ; pour le reste, je m'en rapporte à votre justice et à votre loyauté."

Il se levait, allait partir, et Le Merquier ne bougeait pas, interrogeant toujours la tenture verte devant lui, comme s'il y cherchait l'inspiration de sa reponse... Enfin : 5

" Il sera fait comme vous désirez, mon cher collègue. Cette confidence restera entre nous... Vous ne m'avez rien dit, je n'ai rien entendu."

Le Nabab encore tout enflammé de son élan qui appelait — semblait-il — une réponse cordiale, une poignée de main 10 frémissante, se sentit saisi d'un étrange malaise. Cette froideur, ce regard absent le gênaient tellement qu'il gagnait déjà la porte avec le gauche salut des importuns. Mais l'autre le retint :

" Attendez donc, mon cher collègue... Comme vous êtes 15 pressé de me quitter... Encore quelques instants, je vous en prie... Je suis trop heureux de m'entretenir avec un homme tel que vous. D'autant que nous avons plus d'un lien commun... Notre ami Hemerlingue m'a dit que vous vous occupiez beaucoup de tableaux, vous aussi." 20

Jansoulet tressaillit. Ces deux mots : " Hemerlingue... tableaux " se rencontrant dans la même phrase et si inopinément, lui rendaient tous ses doutes, toutes ses perplexités. Il ne se livra pas encore cependant et laissa Le Merquier poser les mots l'un devant l'autre en tâtant le terrain pour ses avances 25 trébuchantes... On lui avait beaucoup parlé de la galerie de son honorable collègue... " Serait-ce indiscret de solliciter la faveur d'être admis à...?

— " Comment donc ! mais je serais trop honoré," dit le Nabab chatouillé dans le point le plus sensible — parce qu'il 30 avait été le plus coûteux — de sa vanité ; et, regardant autour de lui les murs du cabinet, il ajouta d'un ton connaisseur : 'Vous aussi, vous possédez quelques beaux morceaux...'

— Oh ! fit l'autre modestement, à peine quelques toiles...

C'est si cher aujourd'hui, la peinture... c'est un goût si onéreux à satisfaire, une vraie passion de luxe... Une passion de nabab, dit-il en souriant, avec un coup d'œil furtif par-dessus ses lunettes."

5 C'étaient deux joueurs prudents face à face ; Jansoulet seulement un peu dérouté dans cette situation nouvelle, où il lui fallait se garer,[1] lui qui ne savait que les coups d'audace.

"Quand je pense, murmura l'avocat, que j'ai mis dix ans à meubler ces murs, et qu'il me reste encore tout ce panneau à 10 remplir..."

En effet, à l'endroit le plus apparent de la haute cloison s'étalait une place vide, évacuée plutôt, car un gros clou doré près du plafond montrait la trace visible, presque grossière, du piège tendu au pauvre naïf, qui s'y laissa prendre sottement.

15 "Mon cher monsieur Le Merquier, dit-il d'une voix engageante et bon enfant, j'ai justement une vierge du Tintoret[2] à la mesure de votre panneau..."

Impossible de rien lire dans les yeux de l'avocat réfugiés cette fois sous leur abri miroitant.

20 "Permettez-moi de l'accrocher là, en face de votre table... Cela vous donnera l'occasion de penser quelquefois à moi...

—Et d'atténuer les sévérités de mon rapport, n'est-ce pas, Monsieur? s'écria Le Merquier, formidable et debout, la main sur la sonnette... J'ai vu bien des impudeurs dans ma vie, 25 jamais rien de pareil à celle-là... Des offres semblables à moi, chez moi !...

— Mais, mon cher collègue, je vous jure...

— Reconduisez..." dit l'avocat au domestique qui venait d'entrer ; et du milieu de son cabinet dont la porte restait 30 ouverte, il poursuivit Jansoulet de ces paroles foudroyantes :

"C'est l'honneur de toute la Chambre que vous venez d'outrager dans ma personne, Monsieur... Nos collègues en seront informés aujourd'hui même ; et, ce grief de plus se joignant à d'autres, vous apprendrez à vos dépens que Paris n'est pas l'Orient et qu'on n'y pratique pas, comme là-bas, le marchandage et le trafic honteux de la conscience humaine."

Puis, après avoir chassé le vendeur du temple, l'homme juste referma sa porte, et s'approchant du mystérieux rideau vert, dit d'un ton qui sortait doucereux de sa feinte colère : 5

" Est-ce bien cela, baronne Marie ? "

XIV.

LA SÉANCE.

Ce matin-là, par exception, il n'y avait pas eu de grand déjeuner au nº 32 de la place Vendôme. Aussi vous auriez vu vers une heure la panse majestueuse du chef de cuisine s'épanouir en blancheur à l'entrée du porche, parmi quatre ou cinq marmitons coiffés de leurs barrettes, tout autant de palefreniers en béret écossais, groupe imposant qui donnait à la maison somptueuse l'aspect d'un hôtel de voyageurs, dont le personnel aurait pris le frais entre deux arrivages Ce qui complétait la ressemblance, c'était le fiacre arrêté devant la porte et le cocher en train de descendre une malle en cuir de forme antique, pendant qu'une grande vieille, embéguinée[1] de jaune, la taille droite dans un petit châle vert, sautait légèrement sur le trottoir, un panier au bras, regardait le numéro avec beaucoup d'attention, puis s'approchait de la valetaille pour demander si c'était bien là que demeurait M. Bernard Jansoulet.

"C'est ici, lui répondit on... Mais il n'y est pas.

— Ça ne fait rien, dit la vieille très naturellement."

Elle revint vers le cocher, fit poser sa malle sous le porche, et paya, non sans renfoncer ensuite son portemonnaie dans sa poche, d'un geste qui en disait long sur les méfiances de la province.

Depuis que Jansoulet était député de la Corse, on avait tant vu débarquer chez lui de ces types exotiques et étranges, que les domestiques ne s'étonnèrent pas trop devant cette femme au teint brûlé, aux yeux charbonnés et ardents, ressemblant bien sous sa coiffe sévère à une vraie Corse, à quelque vieille vocératrice[1] arrivée tout droit du mâquis, mais se distinguant des insulaires fraîchement débarqués par l'aisance et la tranquillité de ses manières.

"Comme çà, le maître n'est pas là?... dit-elle avec une intonation qui s'adressait bien plus aux gens d'une ferme, d'un *mas*[2] de son pays, qu'à la valetaille insolente d'une grande maison parisienne.

— Non... le maître n'est pas là.

— Et madame?

— Elle dort... On n'entre pas dans sa chambre avant trois heures."

Cela parut l'étonner un peu, la brave femme, qu'on pût rester au lit si tard; mais le sûr instinct, qui à défaut d'éducation guide les natures distinguées, l'empêcha de rien dire devant les domestiques, et, tout de suite, elle demanda à parler à Paul de Géry.

"Il est en voyage...

— Bompain Jean-Baptiste, alors?

— A la séance, avec monsieur..."

Son gros sourcil gris se fronça:

"C'est égal... montez ma malle tout de même."

Et, avec un petit frisement d'œil malicieux, une fierté, une revanche des regards insolents posés sur elle, elle ajouta:

"Je suis la maman."

Marmitons et palefreniers s'écartèrent respectueusement, le chef souleva son bonnet:

"Je me disais bien que j'avais vu madame quelque part.

— C'est ce que je me disais aussi, mon garçon, répondit la mère Jansoulet à qui le souvenir des tristes fêtes du bey venait de donner un frisson au cœur."

Mon garçon!... à un homme de cette importance... Voilà qui la mettait tout de suite très-haut dans l'estime de tout ce monde-là.

On la conduisit aux appartements du second, réservés à la Levantine et aux enfants, et là, dans une salle servant de lingerie, qui devait être voisine du cabinet d'études, car on entendait un murmure de voix enfantines, elle attendait toute
5 seule, son panier sur les genoux, le retour de son Bernard, peut-être le réveil de sa bru, ou la grande joie d'embrasser ses petits-fils, quand un homme replet, en bottes vernies, fit son entrée dans la lingerie.

"Té !... Cabassu...

10 —Vous ici, madame Françoise...

—Mais oui, mon brave Cabassu, c'est moi... Je viens d'arriver.

—Vous êtes donc venue pour la séance ?

—Quelle séance ?

15 —Mais la grande séance du Corps législatif... C'est aujourd'hui qu'on va savoir si Bernard sera ou non député.

—Comment ?... il ne l'est donc pas encore ?... Et moi qui l'ai dit partout dans le pays, moi qui ait tout illuminé Saint-Romans il y a un mois... C'est donc un mensonge qu'on m'a
20 fait faire."

Il eut beaucoup de peine à lui expliquer les formalités parlementaires de la validation des pouvoirs. Elle n'écoutait que d'une oreille, avec fièvre.

"C'est là qu'il est, mon Bernard, en ce moment ?

25 —Oui, Madame.

—Et les femmes, est-ce qu'elles peuvent y entrer à cette Chambre ?... Alors pourquoi donc que la sienne n'y est pas ?... Car, enfin, je comprends bien que c'est une grande affaire pour lui... Il aurait besoin, un jour comme aujourd'hui,
30 de sentir tous ceux qu'il aime à son côté... Tiens, sais-tu, mon garçon, tu vas m'y conduire, à sa séance... Est-ce que c'est loin ?

—Non, tout près d'ici... Seulement, ce doit être déjà commencé. Et puis, vous n'avez pas de carte pour entrer ?

— Bah ! je dirai que je suis la mère de Jansoulet et que je viens pour entendre juger mon fils."

Pauvre mère ! elle ne croyait pas si bien dire.

Il tenta un dernier effort, sans laisser voir toute sa pensée :

" Prenez garde. Ses ennemis vont parler contre lui à la Chambre. Vous allez entendre des choses qui vous feront de la peine."

Oh ! le beau sourire de croyance et de fierté maternelles avec lesquelles elle répondit :

" Est-ce que je ne sais pas mieux qu'eux tous ce que vaut mon enfant ? Est-ce que rien pourrait me le faire méconnaître ? Il faudrait que je sois une fière ingrate alors." Et secouant terriblement ses coiffes, elle partit.

C'était bien la séance de son garçon en effet ; car dans cette foule assiégeant les portes, dans celle qui remplissait les couloirs, la salle, les tribunes, tout le palais, le même nom se chuchotait accompagné de sourires et de racontars.[1] On s'attendait à un grand scandale, à des révélations terribles du rapporteur qui amèneraient sans doute quelque violence du barbare acculé ;[2] et l'on se pressait là comme pour une première représentation ou les plaidoieries d'une cause célèbre.[3] La vieille mère n'aurait pu certainement se faire entendre au milieu de cette affluence, si la traînée d'or, laissée par le Nabab partout où il passait, et marquant sa trace royale, ne lui avait facilité tous les chemins. Elle entrait. Une bouffée d'air chaud qui lui venait dans la figure, un brouhaha[4] de voix montantes l'attiraient dans la pente de l'estrade,[5] vers l'espèce de gouffre ouvert au milieu du grand vaisseau, et où son fils devait être. Oh ! qu'elle aurait voulu le voir. . . Alors en s'amincissant encore, en jouant de ses coudes pointus et durs comme son fuseau, elle se glissa, se faufila entre le mur et les banquettes, sans prendre garde aux petits courroux qu'elle éveillait, au dédain des femmes en toilette dont elle chiffonnait les dentelles, les parures printanières. Avancée ainsi de quelques

rangs, elle fut arrêtée par un dos d'homme assis, un dos énorme qui barrait tout, l'empêchait d'aller plus loin. Heureusement que de là, en se penchant un peu, elle apercevait presque toute la salle ; et ces gradins[1] en demi-cercle où se pressaient les
5 députés, la tenture verte des murailles, cette chaire dans le fond occupée par un homme chauve, à l'air sévère, lui faisaient l'effet, sous le jour studieux[2] et gris tombant de haut, d'une classe qui va commencer et que précèdent le bavardage, le déplacement d'écoliers dissipés.[3]

10 Une chose la frappa, l'insistance des regards à ne se tourner que d'un côté, à chercher le même point attirant ; et comme elle suivait ce courant de curiosité qui entraînait l'assemblée tout entière, aussi bien la salle que les tribunes, elle vit que ce qu'on regardait ainsi, c'était son fils.

15 Mais soudain, à un coup de sonnette venu de l'estrade présidentielle, un tressaillement courut par l'assemblée, toutes les têtes se penchèrent dans cet élancement attentif qui immobilise les traits de la face, et un homme maigre à lunettes, subitement dressé parmi tant de gens assis, ce qui lui donnait déjà l'autorité
20 de l'attitude, dit en ouvrant le cahier qu'il tenait à la main :

"Messieurs, je viens au nom de votre troisième bureau, vous proposer d'annuler l'élection de la deuxième circonscription du département de la Corse."

Le Merquier lisait son rapport. La Chambre, très attentive,
25 écoutait avec une certaine inquiétude. En somme, c'était un candidat officiel dont on signalait ainsi les agissements, et ces étranges mœurs électorales appartenaient à ce pays privilégié, berceau de la famille impériale,[4] si étroitement lié aux destinées de la dynastie, qu'une attaque à la Corse semblait remonter
30 jusqu'au souverain. Mais quand on vit, au banc du gouvernement, le nouveau ministre d'État, successeur et ennemi de Mora, tout joyeux de l'échec arrivé à une créature du défunt, sourire complaisamment au cruel persiflage de Le Merquier, aussitôt toute gêne disparut, et le sourire ministériel, répété sur

trois cents bouches, s'agrandit bientôt en un rire à peine contenu, ce rire des foules dominées par une férule quelconque et que la moindre approbation du maître fait éclater. Le grave Le Merquier avait apporté à la séance la distraction d'un spectacle, la petite note comique permise aux concerts de charité 5 pour amadouer les profanes. Impassible et très froid au milieu de son succès, il continuait à lire de sa voix morne et pénétrante :

"Maintenant, Messieurs, on se demande comment un étranger, un Provençal retour[1] d'Orient, ignorant des intérêts et des 10 besoins de cette île où on ne l'avait jamais vu avant les élections, le vrai type de ce que les Corses appellent dédaigneusement un continental, comment cet homme a pu susciter un pareil enthousiasme, un dévouement poussé jusqu'au crime, jusqu'à la profanation. C'est sa richesse qui nous répondra, 15 son or funeste jeté à la face des électeurs, fourré de force dans leurs poches avec un cynisme effronté dont nous avons mille preuves."

L'indignation la soulevait, cette chambre incorruptible à l'interminable série des dénonciations. Elle grondait, elle 20 s'agitait, poussait des clameurs. C'étaient des "Oh !" de stupéfaction, des yeux en accent circonflexe, de brusques révoltes en arrière ou des affaissements consternés, découragés, comme en cause parfois le spectacle de la dégradation humaine. Et remarquez que la plupart de ces députés s'étaient 25 servis des mêmes manœuvres électorales. Mais ceux-là justement criaient plus fort que les autres, se tournaient, furieux, vers le banc solitaire et élevé où le pauvre lépreux écoutait, immobile, la tête dans ses mains. Pourtant, au milieu du haro[2] général, une voix s'élevait en sa faveur, mais sourde, 30 inexercée, moins une parole qu'un bredouillement sympathique à travers lequel on distinguait vaguement : "Grands services rendus à la population corse... Travaux considérables... *Caisse territoriale.*"

Mais l'interruption de ce maladroit ami ne put que fournir à Le Merquier une transition rapide et toute naturelle. Un sourire hideux écarta ses lèvres molles : “ L'honorable M. Sarigue nous parle de la *Caisse territoriale*, nous allons pouvoir lui répondre.” L'antre Paganetti semblait lui être, en effet très familier. En quelques phrases nettes et vives, il projeta la lumière jusqu'au fond du sombre repaire, en montra tous les pièges, tous les gouffres, les détours, les chausses-trappes, comme un guide secouant sa torche au-dessus des oubliettes [1] de quelque sinistre *in pace*. Il parla des fausses carrières,[2] des chemins de fer en tracé, des paquebots chimériques disparus dans leur propre fumée. “ Du reste, Messieurs, voici un dernier détail, par lequel j'aurais pu commencer pour vous épargner le navrant récit de cette pasquinade électorale. J'apprends qu'une instruction judiciaire est ouverte aujourd'hui même contre le comptoir Corse, et qu'une sérieuse expertise de ses livres va très vraisemblablement amener un de ces scandales financiers trop fréquents hélas ! de nos jours, et auquel vous ne voudrez pas, pour l'honorabilité de cette Chambre, qu'aucun de vos membres se trouve mêlé.”

Sur cette révélation subite, le rapporteur s'arrêta un moment, prit un temps comme un comédien soulignant son effet. Cette fois Le Merquier ne lisait plus. Après le rapporteur, l'orateur entrait en scène, le justicier plutôt. La face éteinte, le regard abrité, rien ne vivait, rien ne bougeait de son grand corps que le bras droit, ce bras long, anguleux, aux manches courtes, qui s'abaissait automatiquement comme un glaive de justice, mettait à chaque fin de phrase le geste cruel et inexorable d'une décollation. Et c'était certes une exécution véritable à laquelle on assistait. L'orateur voulait bien laisser de côté les légendes scandaleuses, le mystère qui planait sur cette fortune colossale acquise aux pays lointains, loin de tout contrôle. Mais il y avait dans la vie du candidat certains points difficiles à éclaircir, certains détails... Il hésitait, semblait chercher, épurer ses mots, puis devant l'impossibilité de formuler l'accusation directe : " Ne rabaissons point le débat, Messieurs... Vous m'avez compris, vous savez à quels bruits infâmes je fais allusion, à quelles calomnies, voudrais-je pouvoir dire ; mais la vérité me force à déclarer que lorsque M. Jansoulet, appelé devant votre troisième bureau, a été mis en demeure [1] de confondre les accusations dirigées contre lui, ses explications ont été si vagues, que tout en restant persuadés de son innocence, un soin scrupuleux de votre honneur nous a fait rejeter une candidature entachée d'un soupçon de ce genre. Non, cet homme ne doit pas siéger au milieu de vous. Qu'y ferait-il d'ailleurs ?... Établi depuis si longtemps en Orient, il a désappris les lois, les mœurs, les usages de son pays. Il croit aux justices expéditives, aux bastonnades en pleine rue,[2] il se fie aux abus de pouvoir, et, ce qui est pis encore, à la vénalité, à la bassesse accroupie de tous les hommes. C'est le traitant [3] qui se figure que tout s'achète, quand on y met le prix, même les votes des électeurs, même la conscience de ses collègues.."

Il fallait voir avec quelle admiration naïve ces bons gros députés, engourdis de bien être, écoutaient cet ascète, cet homme d'un autre âge, pareil à quelque saint Jérôme [4] sorti du fond de sa thébaïde pour venir, en pleine assemblée du Bas-Empire, foudroyer de son éloquence indignée le luxe effronté des prévaricateurs et des concussionnaires. Comme on comprenait bien maintenant ce beau surnom de " Ma conscience " que lui décernait le Palais, et où il tenait tout entier avec sa grande taille et ses gestes inflexibles. Dans les tribunes, l'enthousiasme s'exaltait encore. De jolies têtes se penchaient pour le voir, pour boire sa parole. Des approbations couraient, inclinant des bouquets de toutes nuances comme le vent dans la floraison d'un champ de blé. Une voix de femme criait d'un petit accent étranger : [5] " Bravo... bravo..."

Et la mère ?

Debout, immobile, recueillie dans son désir de comprendre

quelque chose à cette phraséologie de prétoire, à ces allusions mystérieuses, elle était là comme ces sourds-muets qui ne devinent ce qu'on dit devant eux qu'au mouvement des lèvres, à l'accent des physionomies. Or il lui suffisait de regarder son
5 fils et Le Merquier pour comprendre quel mal l'un faisait à l'autre, quelles intentions perfides, empoisonnées, tombaient de ce long discours sur le malheureux qu'on aurait pu croire endormi, sans le tremblement de ses fortes épaules et les crispations de ses mains dans ses cheveux qu'elles fourrageaient
10 furieusement tout en lui cachant le visage. Oh ! si de sa place elle avait pu lui crier : "N'aie pas peur, mon fils. S'ils te méprisent tous, ta mère t'aime. Viens-nous-en ensemble... Qu'est-ce que nous avons besoin d'eux ?" Et un moment elle put croire que ce qu'elle lui disait ainsi dans le fond de son
15 cœur arrivait jusqu'à lui par une intuition mystérieuse. Il venait de se lever, de secouer sa tête crépue, congestionnée, où la lippe enfantine de ses lèvres grelottait sous une nervosité de larmes. Mais au lieu de quitter son banc, il s'y cramponnait au contraire, ses grosses mains pétrissant[1] le bois du pupitre.
20 L'autre avait fini, maintenant c'était son tour de répondre :

"Messieurs, dit-il..."

Il s'arrêta aussitôt, effrayé par le son rauque, affreusement sourd et vulgaire de sa voix, qu'il entendait pour la première fois en public. Il lui fallut, dans cette halte tourmentée de
25 mouvements de la face, d'intonations cherchées et qui ne sortaient pas, reprendre la force de sa défense. Et si l'angoisse de ce pauvre homme était saisissante, la vieille mère là-haut, penchée, haletante, remuant nerveusement les lèvres comme pour l'aider à chercher ses mots, lui renvoyait bien la mimique
30 de sa torture. Quoiqu'il ne pût la voir, tourné comme il l'était par rapport à cette tribune qu'il évitait intentionnellement, ce souffle maternel, le magnétisme ardent de ces yeux noirs finirent par lui rendre la vie, et subitement sa parole et son geste se trouvèrent déliés :

“ Avant tout, Messieurs, je déclare que je ne viens pas défendre mon élection... Si vous croyez que les mœurs électorales n’ont pas été toujours les mêmes en Corse, qu’on doive imputer toutes les irrégularités commises à l’influence corruptrice de mon or et non au tempérament inculte et passionné d’un peuple, repoussez-moi, ce sera justice et je n’en murmurerai pas. Mais il y a dans tout ceci autre chose que mon élection, des accusations qui attaquent mon honneur, le mettent directement en jeu, et c’est à cela seul que je veux répondre.” Sa voix s’assurait peu à peu, toujours cassée, voilée, mais avec des notes attendrissantes comme il s’en trouve dans ces organes dont la dureté primitive a subi quelques éraillures. Très vite il raconta sa vie, ses débuts, son départ pour l’Orient. On eût dit un de ces vieux récits du dix-huitième siècle où il est question de corsaires barbaresques courant les mers latines,[1] de beys et de hardis Provençaux bruns comme des grillons, qui finissent toujours par épouser quelque sultane et “ prendre le turban ” selon l’ancienne expression des Marseillais. “ Moi, disait le Nabab de son sourire bon enfant, je n’ai pas eu besoin de prendre le turban pour m’enrichir, je me suis contenté d’apporter en ces pays d’indolence et de lâchez-tout l’activité, la souplesse d’un Français du Midi, et je suis arrivé à faire en quelques années une de ces fortunes qu’on ne fait que là-bas dans ces diables[2] de pays chauds où tout est gigantesque, hâtif, disproportionné, où les fleurs poussent en une nuit, où un arbre produit une forêt. L’excuse de fortunes pareilles est dans la façon dont on les emploie, et j’ai la prétention de croire que jamais favori du sort n’a plus que moi essayé de se faire pardonner sa richesse. Je n’y ai pas réussi.

“ Ah ! Messieurs, criait le pauvre Nabab en levant ses poings crispés, j’ai connu la misère, je me suis pris corps à corps avec elle, et c’est une atroce lutte, je vous jure. Mais lutter contre la richesse, défendre son bonheur, son honneur, son repos, mal abrités derrière des piles d’écus qui vous croulent dessus et vous écrasent c'est quelque chose de plus hideux, de plus écœurant encore. Jamais, aux plus sombres jours de ma détresse, je n'ai eu les peines, les angoisses, les insomnies dont la fortune m'a accablé, cette horrible fortune que je hais et qui m'étouffe... On m'appelle le Nabab, dans Paris... Ce n'est pas le Nabab qu'il faudrait dire, mais le Paria,[1] un paria social tendant les bras, tout grands, à une société qui ne veut pas de lui...

"On est venu vous dire, Messieurs, que je n'étais pas digne de m'asseoir au milieu de vous. Et celui qui l'a dit était bien le dernier de qui j'aurais attendu cette parole, car lui seul connait le secret douloureux de ma vie ; lui seul pouvait parler pour moi, me justifier et vous convaincre. Il n'a pas voulu le faire. Eh bien ! moi, je l'essaierai, quoi qu'il m'en coûte... Outrageusement calomnié devant tout le pays, je dois à moi-même, je dois à mes enfants cette justification publique et je me décide à la faire."

Par un mouvement brusque, il se tourna alors vers la tribune où il savait que l'ennemi le guettait, et, tout à coup s'arrêta plein d'épouvante. Là, juste en face de lui, derrière la petite tête haineuse et pâle de la baronne, sa mère, sa mère qu'il croyait à deux cents lieues du redoutable orage, le regardait, appuyée au mur, tendant vers lui son visage divin inondé de larmes, mais fier et rayonnant tout de même du grand succès de son Bernard. Car c'était un vrai succès d'émotion sincère, bien humaine, et que quelques mots de plus pouvaient changer en triomphe "Parlez... parlez..." lui criait-on de tous les côtés de la Chambre, pour le rassurer, l'encourager. Mais Jansoulet ne parlait pas. Il avait bien peu à dire cependant pour sa défense : "La calomnie a confondu volontairement deux noms. Je m'appelle Bernard Jansoulet. L'autre s'appelait Jansoulet Louis." Pas un mot de plus.

C'était trop en présence de sa mère ignorant toujours le déshonneur de l'aîné. C'était trop pour le respect, la solidarité familiale. Il eut vers le sourire maternel un regard sublime de renoncement ; puis, d'une voix sourde, d'un geste découragé :

" Excusez-moi, Messieurs, cette explication est décidément au-dessus de mes forces... Ordonnez une enquête sur ma vie, ouverte à tous et bien en lumière, hélas ! puisque chacun peut 5 en interpréter tous les actes... Je vous jure que vous n'y trouverez rien qui m'empêche de siéger au milieu des représentants de mon pays."

La stupeur, la désillusion furent immenses devant cette défaite qui semblait à tous l'effondrement subit d'une grande 10 effronterie acculée. Il y eut un moment d'agitation sur les bancs, le tumulte d'un vote par assis et levé, que le Nabab sous le jour douteux du vitrage regarda vaguement, comme le condamné du haut de l'échafaud regarde la foule houleuse ; puis, après cette attente longue d'un siècle qui précède une minute 15 suprême, le président prononça dans le grand silence et le plus simplement du monde :

" L'élection de M. Bernard Jansoulet est annulée."

Jamais vie d'homme ne fut tranchée avec moins de solennité ni de fracas. 20

Là-haut, dans sa tribune, la mère Jansoulet n'y comprit rien, sinon que des vides se faisaient tout autour sur les bancs, que des gens se levaient, s'en allaient. Bientôt il ne resta plus avec elle que le gros homme et la dame en chapeau blanc, penchés tout au bord de la rampe, regardant curieusement du côté de 25 Bernard, qui semblait s'apprêter à partir lui aussi, car il serrait d'un air très-calme d'épaisses liasses dans un grand portefeuille. Ses papiers rangés, il se leva, quitta sa place... Ah ! ces existences d'estradiers [1] ont parfois des passes bien cruelles. Gravement, lourdement, sous les regards de tout l'Assemblée, 30 il lui fallut redescendre ces gradins qu'il avait escaladés au prix de tant de peines et d'argent, mais au bas desquels le précipitait une fatalité inexorable.

C'était cela que les Hemerlingue attendaient, suivant de

l'œil jusqu'à sa dernière étape cette sortie navrante, humiliante, qui met au dos de l'invalidé un peu de la honte et de l'effarement d'un renvoi ; puis, sitôt le Nabab disparu, ils se regardèrent avec un rire silencieux et quittèrent la tribune, sans que la
5 vieille femme eût osé leur demander quelque renseignement, avertie par son instinct de la sourde hostilité de ces deux êtres. Restée seule, elle prêta toute son attention à une nouvelle lecture qu'on faisait, persuadée qu'il s'agissait encore de son fils. On parlait d'élection, de scrutin, et la pauvre mère ten-
10 dant sa coiffe rousse,[1] fronçant son gros sourcil, aurait religieusement écouté jusqu'au bout le rapport de l'élection Sarigue, si l'huissier de service qui l'avait introduite, ne fût venu l'avertir que c'était fini, qu'elle ferait mieux de s'en aller. Elle parut très surprise.

15 "Vraiment?... c'est fini?... disait-elle, en se levant comme à regret."

Et tout bas, timidement :

"Est-ce que... Est-ce qu'il a gagné?"

C'était si naïf, si touchant, que l'huissier n'eut pas même
20 envie de rire.

"Malheureusement non, Madame. M. Jansoulet n'a pas gagné... Mais aussi pourquoi s'est-il arrêté en si beau chemin... Si c'est vrai qu'il n'était jamais venu à Paris et qu'un autre Jansoulet a fait tout ce dont on l'accuse, pourquoi
25 ne l'a-t-il pas dit?"

La vieille mère, devenue très pâle, s'appuya à la rampe de l'escalier.

Elle avait compris... C'était à cause d'elle qu'il n'avait pas voulu parler. Mais elle n'accepterait pas un sacrifice pareil.
30 Il fallait qu'il revînt tout de suite s'expliquer devant les députés.

"Mon fils? où est mon fils?

— En bas, Madame, dans sa voiture. C'est lui qui m'a envoyé vous chercher."

Elle s'élança devant l'huissier, marchant vite, parlant tout haut, bousculant des hommes. Après la salle des Pas-Perdus, elle traversa une grande antichambre en rotonde. De là on voyait, à travers les portes vitrées, la grille du dehors, la foule attroupée et parmi d'autres voitures le carrosse du Nabab qui attendait. La paysanne en passant reconnut dans un groupe son énorme voisin de tribune avec l'homme blême à lunettes qui avait tonné contre son fils et recevait pour son discours toutes sortes de félicitations et de poignées de mains. Au nom de Jansoulet, prononcé au milieu de ricanements moqueurs et satisfaits, elle ralentit ses grandes enjambées.

"Enfin, disait un joli garçon à figure de mauvaise femme, il n'a toujours pas prouvé en quoi nos accusations étaient fausses."

La vieille en entendant cela fit une trouée terrible dans le tas et, se posant en face de Moëssard :

"Ce qu'il n'a pas dit, moi je vais vous le dire. Je suis sa mère et c'est mon devoir de parler."

Elle s'interrompit pour saisir à la manche Le Merquier qui s'esquivait :

"Vous d'abord, méchant homme, vous allez m'écouter... Qu'est-ce que vous avez contre mon enfant? Vous ne savez donc pas qui il est? Attendez un peu, que je vous l'apprenne."

Et, se retournant vers le journaliste :

"J'avais deux fils, Monsieur..."

Moëssard n'était plus là. Elle revint à Le Merquier :

"Deux fils, Monsieur..."

Le Merquier avait disparu.

"Oh! écoutez-moi, quelqu'un, je vous en prie, disait la pauvre mère, jetant autour d'elle ses mains et ses paroles pour rassembler, retenir ses auditeurs ; mais tous fuyaient, fondaient, se dispersaient, députés, reporters, visages inconnus et railleurs auxquels elle voulait raconter son histoire à toute force, sans souci de l'indifférence où tombaient ses douleurs et ses joies, ses fiertés et ses tendresses maternelles exprimées dans un charabias[1] de génie. Et tandis qu'elle s'agitait, se débattait ainsi, éperdue, la coiffe en désordre, à la fois grotesque et sublime comme tous les êtres de nature en plein drame civilisé, prenant à témoin de l'honnêteté de son fils et de l'injustice des hommes jusqu'aux gens de livrée dont l'impassibilité dédaigneuse était plus cruelle que tout, Jansoulet, qui venait à sa rencontre, inquiet de ne pas la voir, apparut tout à coup à côté d'elle.

"Prenez mon bras, ma mère... Il ne faut pas rester là."

Il dit cela très haut, d'un ton si calme et si ferme que tous les rires cessèrent, et que la vieille femme subitement apaisée, soutenue par cette étreinte solide où s'appuyaient les derniers tremblements de sa colère, put sortir du palais entre deux haies respectueuses. Couple grandiose et rustique, les millions du fils illuminant la paysannerie de la mère comme ces haillons de sainte qu'entoure une châsse d'or ils disparurent dans le beau soleil qu'il faisait dehors, dans la splendeur de leur carrosse étincelant, ironie féroce en présence de cette grande détresse, symbole frappant de l'épouvantable misère des riches.

Tous deux assis au fond, car ils craignaient d'être vus, ils ne se parlèrent pas d'abord. Mais dès que la voiture se fut mise en route, qu'il eut vu fuir derrière lui le triste calvaire où son honneur restait au gibet, Jansoulet, à bout de forces, posa sa tête contre l'épaule maternelle, la cacha dans un croisement du vieux châle vert, et là, laissant ruisseler des larmes brûlantes, tout son grand corps secoué par les sanglots, il retrouvait le cri de son enfance, sa plainte patoise de quand il était tout petit : "Mama... Mama..."

XV.

UN DRAME PARISIEN. — A BORDIGHERA.

UNE prédiction du valet de chambre de Mora s'était realisée pour le marquis de Monpavon : "Nous pouvons mourir, avait-il dit, perdre le pouvoir, alors on vous demandera des comptes, et ce sera terrible." C'était terrible. A grand'peine, l'ancien receveur général avait obtenu un délai extrême de quinze jours pour rembourser le Trésor, comptant comme dernière chance que Jansoulet validé, rentré dans ses millions, lui viendrait encore une fois en aide. La décision de l'Assemblée venait de lui enlever ce suprême espoir. Dès qu'il la connut, il revint au cercle très-calme, monta dans sa chambre où Francis l'attendait dans une grande impatience pour lui remettre un papier important arrivé dans la journée. C'était une notification au sieur Louis-Marie-Agénor de Monpavon d'avoir à comparaître le lendemain dans le cabinet du juge d'instruction. Cela s'adressait-il au censeur de la *Caisse territoriale* ou à l'ancien receveur général en déficit ? En tout cas, la formule brutale de l'assignation judiciaire employée dès l'abord, au lieu d'une convocation discrète, disait assez la gravité de l'affaire et les fermes résolutions de la justice.

Devant une pareille extrémité attendue et prévue depuis longtemps, le parti du vieux beau était pris d'avance. Un Monpavon à la correctionnelle,[1] un Monpavon, bibliothécaire à Mazas !. . .[2] Jamais. . . Il mit en ordre toutes ses affaires, déchira des papiers, vida minutieusement ses poches dans lesquelles il glissa seulement quelques ingrédients pris sur sa table de toilette, tout cela avec tant de calme et de naturel que, lors qu'en s'en allant, il dit à Francis: "M'en vas[1] au bain... Diablesse de Chambre...[2] Poussière infecte..."[3] le domestique le crut sur parole. Le marquis ne mentait pas, du 5 reste. Cette émouvante et longue station debout là-haut dans la poussière de la tribune lui avait rompu les membres autant que deux nuits en wagon;[4] et sa décision de mourir s'associant à l'envie de prendre un bon bain, le vieux sybarite songeait à s'endormir dans une baignoire comme chose... 10 machin...[5] et autres fameux personnages de l'antiquité. C'est une justice à lui rendre, que pas un de ces stoïques n'alla au-devant de la mort avec plus de tranquillité que lui.

Fleuri par-dessus sa rosette d'officier[6] d'un camélia blanc dont le décorait en passant la jolie bouquetière du Cercle, M. 15 de Monpavon marche à la mort. Il y va par cette longue ligne des boulevards tout en feu[7] du côté de la Madeleine, et dont il foule encore une fois l'asphalte[8] élastique, en museur, le nez levé, les mains au dos. Il a le temps, rien ne le presse, il est maître du rendez-vous.[9] A chaque instant il sourit devant 20 lui, envoie un petit bonjour protecteur du bout des doigts ou bien le grand coup de chapeau. Tout le ravit, le charme, le bruit des tonneaux d'arrosage,[10] des stores relevés aux portes des cafés débordant[11] jusqu'au milieu des trottoirs. La mort prochaine lui fait des sens de convalescent, accessibles à toutes 25 les finesses, à toutes les poésies cachées d'une belle heure d'été sonnant en pleine vie parisienne, d'une belle heure qui sera sa dernière et qu'il voudrait prolonger jusqu'à la nuit. C'est pour cela sans doute qu'il dépasse le somptueux établissement où il prend son bain d'habitude; il ne s'arrête pas non plus aux Bains 30 Chinois. On le connaît trop par ici. Tout Paris saurait son aventure le soir même. Ce serait dans les cercles, dans les salons un scandale de mauvais goût, beaucoup de bruit vilain autour de sa mort; et le vieux raffiné, l'homme de la tenue, voudrait s'épargner cette honte, plonger, s'engloutir dans le vague et l'anonymat d'un suicide, comme ces soldats qu'au lendemain des grandes batailles, ni blessés, ni vivants, ni morts, on porte[1] simplement disparus. Voilà pourquoi il a eu soin de ne rien garder sur lui de ce qui aurait pu le faire reconnaitre, fournir un renseignement précis aux constatations policières, pourquoi il cherche dans cet immense Paris la zone éloignée et perdue où commencera pour lui la terrible mais rassurante confusion de la fosse commune. Déjà depuis que Monpavon est en route, l'aspect du boulevard a bien changé. La foule est devenue compacte, plus active et préoccupée, les maisons moins larges, sillonnées[2] d'enseignes de commerce. Les portes Saint-Denis et Saint-Martin passées, sous lesquelles déborde à toute heure le trop-plein grouillant des faubourgs,[3] la physionomie provinciale de la ville s'accentue. Le vieux beau n'y connaît plus personne et peut se vanter d'être inconnu de tous.

Les boutiquiers, qui le regardent curieusement, avec son linge étalé, sa redingote fine, la cambrure de sa taille, le prennent pour quelque fameux comédien exécutant avant le spectacle une petite promenade hygiénique sur l'ancien boulevard, témoin de ses premiers triomphes... Le vent fraîchit, le crépuscule estompe les lointains, et tandis que la longue voie continue à flamboyer dans ses détours déjà parcourus, elle s'assombrit maintenant à chaque pas. Ainsi le passé, quand son rayonnement arrive à celui qui regarde en arrière et regrette... Il semble à Monpavon qu'il entre dans la nuit. Il frissonne un peu, mais ne faiblit pas, et continue à marcher la tête droite et le jabot tendu.

M. de Monpavon marche à la mort. A présent, il pénètre dans le dédale compliqué des rues bruyantes où le fracas des omnibus se mêle aux mille métiers ronflants de la cité ouvrière, où se confond la chaleur des fumées d'usine avec la fièvre de tout un peuple se débattant contre la faim. L'air frémit, les ruisseaux fument, les maisons tremblent au passage des camions, des lourds haquets se heurtant au détour des chaussées étroites.

Soudain le marquis s'arrête ; il a trouvé ce qu'il voulait. Entre la boutique noire d'un charbonnier et l'établissement d'un emballeur dont les planches de sapin adossées aux murailles lui causent un petit frisson, s'ouvre une porte cochère surmontée
5 de son enseigne, le mot BAINS sur une lanterne blafarde. Il entre, traverse un petit jardin moisi où pleure un jet d'eau dans la rocaille. Voilà bien le coin sinistre qu'il cherchait. Qui s'avisera jamais de croire que le marquis de Monpavon est venu se couper la gorge là ?... La maison est au bout, basse,
10 des volets verts, une porte vitrée, ce faux air de villa qu'elles ont toutes... Il demande un bain, un fond de bain,[1] enfile l'étroit couloir, et pendant qu'on prépare cela, le fracas de l'eau derrière lui, il fume son cigare à la fenêtre, regarde le parterre aux maigres lilas et le mur élevé qui le ferme.

15 A côté c'est une grande cour, la cour d'une caserne de pompiers avec un gymnase dont les montants, mâts et portiques, vaguement entrevus par le haut, ont des apparences de gibets. Un clairon sonne au sergent dans la cour. Et voilà que cette sonnerie ramène le marquis à trente ans en arrière, lui rappelle
20 ses campagnes d'Algérie, les hauts remparts de Constantine,[2] l'arrivée de Mora au régiment, et des duels, et des parties fines... Ah ! comme la vie commençait bien. Quel dommage que ces sacrées cartes[3]... Enfin, c'est déjà beau d'avoir sauvé la tenue.

25 " Monsieur, dit le garçon, votre bain est prêt."

Egoïste et dur, il a jusqu'à la fin vécu pour la montre,[4] gonflant son plastron tout en surface d'une enflure de vanité. Encore cette vanité était ce qu'il y avait de meilleur en lui. C'est elle qui l'a tenu crâne et debout si longtemps, elle qui lui
30 serre les dents sur les hoquets de son agonie,[5] maintenant qu'il râle là-bas, effondré dans sa baignoire sanglante. Dans le jardin moisi, le jet d'eau tristement s'égoutte. Le clarion des pompiers sonne le couvre-feu[6]... " Allez donc voir au 7, dit la maîtresse, il n'en finit plus avec son bain." Le garçon

monte et pousse un cri d'effroi, de stupeur : "Oh ! Madame, il est mort... mais ce n'est plus le même..." On accourt, et personne, en effet, ne veut reconnaître le beau gentilhomme qui est entré tout à l'heure, dans cette espèce de poupée macabre,[1] la tête pendant au bord de la baignoire, un teint où le fard étalé se mêle au sang qui le délaie, tous les membres jetés dans une lassitude suprême du rôle joué jusqu'au bout, jusqu'à tuer le comédien. Deux coups de rasoir en travers du magnifique plastron inflexible, et toute sa majesté factice s'est dégonflée, s'est résolue dans cette horreur sans nom, ce tas de boue, de sang, de chairs maquillées et cadavériques où gît méconnaissable l'homme de la tenue, le marquis Louis-Marie-Agénor de Monpavon.

Paul de Géry revenait de Tunis après trois semaines d'absence. Trois interminables semaines passées à se débattre au milieu d'intrigues, de trames ourdies sournoisement par la haine puissante des Hemerlingue, à errer de salle en salle, de ministère en ministère, à travers cette immense résidence du Bardo qui réunit dans la même enceinte farouche hérissée de couleuvrines tous les services de l'État, placés sous la surveillance du maître comme ses écuries et son harem. Dès son arrivée là-bas, Paul avait appris que la chambre de justice commençait à instruire secrètement le procès de Jansoulet, procès dérisoire, perdu par avance ; et les comptoirs du Nabab fermés sur le quai de la Marine, les scellés apposés sur ses coffres, ses navires solidement amarrés à la Goulette, une garde autour de ses palais annonçaient déjà une sorte de mort civile, de succession ouverte dont il ne resterait plus bientôt qu'à se partager les dépouilles.

Pas un défenseur, pas un ami dans cette meute vorace ; la colonie franque[2] elle-même paraissait satisfaite de la chute d'un courtisan qui avait si longtemps obstrué en les occupant tous les chemins de la faveur. Essayer d'arracher au bey cette proie, à moins d'un triomphe éclatant devant l'Assemblée, il n'y fallait pas songer. Tout ce que de Géry pouvait espérer, 5 c'était de sauver quelques épaves, et encore en se hâtant, car il s'attendait un jour ou l'autre à apprendre l'échec complet de son ami.

Il se mit donc en campagne, précipita ses démarches avec une activité que rien ne découragea, ni le patelinage[1] oriental, 10 cette politesse raffinée et doucereuse sous laquelle se dissimulent la férocité, la dissolution des mœurs, ni les sourires béatement indifférents, ni ces airs penchés, ces bras en croix invoquant le fatalisme divin quand le mensonge humain fait défaut. Le sang-froid de ce petit Méridional refroidi, en qui se conden- 15 saient toutes les exubérances de ses compatriotes, le servit au moins autant que sa connaissance parfaite de la loi française dont le Code de Tunis n'est que la copie défigurée.

A force de souplesse, de circonspection, et malgré les intrigues d'Hemerlingue fils, très influent au Bardo, il parvint à faire 20 distraire de la confiscation l'argent prêté par le Nabab quelques mois auparavant et à arracher dix millions sur quinze à la rapacité de Mohammed. Le matin même du jour où cette somme devait lui être comptée, il recevait de Paris une dépêche lui annonçant l'invalidation. Il courut tout de suite au palais, 25 pressé d'y arriver avant la nouvelle ; et au retour, ses dix millions de traites sur Marseille bien serrés dans son porte-feuille, il croisa sur la route de la résidence le carrosse d'Hemer-lingue fils avec ses trois mules lancées à fond de train. La tête du hibou maigre rayonnait. De Géry comprenant que, s'il 30 restait seulement quelques heures de plus à Tunis, ses traites couraient grand risque d'être confisquées, alla retenir sa place sur un paquebot italien qui partait le lendemain pour Gênes, passa la nuit à bord, et ne fut tranquille que lorsqu'il vit fuir derrière lui la blanche Tunis étagée au fond de son golfe et les rochers du cap Carthage. En entrant dans le port de Gênes, le vapeur, en train de se ranger au quai, passa près d'un grand yacht où flottait le pavillon tunisien parmi des petits étendards de parade. De Géry ressentit une vive émotion, crut un instant qu'on envoyait à sa poursuite, et qu'il allait peut-être en débarquant avoir des démêlés avec la police italienne comme un vulgaire gâte-bourse. Mais non, le yacht se balançait tranquille à l'ancre, ses matelots occupés à nettoyer le pont et à repeindre la sirène rouge de l'avant, comme si l'on attendait quelque personnage d'importance.[1] Paul n'eut pas la curiosité de savoir quel était ce personnage, ne fit que traverser la ville de marbre [2] et revint par la voie ferrée qui va de Gênes à Marseille en suivant la côte, route merveilleuse où l'on passe du noir des tunnels à l'éblouissement de la mer bleue, mais que son étroitesse expose à bien des accidents.

A Savone, le train arrêté, on annonça aux voyageurs qu'ils ne pouvaient aller plus loin, un de ces petits ponts jetés sur les torrents qui descendent de la montagne dans la mer s'étant rompu pendant la nuit. Il fallait attendre l'ingénieur, les ouvriers avertis par le télégraphe, rester là peut-être une demi-journée. C'était le matin. La ville italienne s'éveillait dans une de ces aubes voilées qui annoncent la grande chaleur du jour. Pendant que les voyageurs dispersés se réfugiaient dans les hôtels, s'installaient dans des cafés, que d'autres couraient [3] la ville, de Géry, désolé du retard, cherchait un moyen de ne pas perdre encore cette dizaine d'heures. Il pensait au pauvre Jansoulet, à qui l'argent qu'il apportait allait peut-être sauver l'honneur et la vie, à sa chère Aline, à celle [4] dont le souvenir ne l'avait pas quitté un seul jour pendant son voyage, pas plus que le portrait qu'elle lui avait donné. Il eut alors l'idée de louer un de ces *calesino* [5] attelés à quatre, qui font le trajet de Gênes à Nice, tout le long de la Corniche italienne, voyage adorable que se payent souvent les étrangers, les amoureux ou les joueurs heureux de Monaco. Le cocher garantissait d'être à Nice de bonne heure ; mais n'arrivât-on guère plus vite qu'en attendant le train, l'impatience du voyageur éprouvait le soulagement de ne pas piétiner sur place, de sentir à chaque tour de roue décroître l'espace qui le séparait de son désir.

Oh ! par un beau matin de juin, à l'âge de notre ami Paul, le cœur plein d'amour comme il l'avait, brûler[1] à quatre chevaux la route blanche de la Corniche, c'est une ivresse de voyage incomparable.

Mais, à mesure que la journée s'avançait, le soleil, montant dans le ciel, éparpillait sur la mer, sortie de ses brumes, lourde, stupéfaite, immobile avec des transparences de quartz, des milliers de rayons tombant dans l'eau, comme des piqûres de flèches, une réverbération éblouissante, doublée par la blancheur des roches et du sol, par un véritable sirocco d'Afrique qui soulevait la poussière en spirale sur le passage de la voiture. On arrivait aux sites les plus chauds, les plus abrités de la Corniche, véritable température exotique, plantant en pleine terre[2] les dattiers, les cactus, l'aloès et ses hauts candélabres. En voyant ces troncs élancés, cette végétation fantastique, découper l'air chauffé à blanc, en sentant la poussière aveuglante craquer sous les roues comme une neige, de Géry, les yeux à demiclos, halluciné par ce midi de plomb, croyait faire encore une fois cette fatigante route de Tunis au Bardo, tant parcourue dans un singulier pêle-mêle de carrosses levantins, à livrées éclatantes, de mulets caparaçonnés, de bourriquets, d'Arabes en guenilles, de nègres à moitié nus, de fonctionnaires en grand costume, avec leur escorte d'honneur.

Ce n'était pas le Bardo, mais le joli pays de Bordighera, où la chaleur insoutenable, les chevaux à bout de forces, contraignirent le voyageur à s'arrêter pour une couple d'heures dans un de ces grands hôtels qui bordent la route et mettent dès novembre, dans ce petit bourg merveilleusement abrité, la vie luxueuse, l'animation cosmopolite d'une aristocratique station hivernale. Mais, à cette époque de l'année, les villas, les hôtels semblaient morts, tous leurs stores et leurs jalousies étendus. On fit traverser à l'arrivant de longs couloirs frais et silencieux, jusqu'à un grand salon tourné au nord qui devait faire partie d'un de ces appartements complets qu'on loue pour la saison et dont les portes légères communiquent avec d'autres chambres. 5 Des rideaux blancs, un tapis, ce demi-confortable exigé par les Anglais, même en voyage, et en face des fenêtres que l'hôtelier ouvrit toutes grandes pour amorcer ce passant, l'engager à une halte plus sérieuse, la vue splendide de la montagne. Une odeur exquise montait, de violettes pétries dans du soleil, 10 chaude essence de boudoir, énervante, affaiblissante, qui évoquait pour de Géry des visions féminines, Aline, Félicia, glissant à travers la féerie du paysage, dans cette atmosphère bleutée, ce jour élyséen qu'on eût dit le parfum devenu visible de tant de fleurs épanouies... Un bruit de portes lui fit rouvrir les 15 yeux... Quelqu'un venait d'entrer dans la pièce à côté. Il entendit le frôlement d'une robe sur la mince cloison, un feuillet retourné dans un livre qu'on devait lire sans grand intérêt; car un long soupir modulé en bâillement le fit tressaillir. Dormait-il, rêvait-il encore? Ne venait-il pas d'entendre le cri du 20 "chacal dans le désert,"[1] si bien en harmonie avec la température brûlante et lourde du dehors... Non. Plus rien... Il s'endormit de nouveau; et cette fois, toutes les images confuses qui le poursuivaient se fixèrent en un rêve, un bien beau rêve... 25

Il faisait avec Aline son voyage de noce. Une mariée délicieuse. Prunelles claires, pleines d'amour et de foi. Oh! qu'il faisait beau, quelle lumière divine, rajeunissante, comme ils étaient bien! Mais tout à coup, Aline devenait triste. Ses beaux yeux se voilaient de larmes. Elle lui disait: "Félicia 30 est là... vous n'allez plus m'aimer..." Et lui[2] riait: "Félicia, ici?... Quelle idée. — Si, si... Elle est là..." Tremblante, elle montrait la chambre voisine, d'où partaient pêle-mêle des aboiements enragés et la voix de Félicia, la voix basse, concentrée, furieuse de quelqu'un qui se cachait et se voit brusquement découvert.

Réveillé en sursaut, l'amoureux, désenchanté, se retrouva dans sa chambre déserte, son beau rêve envolé. Mais on 5 entendait bien réellement dans la pièce contiguë les aboiements d'un chien et des coups précipités ébranlant la porte...

— Ouvrez. C'est moi... c'est Jenkins."

Paul se redressa sur son divan, stupéfait. Jenkins ici?... Comment cela?... A qui s'adressait-il?... Quelle voix allait 10 lui répondre?... On ne répondit point... Un pas léger alla vers la porte, et le pêne grinça nerveusement.

" Enfin, je vous trouve, dit l'Irlandais en entrant..."

Et vraiment, s'il n'avait pris soin de s'annoncer lui-même, à travers la cloison Paul n'aurait jamais placé sur cet accent 15 brutal, violent et rauque, le nom du docteur aux façons doucereuses...

" Enfin, je vous trouve après huit jours de recherches, de courses folles, de Gênes à Nice, de Nice à Gênes... Je savais que vous n'étiez pas partie, le yacht étant toujours en 20 rade... Et j'allais inspecter toutes les auberges du littoral, quand je me suis souvenu de Bréhat... J'ai pensé que vous aviez voulu le voir en passant. J'en viens... C'est lui qui m'a dit que vous étiez ici."

Mais à qui parlait-il? Quelle obstination singulière mettait-25 on à ne pas lui répondre? Enfin une belle voix morne que Paul connaissait bien fit vibrer à son tour l'air alourdi et sonore de la chaude après-midi.

" Eh bien! oui, Jenkins, me voilà... Qu'est-ce qu'il y a donc?"

30 A travers la muraille, Paul voyait la bouche dédaigneuse, abaissée, avec un pli de dégoût.

" Je viens vous empêcher de partir, de faire cette folie...

— Quelle folie? J'ai des travaux à Tunis... Il faut bien que j'y aille.

— Mais vous n'y songez pas, ma chere enfant...

— Oh ! assez de paternité comme cela, Jenkins... On sait ce qui se cache là-dessous... Parlez-moi donc comme tout à l'heure... J'aime encore mieux chez vous le dogue que le chien couchant. J'en ai moins peur. 5

— Eh bien ! je vous dis, moi, qu'il faut être folle pour s'en aller là-bas toute seule, jeune et belle comme vous êtes...

— Et ne suis-je pas toujours seule ?... Vouliez-vous que j'emmène Constance, à son âge ?

— Et moi ? 10

— Vous ?..." Elle modula le mot sur un rire plein d'ironie... "Et Paris ?... Et vos clients ?... Priver la société de son Cagliostro ![1]... Jamais, par exemple.

— Je suis pourtant bien décidé à vous suivre partout où vous irez... Je vous aimais... Je vous aime... La passion emporte 15 tout... répondit Jenkins sourdement.

— Eh bien ! aimez-moi donc, si cela vous amuse... Moi je vous hais non seulement pour le mal que vous m'avez fait, tout ce que vous avez tué en moi de croyances, de belles énergies, mais parce que vous me représentez ce qu'il y a de 20 plus exécrable, de plus hideux sous le soleil, l'hypocrisie et le mensonge. Oui, dans cette mascarade mondaine, ce tas de faussetés, de grimaces, de conventions lâches et malpropres qui m'ont écœurée au point que je me sauve, que je m'exile pour ne plus les voir, que je leur préférais le bagne, l'égout, votre 25 masque à vous, ô sublime Jenkins, est encore celui qui m'a le plus fait horreur. Vous avez compliqué notre hypocrisie française, toute en sourires et en politesse, de vos larges poignées de main à l'anglaise, de votre loyauté cordiale et démonstrative. Tous s'y sont laissé prendre.[2] On dit "le 30 bon Jenkins, le brave, l'honnête Jenkins." Mais moi je vous connais, bonhomme, et malgré votre belle devise[3] si effrontément arborée sur les enveloppes de vos lettres, sur votre cachet, vos boutons de manchettes, la coiffe de vos chapeaux, les panneaux de votre voiture, je vois toujours le fourbe que vous êtes et qui dépasse son déguisement de toutes parts."

Sa voix sifflait entre ses dents serrées par une incroyable férocité d'expression ; et Paul s'attendait à quelque furieuse
5 révolte de Jenkins se redressant sous tant d'outrages. Mais non. Cette haine, ce mépris venant de la femme aimée devaient lui causer plus de douleur que de colère ; car il répondit tout bas, sur un ton de douceur navrée :

"Oh ! vous êtes cruelle... Si vous saviez le mal que vous
10 me faites... Hypocrite, oui, c'est vrai ; mais on ne naît pas comme cela... On le devient par force, devant les duretés de la vie. Quand on a le vent contre et qu'on veut avancer, on louvoie. J'ai louvoyé... Accusez mes débuts misérables, une entrée manquée dans l'existence, et convenez du moins qu'une
15 chose en moi n'a jamais menti : ma passion !... Rien n'a pu la rebuter, ni vos dédains, ni vos injures, ni tout ce que je lis dans vos yeux qui, depuis tant d'années, ne m'ont pas souri une fois... C'est encore ma passion qui me donne la force, même après ce que je viens d'entendre, de vous dire pourquoi
20 je suis ici... Écoutez. Vous m'avez déclaré un jour qu'il vous fallait un mari, quelqu'un qui veille sur vous pendant votre travail, qui relève de faction la pauvre Crenmitz excédée. Ce sont là vos propres paroles, qui me déchiraient alors parce que je n'étais pas libre. Maintenant tout est changé. Voulez-
25 m'épouser, Félicia ?

—Et votre femme ? s'écria la jeune fille pendant que Paul s'adressait la même question.

—Ma femme est morte.

—Morte ?... Madame Jenkins ?... Est-ce vrai ?

30 —Vous n'avez pas connu celle dont je parle. L'autre n'était pas ma femme. Quand je l'ai rencontrée, j'étais déjà marié en Irlande... Depuis des années... Un mariage horrible, contracté la corde au cou... Ma chère, à vingt-cinq ans, je me suis trouvé devant cette alternative : la prison pour dettes

ou mademoiselle Strang, une vieille fille couperosée et goutteuse, la sœur d'un usurier qui m'avait avancé cinq cents livres pour payer mes études médicales... J'avais préféré la prison; mais des semaines et des mois vinrent à bout de mon courage, et j'épousai mademoiselle Strang qui m'apporta en dot... mon billet. Du reste j'ai été bien puni, allez. Le vieux Strang est mort insolvable; il jouait,[1] s'était ruiné, sans le dire... Alors j'ai mis les rhumatismes de ma femme dans une maison de santé et je suis venu en France... C'était une existence à recommencer, de la lutte et de la misère encore. Mais j'avais pour moi l'expérience, la haine et le mépris des hommes, et la liberté reconquise, car je ne me doutais pas que l'horrible boulet de cette union maudite allait gêner encore ma marche, à distance... Heureusement, c'est fini, me voilà délivré... Oh! quand j'ai appris votre fuite, quand j'ai vu cet écriteau sur votre porte: "A LOUER," j'ai senti que c'en était fait des poses et des grimaces, que je n'avais plus qu'à partir, à courir bien vite après mon bonheur que vous emportiez. Vous quittiez Paris, je l'ai quitté. On vendait tout chez vous; chez moi, on va tout vendre.

—Et elle?... reprit Félicia frémissante... Elle, la compagne irréprochable, l'honnête femme que personne n'a jamais soupçonnée, où ira-t-elle? que fera-t-elle?... Eh bien! et cette devise, bon Jenkins, vertueux Jenkins, qu'est-ce que nous en faisons?[2] Le bien sans espérance, mon vieux!..."

A ce rire cinglant comme un coup de cravache qui devait lui marquer la figure en rouge, le misérable répondit en haletant:

"Assez..., assez..., ne raillez pas ainsi... C'est trop horrible à la fin... Cela ne vous touche donc pas d'être aimée comme je vous aime en vous sacrifiant tout, fortune, honneur, considération? Voyons, regardez-moi... Si bien attaché que fût mon masque, je l'ai arraché pour vous, je l'ai arraché devant tous... Et maintenant, tenez! le voilà l'hypocrite..."

On entendit le bruit sourd de deux genoux sur le parquet. Et bégayant, éperdu d'amour, affaissé devant elle, il la suppliait de consentir à ce mariage, de lui donner le droit de la suivre partout, de la défendre. Mais Félicia ne s'attendrit pas, et 5 toujours hautaine : " Finissons, Jenkins, dit-elle brusquement, ce que vous me demandez est impossible... Nous n'avons rien à nous cacher ; et après vos confidences de tout à l'heure, je veux vous en faire une qui coûte à mon orgueil, mais dont votre acharnement me paraît digne.

10 — Je le savais, l'interrompa Jenkins d'une voix sourde... J'ai là les lettres que vous écriviez à Mora...

— Mes lettres ?

— Oh ! je vous les rends, tenez. Je les sais par cœur, à force de[1] les lire et de les relire... C'est ça qui fait mal, 15 quand on aime... Mais j'ai bien subi d'autres tortures. Quand je pense que c'est moi... Ah ! il en a dévoré des perles, celui-là... J'avais beau dire non, il en voulait toujours... A la fin la fureur m'a pris... Tu veux brûler, misérable. Eh bien ! brûle."[2] . . . .

20 Paul se leva épouvanté. Allait-il donc devenir le confident d'un crime ?

Mais la honte ne lui fut pas infligée d'en entendre davantage. Un coup violent, frappé chez lui cette fois, vint l'avertir que le calesino était prêt.

25 "Eh ! signor Francese..."[3]

Dans la pièce à côté le silence se fit, puis un chuchotement... Il y avait quelqu'un, là, tout près d'eux... qui les écoutait... Paul de Géry descendit précipitamment. Il lui tardait d'être hors de cette chambre d'hôtel, d'échapper à 30 l'obsession de tant d'infamies dévoilées.

Comme la chaise de poste s'ébranlait, entre ces rideaux blancs communs qui flottent à toutes les fenêtres dans le Midi, il aperçut une figure pâlie avec des cheveux de déesse et de

grands yeux brûlants qui guettaient. Mais un regard au portrait d'Aline chassait vite cette vision troublante, et pour jamais guéri de son ancien amour, il voyagea jusqu'au soir à travers un paysage féerique avec la jolie mariée de son rêve qui emportait dans les plis de sa modeste robe toutes les violettes de 5
Bordighera.

XVI.

LA PREMIÈRE[1] DE RÉVOLTE.

SUR la scène encombrée d'un va-et-vient de machinistes, de garçons d'accessoires se hâtant, se bousculant dans le jour doux, neigeux, tombé des frises, qui fera place tout à l'heure, quand le rideau se lèvera, à la lumière éclatante de la salle, 5 Cardailhac, en habit noir et cravate blanche, le chapeau casseur sur l'oreille, jette un dernier coup d'œil à l'installation des décors, presse les ouvriers, complimente l'ingénue en toilette, rayonnant, fredonnant, superbe. On ne se douterait[2] jamais à le voir des terribles préoccupations qui l'enfièvrent. 10 Entraîné lui aussi dans la débâcle du Nabab, où s'est engloutie sa commandite,[3] il joue son va-tout[4] sur la pièce de ce soir, contraint — si elle ne réussit pas — à laisser impayés ces décors merveilleux, ces étoffes à cent francs le mètre. C'est une quatrième faillite qui l'attend. Mais, bah ! notre directeur a 15 confiance. Car Cardailhac tenait surtout à justifier son titre de "directeur des Nouveautés" et, depuis que les millions du Nabab soutenaient l'entreprise, s'attachait à faire aux boulevardiers les surprises les plus éblouissantes. Celle de ce soir les surpassait toutes : la pièce était en vers — et honnête.[5]

20 Une pièce honnête !

Le vieux singe[6] avait compris que le moment était venu de tenter ce coup-là, et il le tentait. Après l'étonnement des premières minutes, quelques exclamations attristées çà et là dans les loges : "Tiens ! c'est en vers...," la salle commença à 25 subir le charme de cette œuvre fortifiante et saine, comme si l'on eût secoué sur elle, dans son atmosphère raréfiée, quelque essence fraîche et piquante à respirer, un élixir de vie parfumé au thym des collines.

"Ah ! c'est bon... ça repose..."

C'était le cri général, un frémissement d'aise, une pâmoison de bien-être accompagnant chaque vers. Tous ces murmures bienveillants, unis, confondus, commençaient à donner à la salle sa physionomie des grands soirs. Le succès courait dans l'air, les figures se rassérénaient, les femmes semblaient embellies par des reflets d'enthousiasme, des regards excitants comme des bravos. Mais soudain les chuchotements redoublèrent, se changèrent en tumulte. On ricanait, on s'agitait. Que se passait-il? Toutes les lorgnettes étaient braquées sur la grande avant-scène[1] vide jusqu'alors et où quelqu'un venait d'entrer, de s'asseoir, les deux coudes sur le rebord de velours, la lorgnette tirée du fourreau, installé dans une solitude sinistre.

En dix jours le Nabab avait vieilli de vingt ans. Ces violentes natures méridionales, si elles sont riches en élans, en jets de flammes irrésistibles, s'affaissent aussi plus complétement que les autres. Depuis son invalidation, le malheureux s'était enfermé dans sa chambre, les rideaux tirés, ne voulant plus même voir le jour ni dépasser le seuil au delà duquel la vie l'attendait, les engagements pris, les promesses faites, un fouillis de protêts[2] et d'assignations. La Levantine était partie aux eaux, absolument indifférente à la ruine de la maison, la vieille mère restait seule pour faire tête au désastre, avec ses connaissances bornées et droites de veuve de village qui sait ce que c'est qu'un papier timbré,[3] une signature, et tient l'honneur pour le plus grand bien de ce monde. Sa coiffe jaune apparaissait à tous les étages de l'hôtel, révisant les notes,[4] réformant le service, ne craignant ni les cris ni les humiliations. A toute heure du jour, on voyait la bonne femme arpenter la place Vendôme à grands pas, gesticulant, se parlant à elle-même, disant tout haut : "Tè ! je vais chez l'huissier." Et jamais elle

ne consultait son fils que lorsque c'était indispensable, d'un mot discret et bref, en évitant même de le regarder. Pour tirer Jansoulet de sa torpeur, il avait fallu une dépêche de de Géry, datée de Marseille, annonçant qu'il arrivait avec dix millions.
5 Dix millions, c'est-à-dire la faillite évitée, la possibilité de se relever, de recommencer la vie. Et voilà notre Méridional rebondissant du fond de sa chute, ivre de joie et plein d'espoir. Il fit ouvrir ses fenêtres, apporter des journaux. Quelle magnifique occasion que cette première pour se montrer aux
10 Parisiens qui le croyaient sombré, rentrer dans le grand tourbillon par la porte battante de sa loge des Nouveautés! La mère, qu'un instinct avertissait, insista bien un peu pour le retenir. Paris maintenant l'épouvantait. Elle aurait voulu emmener son enfant dans quelque coin ignoré du Midi, le
15 soigner avec l'aîné, tous deux malades de la grande ville. Mais il était le maître. Impossible de résister à cette volonté d'homme gâté par la richesse. Elle l'assista pour sa toilette, "le fit beau," ainsi qu'elle disait en riant, et le regarda partir non sans une certaine fierté, superbe, ressuscité, ayant à peu
20 près surmonté le terrible affaisement des derniers jours...

En arrivant au théâtre, Jansoulet s'aperçut vite de la rumeur que causait sa présence dans la salle. Habitué à ces ovations curieuses, il y répondait d'ordinaire sans le moindre embarras, de tout son large et bon sourire; mais cette fois la manifesta-
25 tion était malveillante, presque indignée.

"Comment!... c'est lui?...

— Le voilà.

— Quelle impudence!"

Cela montait de l'orchestre avec bien d'autres exclamations
30 confuses. L'ombre et la retraite où il s'était réfugié depuis quelques jours l'avaient laissé ignorant de l'exaspération publique à son égard, des homélies, des dithyrambes[1] répandus dans les journaux à propos de sa fortune corruptrice, articles à effet, phraséologie hypocrite à l'aide desquels l'opinion se venge

de temps en temps sur les innocents de toutes ses concessions aux coupables. Ce fut une effroyable déconvenue, qui lui causa d'abord plus de peine que de colère. Très ému, il cachait son trouble derrière sa lorgnette, s'attachant aux moindres détails de la scène, mais ne pouvant échapper à l'observation scandaleuse dont il était victime et qui faisait bourdonner ses oreilles, ses tempes battre, les verres embués[1] de sa lorgnette s'emplir des cercles multicolores où tournoie le premier égarement des congestions sanguines.

Le rideau baissé, l'acte fini, il restait dans cette attitude de gêne, d'immobilité ; mais les chuchotements plus distincts, que ne retenait plus le dialogue scénique, l'acharnement de certains curieux changeant de place pour mieux le voir, le contraignaient à sortir de sa loge, à se précipiter dans les couloirs comme un fauve échappé de l'arène à travers le cirque. Sous le plafond bas, dans l'étroit passage circulaire des corridors de théâtre, il tombait au milieu d'une foule compacte de gandins, de journalistes, riant par métier, renversant leur rire bête, le dos appuyé au mur. Des loges ouvertes et qui essayaient de respirer sur cette baie grouillante et bruyante sortaient des fragments de conversations, mêlées, à propos rompus :

"Une pièce délicieuse... C'est frais... c'est honnête...

— Ce Nabab !... Quelle effronterie !...

— Oui, vraiment, ça repose... On se sent meilleur...

— Comment ne l'a-t-on pas encore arrêté ?...

— Et Jenkins ? que devient Jenkins ?

— A Tunis avec Félicia... Le vieux Brahim les a vus tous les deux... Il paraît que le bey se met[2] décidément aux perles.

— Bigre ![3]..."

Les regards jetés en l'air dans le vague, la démarche qui s'écarte sans but, le chapeau remis sur la tête brusquement jusqu'aux yeux, en dix minutes le Nabab subit toutes les manifestations de ce terrible ostracisme du monde parisien où il n'avait ni parenté ni sérieuses attaches, et dont le mépris l'isolait plus sûrement que le respect n'isole un souverain en visite. D'embarras, de honte, il chancelait. Quelqu'un dit très haut : " Il a bu..." et tout ce que le pauvre homme put faire, ce fut de rentrer s'enfermer dans le salon de sa loge. D'ordinaire ce petit *retiro* s'emplissait pendant les entr'actes de gens de bourse, de journalistes. On riait, on fumait en menant grand vacarme ; le directeur venait saluer son commanditaire. Ce soir-là, personne. Et l'abstention de Cardailhac, ce flaireur de succès, donnait bien à Jansoulet la mesure de sa disgrâce.

" Que leur ai-je donc fait? Pourquoi Paris ne veut-il plus de moi ? "

Il s'interrogeait ainsi dans une solitude qu'accentuaient les bruits environnants, les clefs brusques aux portes des loges, les mille exclamations d'une foule amusée. Puis subitement la fraîcheur du luxe qui l'entourait, la lanterne mauresque découpée en ombres bizarres sur les soies brillantes du divan et des murs lui remettaient en mémoire la date de son arrivée... Six mois !... Seulement six mois, qu'il était à Paris !... Tout flambé, tout dévoré en six mois !... Il s'absorba dans une sorte de torpeur, d'où le tirèrent des applaudissements, des bravos enthousiastes. C'était décidément un grand succès, cette pièce. On arrivait maintenant aux passages de force, de satire. Jansoulet à son tour voulut entendre, voulut voir. Ce théâtre lui appartenait, après tout. Sa place dans cette avant-scène lui coûtait plus d'un million ; c'était bien le moins qu'il l'occupât.

Le voilà de nouveau assis sur le devant de sa loge. Dans la salle, une chaleur lourde, suffocante, remuée et non dissipée par les éventails haletants qui promenaient des reflets et des paillettes avec tous les souffles impalpables du silence. On écoutait religieusement une réplique [1] indignée et fière contre les forbans, si nombreux à cette époque, qui tenaient le haut du pavé après en avoir battu les coins les plus obscurs pour détrousser les passants. Certes, en écrivant ces beaux vers, l'auteur avait pensé à tout autre qu'au Nabab. Mais le public y vit une allusion ; et tandis qu'une triple salve d'applaudissements accueillait la fin de la tirade,[1] toutes les têtes se tournaient vers l'avant-scène de gauche avec un mouvement indigné, ouvertement injurieux... Le malheureux, mis au pilori sur son propre théâtre ! Un pilori qui lui coûtait si cher !... Cette fois, il n'essaya pas de se soustraire à l'affront, se planta résolûment les bras croisés et brava cette foule qui le regardait, ces centaines de visages levés et ricaneurs, ce vertueux Tout Paris qui le prenait pour bouc émissaire[2] et le chassait après l'avoir chargé de tous ses crimes.

Joli monde vraiment pour une manifestation pareille ! En face, une loge de banquiers faillis. A côté, le trio fréquent d'une mère qui a marié sa fille selon son propre cœur et pour se faire un gendre de l'homme qu'elle aimait. Puis des ménages interlopes,[3] et ces groupes de gandins efféminés, le col ouvert, les sourcils peints, dont on admirait à Compiègne,[4] dans les chambres d'invités, les chemises de batiste brodées et les corsets de satin blanc ; ces mignons du temps d'Agrippa, s'appelant entre eux : "Mon cœur... Ma chère belle..." Tous les scandales, toutes les turpitudes, consciences vendues ou à vendre, le vice d'une époque sans grandeur, sans originalité, essayant les travers de toutes les autres. Et c'étaient ces gens-là qui le repoussaient, qui lui criaient : "Va-t'en... tu es indigne...

— Indigne, moi !... mais je vaux cent fois mieux que vous tous, misérables... Vous me reprochez mes millions. Et qui donc m'a aidé à les dévorer?... Toi, compagnon lâche et traître, qui caches dans le coin de ton avant-scène ton obésité de pacha malade. J'ai fait ta fortune avec la mienne au temps où nous partagions en frères. Toi, marquis blafard, j'ai payé cent mille francs au cercle pour qu'on ne te chasse pas honteusement... Et toi, journaliste effronté qui as toute la bourbe[5] de ton encrier pour cervelle, tu trouves que je ne t'ai pas payé ton prix, et voilà pourquoi tes injures... Oui, oui, regardez-moi, canailles... Je suis fier... Je vaux mieux que vous..."

Tout ce qu'il disait ainsi mentalement, dans un délire de colère, visible au tremblement de ses grosses lèvres blêmies, 5 le malheureux, en qui montait la folie, allait peut-être le crier bien fort dans le silence, invectiver cette masse insultante, qui sait? bondir au milieu, en tuer un, quand il se sentit frappé légèrement sur l'épaule ; et une tête blonde lui apparut, sérieuse et franche, deux mains tendues qu'il saisit convulsivement, 10 comme un noyé.

"Ah ! cher... cher..." bégaya le pauvre homme. Mais il n'eut pas la force d'en dire davantage. Cette émotion douce arrivant au milieu de sa fureur la fondit en un sanglot de larmes, de sang, de paroles étranglées. Sa figure devint violette. Il 15 fit signe : "Emmenez-moi..." Et trébuchant, appuyé au bras de de Géry, il ne put que franchir la porte de sa loge pour aller tomber dans le couloir.

"Bravo ! bravo ! !" criait la salle à la tirade du comédien ; et c'était un bruit de grêle, de trépignements enthousiastes, 20 tandis que le grand corps sans vie, péniblement enlevé par les machinistes, traversait les coulisses rayonnantes, encombrées de curieux empressés autour de la scène, allumés au succès répandu et qui remarquèrent à peine le passage de ce vaincu inerte, porté à bras comme une victime d'émeute. On l'étendit 25 sur un canapé dans le magasin d'accessoires, Paul de Géry à ses côtés avec un médecin, et deux garçons qui s'empressaient pour les secours. Cardailhac, très occupé par sa pièce, avait promis de venir savoir des nouvelles "tout à l'heure, après le *cinq*[1]..."

30 Saignée sur saignée, ventouses, sinapismes, rien ne ramenait même un frémissement à l'épiderme du malade insensible à tous les moyens usités dans les cas d'apoplexie. Un abandon de tout l'être semblait le donner déjà à la mort, le préparer aux rigidités du cadavre ; et cela dans le plus sinistre endroit[2]

du monde, le chaos éclairé d'une lanterne sourde où gisent pêle-mêle sous la poussière tous les rebuts des pièces jouées, meubles dorés, tentures à crépines brillantes, carrosses, coffres-forts, tables à jeu, escaliers et rampes démontés, parmi des cordages, des poulies, un fouillis d'accessoires de théâtre hors 5 d'usage, cassés, démolis, avariés. Bernard Jansoulet étendu au milieu de ces épaves, son linge fendu sur la poitrine, à la fois sanglant et blême, était bien un naufragé de la vie, meurtri et rejeté à la côte avec les débris lamentables de son luxe artificiel dispersé et broyé par le tourbillon parisien. Paul, le 10 cœur brisé, contemplait cela tristement, cette face au nez court, gardant dans son inertie l'expression colère et bonne d'un être inoffensif qui a essayé de se défendre avant de mourir et n'a pas eu le temps de mordre. Il se reprochait son impuissance à le servir efficacement. Où était ce beau projet de conduire 15 Jansoulet à travers les fondrières, de le garder des embûches? Tout ce qu'il avait pu faire, c'était de lui sauver quelques millions et encore arrivaient-ils trop tard.

On venait d'ouvrir les fenêtres sur le balcon tournant du boulevard, en pleine agitation bruyante et lumineuse. Le 20 théâtre s'entourait d'un cordon de gaz,[1] d'une zone de feu qui faisait paraître les fonds plus sombres, piqués de lanternes roulantes, comme des étoiles voyageant au ciel obscur. La pièce était finie. On sortait. La foule noire et serrée sur les perrons se dispersait aux trottoirs blancs, allait répandre par la 25 ville le bruit d'un grand succès et le nom d'un inconnu demain triomphant et célèbre. Ce tumulte de fête que le pauvre Nabab avait tant aimé, qui allait bien[2] à l'étourdissement de son existence, le ranima une seconde. Ses lèvres remuèrent, et ses yeux dilatés, tournés vers de Géry, retrouvèrent avant la 30 mort une expression douloureuse, implorante et révoltée, comme pour le prendre à témoin d'une des plus grandes, des plus cruelles injustices que Paris ait jamais commises.

NOTES.

CHAPTER I.

DOCTOR JENKINS' PATIENTS.

Page 1.— 1. Jenkins. The Irish birth as well as the manner and appearance of Jenkins have suggested Dr. Olliffe, a popular physician of the early part of the Second Empire. The resemblance goes no further, however; for Olliffe died before de Morny, his most distinguished client, and so before the crisis of this story, in which Jenkins plays a chief part.

2. **Médjidié.** A Turkish order conferred on many Frenchmen at the time of the Crimean war (1854–1856).

3. **Mora.** This is obviously the duc de Morny, the leading spirit of the Second Empire, which he contributed more than any other man to impose on France. Morny (b. 1811, d. 1865) was the son of Hortense, Queen of Holland and of the comte de Flahaut, and was thus the half-brother of Napoleon III., to whom he suggested the *coup d'état* of December 2, 1851, and, when Napoleon hesitated, forced him to it at the pistol's point. Before this he had served with distinction in Algeria under General Oudinot at the sieges of Mascara and Constantine, but for ten years before the Second Republic (1848) he had been known chiefly as a Parisian dandy and speculator, and the desperate stroke by which he restored his fortunes differs from Catiline's in little but its success. He was elected deputy for Clermont-Ferrand in 1852, and president of the *Corps Législatif* in 1854. In 1856 he went to Russia on a diplomatic mission and married Princess Troubetzkoi. He was made Duke in 1862. It is assumed in this novel, and stated in the Encyclopædia Britannica, that Morny died "of sheer anæmia from the measures he took to keep himself fit for yet further excess." As a matter of fact he was stabbed by a general whom he had wronged. He died while the Duchess was preparing a mid-lent ball (March, 1865). At his autopsy his heart was found, appropriately, in "a metallic condition." Daudet's account of his appearance and manner

agrees with that of all contemporaries. Cp. Fortnightly Review, August, 1894, pp. 278–292.

4. **palefreniers anglais.** The English set the styles in everything connected with horsemanship in French high-life.

Page 2. — 1. **J'ai beau venir matin:** It's no use to come early.

2. **baudrier:** This shoulder belt was part of his livery as was the *culotte courte* (knee breeches).

3. **favoris administratifs.** A form of side-whiskers affected by the civil service.

4. **gros bonnets de la finance.** Compare the English "big wigs." Tr. "prominent bankers."

5. **cossus et rustiques:** rich and countrified.

16. **substitution.** Not "substitute," but one who hoped to be a substitute.

Page 3. — 1. **huissier à chaîne:** head usher, distinguished by an ornamental chain.

2. **pierrette:** Columbine in English pantomime.

3. **encre de Chine:** India ink.

Page 4. — 1. **comment va.** Both the Duke and his friend Monpavon frequently omit pronouns and articles, a practice that was, and is, regarded as "style" among high-livers.

2. **Variétés.** A theatre devoted to very light comedy.

3. **fourbu:** "knocked up." Slang. Properly used only of horses.

4. **question:** talk.

Page 5. — 1. **phrases de réclame:** advertising puffs.

2. **commandite:** furnishes the capital for.

Page 6. — 1. **père chose:** Mr. Thingumbob, Mr. What's-your-name. *Père* in this familiar sense has no exact equivalent in English. Compare "Uncle."

2. **maison de jeu:** gambling club. The *Cercle* was the ultra-fashionable resort of Parisian *beaux*, while sporting men preferred the Jockey-Club.

3. **frémissantes:** quivering. A poetic epithet according rather with Daudet's earlier manner than with strict naturalism.

Page 7. — 1. **Diable emporte:** Deuce take it. Cp. p. 4, note 1.

2. **garnis:** for *chambres garnies*, furnished lodgings.

3. **lui en vouloir:** find fault with him for it.

4. **écornifleur:** sponger, swindler.

5. **roustissure:** "old nags." Slang.

6. **Parions:** not "Let us bet," but "I'll bet."

Page 8. — 1. **papillote:** fancy paper cover.

2. **zézayer**: lisping.

3. **pas de farce**: no tricks.

Page 9. — 1. **tenue**: good breeding. For regular meanings see dictionary.

Page 10. — 1. **apprêt**: special pains or care.

2. **ecclésiastiques**: lit. clerical, better translated, "professional"; *i.e.* touching her wrist as a physician. The word often carries, as here, a touch of hypocrisy.

Page 11. — 1. **à faire**: to model.

2. **quelle mauvaise figure vous aviez**: what a long face you used to draw.

Page 12. — 1. **fond de train**: full speed.

CHAPTER II.

A LUNCHEON ON VENDOME SQUARE.

Page 13. — 1. **tête dans les épaules**: short-necked, bull-necked.

2. **Vincent de Paul,** b. 1576, d. 1660, was founder of the Lazarites and Sisters of Charity. Canonized in the Roman Catholic Church, 1737. His day is July 19th.

3. **sans âge**: *i.e.* not showing his age.

Page 14. — 1. **valu une recette**: "got him a tax-receivership," which, as appears below and later, he had abused by embezzlement.

2. **Du reste**: still, however.

3. **glorieux**: "radiant," rather than "glorious" or "vain."

4. **Caisse territoriale**: "Territorial Bank," or "Corsican Development Co."

5. **sans revers**: without lapels. — **Collet droit**: standing collar.

Page 15. — 1. **"pays,"** countryman, compatriot. Dialectic.

2. **décavés**: "ruined" by gambling debts. **louches**: "shady." Slang here.

Page 16. — 1. **mondains**: men of fashion, men of the world.

Page 18. — 1. **fait**: been through. Slang, somewhat as an English traveller may say he has "done" a city or gallery.

2. **vous fait des rondes dans la tête**: makes your head swim.

3. **clauvisses.** A Provençal name for a kind of crab. Cp. *écrevisse.*

Page 19. — 1. **c'est envoyé**: "that hits home." Slang.

2. **per Bacco**: by Bacchus. An Italian and hence Corsican oath.

3. **toison d'or**: golden fleece. *I.e.* the Nabab's money. See Classical Dictionary under *Argo* or *Jason*.

Page 20. — 1. **fichtre**: a slang expletive, here equivalent to "I tell you," but used very variously among men of nearly every class.

2. **ruban rouge**, worn in place of the *croix*. See note 3.

3. **croix, le 15 août**. This badge of the Legion of Honor, founded by Napoleon I., was during the Second Empire usually conferred on his birthday (August 15, 1769) or on that of the Prince Imperial (March 16, 1856).

4. **enlisée**: in quicksand.

5. **esplendeurs**. The initial *e* before *s* plus consonant marks a faulty pronunciation which is general in southerners and even Parisians of the lower classes.

Page 21. — 1. **enlevée**: "carried off," settled, "fixed." The word suggests the speed and ease with which the Nabab was plundered.

2. **enfourne**: "pockets." Slang. Literally, "puts in an oven."

3. **Pierre l'Ermite**. The preacher of the First Crusade, about 1095.

4. **drufé une berle**, is intended to indicate the German and Jewish mispronounciation of *trouvé une perle*.

5. **Hobbéma**, a Dutch landscape painter, b. 1638, d. 1709.

Page 22. — 1. **frétin**: "small fry." Slang here.

2. **livre à souches**: check-book with stubs.

3. **fétiche de joueur**: gambler's charm, or luck-bringer.

Page 23. — 1. **raki**: arrack, a liquor made from rice.

2. **geste éloquent de maquignon**: significant jockey's gesture, to indicate mockingly that de Géry was too late.

3. **député du tiers**: deputy of the Third Estate, the bourgeois section of the States-General opened May 5th, 1789, of which Barnave (b. 1761, d. 1793) was a distinguished member.

4. **Té**: Provençal for *Tiens*. Here equivalent to "Why!" or any exclamation of pleased surprise.

Page 24. — 1. **appointement**: salary. But in this sense the word is usually plural.

CHAPTER III.

AN INTRODUCTION TO SOCIETY.

Page 25. — 1. **livrée,** *i.e.* servant in livery, stationed at the door to announce the names of guests at their entrance.

2. **galions**: "money-bags," *i.e.* the Nabab.

Page 26. — 1. **serre mondaine**: social hot-bed, rather than "conservatory."

Page 27. — 1. **minois**: mincing faces, pretty but characterless.

Page 29. — 1. **plaques**: badges of his various orders.

Page 30. — 1. **homme à bonnes fortunes**: "lady-killer."

Page 31. — 1. **en eût voulu.** Cp. p. 7, note 3.

2. **houle**: tumult. Properly "ocean swell." See p. 61, note 1.

Page 32. — 1. **rendre gorge**: disgorge.

2. **contre-marques**: checks given to those who leave a theatre during the performance, and also marks made on horses' teeth to show a false age. The meaning here is probably "ticket scalper."

3. **bal de barrière.** The ball-rooms or dance-halls near and just outside the octroi-limits of Paris (*barrière*) are "cheap and nasty."

4. **cronique.** A term applied to social gossip in French newspapers.

Page 33. — 1. **raie**: properly "part," here broad bald space.

Page 34. — 1. **Comme il fait bon**: What delightful weather.

2. **j'en rafolle**: "I'm wild over it." Slang.

3. **ses propres ailes**: "his own hook." Slang.

4. **se toquer de**: "get cracked over," get infatuated with. Slang.

Page 35. — 1. **mouchir.** Arabic title.

2. **bégueule**: squeamish, prudish. Vulgar.

3. **au large**: sea-room, space.

4. **mercanti.** Italian name given in Mohammedan countries to Christian tradesmen.

5. **du charbon plein mes soutes**: my bunkers full of coal, *i.e.* money. Both the expression and the construction are very inelegant.

Page 36. — 1. **Télémaque. Mentor.** Characters in Fénelon's pedagogic story "Télémaque" (1699), much used as a school reading book.

CHAPTER IV.

FÉLICIA RUYS.

Page 37. — 1. **romantiques**: *i.e.* artists of the Romantic School, which flourished from 1830 to 1850, and was now past its prime.

2. **agents de change**: brokers.

3. **gandins**: dandies, "swells."

4. **glaise**: moulding clay.

Page 38. — 1. **bohème**: Bohemia, a name used to describe the life free from social restraints of students, young artists, actors, and literary men, especially in Paris, of which Murger's *Scènes de la vie de bohème* is a classic picture. But *bohème* means also gypsy, pretender, swindler, and it is on this double sense that Félicia plays in the following speech.

Page 39. — 1. **manieurs d'écus**: handlers of money, capitalists. The *écu* is properly a coin struck before the First Revolution, and worth three *livres.* There was also the *gros écu* of six livres. The word is used now constantly for the five-franc piece, as *livre* is for *franc* in speaking of income, and *Louis* for the twenty-franc piece in aristocratic circles.

2. **roulé sa bosse**: "knocked about." Slang. Literally, "rolled his hump."

3. **cantinier de régiment**: sutler, camp-follower.

4. **coups de raccroc**: "scratch shots," lucky hits. Slang.

5. **allez-vous-en**: "you just go." Familiar.

6. **Bourse**: Stock-Exchange.

Page 40. — 1. **sauvageon**: wild shoot, properly only of a tree.

2. **ronds de bras**: gestures made by dancers on the stage.

3. **frou-frou.** The sound of this word is intended to imitate the rustling of silk skirt-trains (*longue robe*).

4. **gâchis, facilités.** Translate, "careless waste."

Page 41. — 1. **inentendues**: uncomprehended.

Page 42. — 1. **Ça te va-t-il**: Does that suit you?

2. **tartufe**: hypocrite, from Molière's play and character of that name. Later, p. 49, the Nabab is compared to the "Bourgeois Gentilhomme," another play and character of Molière, and his doctors are made ante-types of modern physicians, p. 110.

Page 43. — 1. **éloigner**: alienate.

Page 44. — 1. **à sa tête**: as she pleased.

Page 45. — 1. **le 16 mars.** See p. 20, note 3.

2. **Tuileries,** the Imperial palace in Paris, burned in 1871 by the Commune.

3. **prendre jour**: fix a day.

Page 47. — 1. **de faction**: from duty; literally, "sentry-duty."

Page 48. — 1. **trimballée**: "lot," "load." Slang.

2. **smala**: Arabic for the women and children of an oriental household.

3. **wagon**: railway carriage. Translate, "journey."

Page 49. — 1. **tout aux affaires**: wrapped up in business.

2. **Tattersall**: racing stables. The name is borrowed from an establishment of that name in London. See p. 1, note 4.

3. **corvée**: burden. Originally a tax paid in labor, like the road-tax of some American counties.

4. **Bottin**: the Paris directory, so named from its publisher.

5. **mises en demeure**: compelled. A legal term that recurs with slightly changed significance, p. 151, line 6. Cp. also p. 64, note 2.

Page 50. — 1. **Nisham,** or as it is spelled on p. 82, *Nicham-Iftikahr*, is a Tunisian order.

Page 51. — 1. **coup de théâtre**: stage effect.

Page 52. — 1. **15 août**. See p. 20, note 3.

2. **David**: a famous painter of the pseudo-Classical school, b. 1748, d. 1825.

3. **aurait dû savoir**: might have known, *i.e.* if he had studied Meridional character.

4. **emballement**: gullibility. Slang.

CHAPTER V.

THE FESTIVITIES FOR THE BEY.

Page 53. — 1. **mistral**: northwest wind (in the south of France).

2. **tout gamin**: little chap, youngster.

3. **Mille et une Nuits**: "Arabian Nights."

4. **s'était faite**: adapted herself to.

Page 54. — 1. **breacks**: breaks. See p. 1, note 4.

2. **fournée**: load. Literally, "oven full."

3. **branle-bas**: "shake-down," "topsey-turvey." Properly a naval term, "clearing for action."

4. **male rage.** The adjective *mal*, fem. *male*, is rare, except in this and a few other expressions.

5. **Fouquet** (1615–1680). Viscount of Melun and Vaux, where he gave superb festivals that roused the jealousy of Louis XIV., of whom he was Superintendent of Finance till 1661. He was then arrested, and in 1664 banished and his property confiscated. It will be seen that there is a peculiar fitness in the comparison.

Page 55. — 1. **à la tenue**: "on dress parade." See dictionary, and p. 9, note 1.

2. **planches**: boat landings.

3. **farandoleurs**: dancers of the Provençal *farandole*, a quick-step.

4. **manades**: droves. Provençal, cp. Spanish *manada*: drove.

5. **camarguais.** Camargue is a district in Provence.

6. **Sardanapale**: fabled king of Nineveh, type of effeminate luxury.

7. **Porte-Saint-Martin.** An ancient gate and present district of Paris. Here used as the name of a noted theatre. Translate, "king of the spectacular shows."

Page 56. — 1. **glands**: tassels (of the bed curtains).

2. **lorsque**, etc. The grammatical construction is defective. We are not told what happened "when."

3. **taillole**: a sort of bodice.

4. **gauchos**: herdsmen. Provençal and Spanish.

5. **comme cela**: and so on.

6. **compagnies du train**: companies of the engineer corps.

Page 58. — 1. **en-cas**: collation.

2. **hiérarchiques**: official.

3. **soufflé**, etc.: a dish made of whipped white of egg and sugar.

4. **poitrail**: front of the boiler. Properly, chest of a horse.

5. **salem alek**: Arabic salutation.

Page 59. — 1. **aigrette en diamant**: crest set with diamonds.

2. **autrement**: still more.

3. **Mercanti.** See p. 35, note 4.

Page 60. — 1. **canailles**: blackguards. More vulgar than the singular, *canaille*.

Page 61. — 1. **houle**: stormy sea. See p. 31, note 4.

2. **bedaines surmenées**: overworked paunches.

Page 62. — 1. **féal**: vassal.

Page 63. — 1. **pli bleu** alludes to the official paper on which telegrams are written for delivery.

2. **de la chance**: luck. Familiar.

CHAPTER VI.

A CORSICAN ELECTION.

Page 64. — 1. **caroubes**: locust beans.

2. **mis à demeure**: permanently spread. Cp. Chaucer's "**table dormant**" (Prol. 353), and p. 49, note 5.

Page 65. — 1. **pompes aspirantes**: suction pumps.

2. **corps de pompe**: pump cylinders.

3. **chevaux**: horse-power.

4. **clapets, soupapes**: valves.

5. **trompes**: proboscides.

6. **en bordée**: "on a spree." Slang.

Page 66. — 1. **à la journée**: daily.

Page 67. — 1. **Palais d'Eté,** at Pekin, sacked by the French and English, November 5, 1860.

2. **cicerone** : guide who explains and comments. Pronounced as in Italian, tchi-tché-ro-ne, also si-sá-ro-ne and si-sé-ron'. The second is preferable.

Page 68. — 1. **poigne**: grip. Colloquial, while *poignée* and *poignet* are Academic.

2. **serré la vis**: put on the screws.

3. **patte**: hand. Slang. Also "foot." Properly only of animals.

CHAPTER VII.

A SPLEENFUL DAY.

Page 70 — 1. **bas**: *i.e.* low enough.

2. **vautré tout de son long**: stretched all her length, at full length.

3. **tripoter**: dabble.

Page 71. — 1. **miaulement**: cry. Properly only of cats.

2. **Je n'y suis, etc.**: I am at home to no one.

Page 73. — 1. **protections**: personal influence, "pulls."

2. **je me moque comme de ça**: "I care just that much about it."

3. **kuchlen**: fritters. Viennese expression.

Page 74. — 1. **Voilà comme je suis**: "That's the sort of person I am," "That's like me."

2. **de grande volée**: "high-flyer," *i.e.* of social distinction.

3. **kabyle**: Algerian. Properly the name of a native tribe.

4. **aiguisés**: refers to *appareil* and *recherche*. Translate, "carried to an extreme of oddity."

Page 75. — 1. **Rouen, Sévres,** famous porcelain manufactories.

2. **montés . . . ouvrés**: set in wrought pewter stands.

3. **par exemple**: to be sure. Not "for example."

4. **monté . . . trouvaille**: set up at haphazard.

5. **hôte**: guest as well as host. Cp. Latin *hospes*.

Page 76. — 1. **se faire**: adapt herself to. See p. 53, note 4.

2. **train**: routine.

Page 77. — 1. **pardessus le marché**: into the bargain.

CHAPTER VIII.

THE EXPOSITION.

Page 79. — 1. **Barye,** b. 1795, d. 1875, was a popular sculptor in bronze, who won the only *grande médaille d'honneur* for bronzes at the Exposition of 1855, and from that time was regarded as the leader in this branch of art.

2. **tient**: is carrying off.

3. **envois**: exhibits.

4. **ronds-points de milieu**: crossing-points of the exhibition galleries.

Page 80 — 1. **assouplir**: mould. The Bey supposed that the sculptor worked directly on the bronze.

2. **haïck**: Arab cloak, often spelled *haïk*.

Page 81. — 1. **couche**: coat (of paint).

Page 82. — 1. **lophophores**: pheasants.

Page 85. — 1. **piétiner**: trample on (her hopes of winning de Géry's love).

Page 86. — 1. **estrade**: platform. — **tremplin**: spring-board. Both employed by athletes in their exhibitions.

2. **gavé**: stuffed. Inelegant.

3. **pépite**: nugget.

4. **frétillait**: squirmed, wriggled (like a hooked fish).

5. **bohème.** See p. 38, note 1.

Page 87. — 1. **bellâtre**: "lady-killer," dandy, fop.

CHAPTER IX.

AN OFFICE CLERK IN THE ANTECHAMBER.

Page 89. — 1. **municipaux**: soldiers of the municipal guard.

2. **beau Paris**: Parisian "swelldom," high life, but not true aristocratic society.

3. **organe**: voice.

4. **suisse**: hall porter, in gorgeous livery, who with raps of his beadle's stick announced the entrance of guests, while another servant, here Passajon, shouted their names. Swiss were originally much employed as porters in France, hence the name.

5. **lazzi de haut goût**: "gamey" jests, high-spiced jokes. *Lazzi* is originally Italian, but long nationalized in familiar French.

6. **gens de service**: servants.

7. **par exemple.** See p. 75, note 3.

Page 90. — 1. **faisait un bon sang**: were having a "good time."

2. **mâtin d'article**: "deuce of an article."

Page 91. — 1. **office**: servants' hall.

2. **brocarder**: sneering at, making sarcastic comments on.

3. **esbrouffeurs**: big humbugs, pretentious fellows.

4. **long comme ça de traîne**: with a train as long as that (making a gesture).

5. **crampon**: "sticker," burr. Literally, cramp-iron, hook.

6. **quolibets**: free jests. From the Latin *quod-libet.*

7. **leur crachait dans le dos**: spit behind their backs. Spitting is everywhere, but especially in France, a sign of contempt. The expression is very vulgar.

8. **vous.** *I.e.* for the servants who mocked them.

9. **effendis**: lords, masters. A Turkish title.

Page 92. — 1. **"marquise" au champagne**: champagne punch.

2. **en grande tenue**: in their best clothes. — **Cheveux bouffants.** Fashion plates of the time show the hair puffed out over light wads of curled horsehair.

3. **sous bande**: by post. A technical term. *Bande* is the wrapper.

4. **bien tapé**: "pretty slashing." Slang.

5. **Jansoulet le cocher.** Servants give one another the names of their masters.

6. **au Bois.** The Bois de Boulogne is the great park of Paris, and around its lakes is, or was, the most fashionable drive.

7. **tout d'un pas**: on the spot, instantly.

8. **délurée**: wide-awake, shrewd. Familiar.

Page 93. — 1. **froissé**: crumpled.

2. **il nous tardait**: we were in a hurry.

3. **faire le malin**: "play the smart," pretend that we understood.

4. **rébus sans image**: puzzle without any key to the answer.

5. **plantés devant**: "gawking at it." Slang.

6. **mâtin**: "buck," knowing fellow. Slang. Cp. p. 90, note 2.

7. **bastringue**: low dance-hall. Cp. p. 32, note 3.

Page 94. — 1. **trousses**: heels. See dictionary.

2. **billets**: notes for borrowed money.

3. **sans cracher ni le noyau ni la peau.** Translate, "Swallow him stone and all as I do this plum." Literally: without spitting out stone or skin.

CHAPTER X.

A PUBLIC MAN.

Page 95. — 1. **en vitrages de serre**: like hot-house sashes. *Serre* is also a conservatory for flowers.

Page 96. — 1. **frappée**: iced; *i.e.* from a vessel packed in ice; not ice-water.

2. **Ça ne va donc pas par là**: Isn't it going all right there?

Page 98. — 1. **criblé**: shaken, racked (mentally).

Page 99. — 1. **vérification,** *i.e.* of his title to his seat as deputy.

Page 100. — 1. **Chose**: "What's his name?" Cp. p. 6, note 1.

Page 101. — 1. **souffle**: wind (in the sporting sense).

2. **Derby,** the chief of the English races for horses. Cp. p. 1, note 4.

3. **mariage,** etc. In French society the compulsory civil marriage at the Mayor's Office (*mairie*) precedes by one day the church wedding. The law recognizes the civil marriage but society does not, hence the equivocal position of the bridegroom, his *manque d'assiette précise.*

Page 103. — 1. **Trocadéro**, a small hill opposite the Champ de Mars, the famous drill-ground of Paris up to the time of the last Exposition, 1889. The Seine flows between. At the date of this story the Trocadéro was occupied by the beginnings of a palace intended by Napoleon I. for his son, the titular King of Rome. Lecture-rooms and an art gallery were built here for the Exposition of 1878, and still remain.

2. **s'en passait**: avoided it.

3. **serviette**: portfolio. See dictionary.

4. **Madeleine,** a church in classic style, built by Napoleon I. The *temple à colonnes* is the Corps Législatif, directly opposite, across the Place de la Concorde and the Seine.

Page 104. — 1. **kiosque à journaux.** In Paris, newspapers are not sold by newsboys, but from little booths (*kiosques*) erected on the broad sidewalks.

Page 105. — 1. **à bas**: get down, get out.

2. **enflé**: bloated fool. Very vulgar — *espèce de* adds to the emphasis and the vulgarity. It can hardly be verbally translated.

3. **rendrai raison**: pay for it, atone for it. In answer to some unexpressed threat of Moëssard.

4. **le fard saignait**: his rouge was stained with blood.

CHAPTER XI.

JENKINS' PEARLS.

Page 107. — 1. **lycéen**: boy at a Latin school. *Lycée* corresponds to the German "Gymnasium."

2. **Étude**: study-hall.

3. **haut la main**: with a high hand, with easy authority.

Page 108. — 1. **papillons rouges**: *i.e.* his head swam, he "saw stars."

Page 110. — 1. **Voyez personne.** Cp. p. 7, note 1.

2. **coursier fourbu**: worn-out war horse.

3. **Constantine.** Cp. p. 1, note 3.

4. **Molière**: the greatest French writer of comedies (1622–1673). He satirizes physicians unsparingly, *e.g.* in "L'Amour médecin," "Le Médecin malgré lui," "Le Malade imaginaire."

5. **Isis,** an Egyptian divinity. See Classical Dictionary.

6. **cabalistiques:** cabalistic. See Encyclopædia, *sub* Cabbala.

7. **bonnet pointu,** an allusion to the conical caps formerly worn by physicians on the Continent.

Page 111. — 1. **mot barbare:** *i.e.* some foreign medical term.

2. **Fagon,** the body physician of Louis XIV.

3. **foyer:** here probably the "green-room," where the habitués of a theatre met the actors. It is also used for a public reception-room, where the spectators may meet or walk between the acts. — **Variétés.** Cp. p. 4, note 2.

4. **en était:** was getting on.

Page 112. — 1. **F . . .,** *i.e.* **Foutu:** "Gone up," "Played out." Vulgar slang. The duke's full name was Charles Auguste Louis Joseph.

Page 113. — 1. **trou de taupe:** hovel. Literally, "mole-hole."

Page 114. — 1. **maîtres d'armes:** fencing masters.

2. **Jenkins.** He hoped to get some certainty in regard to the contents of the letters that he had seen but not read, p. 97.

Page 115. — 1. **Saint-Simon,** b. 1675, d. 1755, a keen and morose commentator on the later years of the reign of Louis XIV.

2. **cour des comptes:** audit office. Monpavon had embezzled funds in his position as tax-receiver. Cp. p. 14, note 1.

Page 116. — 1. **noyade:** drowning. There is an historical allusion to the execution of Royalists by drowning during the Reign of Terror, especially in 1793 at Nantes, Lyons, and Toulon.

2. **jeudi.** The date was May 20, 1865.

Page 117. — 1. **cercles:** fashionable clubs.

2. **découpée à jour:** with openwork of masonry or metal, as, for instance, the spires of Cologne or Rheims cathedrals.

Page 119. — 1. **petits verres:** little glasses of brandy or liquor.

Page 120. — 1. **chuchotement de mélopée:** a sing-song undertone.

2. **Question de convenance:** Mere matter of propriety.

3. **chose . . . machin:** "What do you call it?" "Thingumy." Cp. p. 6, note 1.

4. **dix-huitième siècle.** This was the age of Voltaire and of optimistic skepticism.

5. **cinquième.** These five strokes announced the emperor.

Page 121. — 1. **en bataille:** set squarely as for parade.

2. **Bojou, ché,** for **Bonjour, mon cher.** Cp. p. 4, note 1.

CHAPTER XII.

THE OBSEQUIES.

Page 122. — pourtour . . . 1. dentelles : circuit of arcades in open-work patterns resembling lace-work.

2. **Génes :** Genoa, a port in northern Italy.

Page 123. — 1. s'en prenait : found fault with.

2. **rosses :** nags, hack-horses.

Page 124. — 1. faîte : top with a rack, on which trunks are usually carried. Félicia was going to the Gare de Lyon near the Pont d'Austerlitz. She lived on the same side of the Seine near the Trocadéro. But to avoid the procession the cab must either have made a long circuit around the cemetery of Père Lachaise, or have crossed the Seine to the left bank at the Pont des Invalides or the Pont d'Alma, and again at the Pont d'Austerlitz. The coachman, anxious to see the show, preferred to try to cross the line of the funeral procession and failed.

2. **carrick :** a cape-coat for driving. Named from the English actor, David Garrick.

3. **franchir :** cross. See dictionary.

Page 125. — 1. comme. The turn of expression given by *comme* is essentially mercantile. "The finest thing possible in the funeral line."

2. **peaux d'âne :** drums.

3. **char funébre :** hearse. In France this is a sort of float, also called "corbillard," on which the coffin rests, covered but exposed on all sides, unless, as in this case, hangings are used to form a *chapelle sombre.* Such hangings are sometimes embroidered with glass beads supposed to represent tears (*larmes lourdes*). Parisian funerals are exploited by a corporation, the "Pompes Funèbres," that enjoys a legal monopoly.

4. **gens de la maison :** household servants.

Page 126. — 1. étrenne : first use, "christening," of anything, but especially of clothing and personal ornaments. See dictionary for other uses. — **à l'essai :** on trial.

2. **mettre à nu :** lay bare.

3. **bureau :** delegation. Later the word is used for a parliamentary committee.

4. **calottes . . . populeux.** The quarters of Paris near Père Lachaise are overwhelmingly radical or socialistic. Hence the deputies would curry favor there by ignoring the social usage which requires those who walk in a funeral procession and those who pass it to remove their hats.

5. **Longchamps**: the principal race-course near Paris. Here early in June the "French Derby" is run and inaugurates the fashionable summer season.

6. **pompe officielle**: carriages, not necessarily occupied, sent to any function, such as a wedding or funeral, as a mark of respectful interest.

Page 127. — 1. **Cendrillon**: Cinderella.

2. **blouse**: the characteristic dress of the French laborer and artisan. — **habit noir**: frock-coat. The whole phrase may be rendered: "The age of the masses and the middle class."

3. **poigne**: fist. Cp. p. 68, note 1.

4. **fendre**: pound, as an excited orator might do. — **tribunes.** The "tribune" is the desk from which members speak in French assemblies. They do not, as with us, address their colleagues from the floor.

5. **poêle**: pall, which its bearers pretended to carry by its cordons.

Page 128. — 1. **faubourg Saint-Antoine.** A faubourg was originally a district outside the city wall, and thus distinguished from "la cité." Compare the London "City." The Faubourg Saint-Antoine is the chief workman's district of Paris. The Faubourg Saint-Honoré is commercial, the Faubourg Saint-Germain aristocratic.

2. **porte d'octroi**: toll-gate, where all must pay the debt of nature, just as those who have goods subject to city excise pay their dues at the "Octroi-barrière." See p. 32, note 3.

Page 129. — 1. **robes pourpres**, etc. The colors refer respectively to the higher clergy, the lower clergy and lawyers, the military and civil officials, and the Academicians or scholars.

Page 130. — 1. **les épaules ont touché.** It is by causing the adversary's shoulders to touch the ground that a wrestling bout is won.

Page 132. — 1. **chiffons**: finery. A rather contemptuous term.

2. **nasse**: literally "weir." Translate, "Since you are caught in the net."

3. **joué serré**: played a sharp, or relentless, game.

4. **trouvé**: "a happy hit," a good idea. Slang.

5. **toupet**: "brass," "cheek," impudence. Slang.

6. **jeu**: hand (at cards), "game."

7. **carte à retourner**: the turning of a trump (at cards).

Page 133. — 1. **baisses**: are degenerating, running down. Brokers' slang.

2. **fait rouler**: been swindled, cheated. Slang.

3. **monument.** This gorgeous tomb plays a considerable part in Daudet's Communistic sketch, "La Bataille du Père Lachaise." Morny's coffin was of silver and the crucifix upon it was worth many thousand francs.

Page 134.—1. **Balzac**, b. 1799, d. 1850, was perhaps the greatest novelist of France and the chief founder of the realistic school in French fiction. The appropriateness of his mention here is that his satiric power would have found in Mora a fitting subject.

CHAPTER XIII.

BARONESS HEMERLINGUE.

Page 136. — 1. **courier à fermer**: letters, or mail, to finish.

Page 137.—1. **Ça tient toujours**: "That's still all right about." Colloquial.

2. **pattes de mouches**: scrawls.

3. Written out, this letter reads: Mon cher ancien camarade: Je ne puis (me) décider à t'accompagner chez Le Merquier. (J'ai) trop d'affaires en ce moment. D'ailleurs vous serez mieux seuls pour causer. Vas-y carrément (boldly). On t'attend, rue Cassette, tous les matins de 8 à 10 (heures). A toi cordialement, Hemerlingue. The postscript in the delicate hand of Madame Hemerlingue was, as appears later, part of a plot to trap the Nabab.

4. **brûlait**: demanded haste. See dictionary.

Page 138. — 1. **hôtel**: mansion. A city house occupied wholly by one family, also "hotel."

2. **grossier** alludes to the poor quality of paper usually employed in French religious publishing houses.

3. **pachas ventrus**: paunchy pachas; such as he had dealt with in Tunis.

4. **sœurs**: Sisters of Charity. Cp. p. 13, note 2. They wear a peculiar head-dress (*cornette*) and carry long rosaries at their girdles.

5. **grandes fêtes**. Namely, Easter, Pentecost, All Saints, and Christmas, when many Roman Catholics, who might neglect it at other times, make their confession and communion.

Page 139. — 1. **bureau**. Cp. p. 126, note 3.

Page 140. — 1. **presse spéciale**: a special group of newspapers.

Page 142. — 1. **se garer**: move with caution; literally, "fend off."

2. **Tintoret**: b. 1518, d. 1594. A famous Venetian painter.

CHAPTER XIV.

THE SESSION.

Page 144. — 1. **embéguinée de jaune**: with a yellow kerchief or *béguin*, resembling that part of the dress of a Belgian religious sect. See Encyclopædia Britannica, *sub* "Beghards."

Page 145. — 1. **voceratrice**: an Italian and Corsican word for a reciter of incantations. Translate, "sibyl." — **mâquis**, in Corsican usually ***mâkis***, is used for any region covered by wild dense wood, thicket, or jungle.

2. **mas**: a Provençal word for farm, especially grazing farm.

Page 147. — 1. **racontars**: scandal, society gossip.

2. **acculé**: driven to bay.

3. **cause célèbre**: famous trial.

4. **brouhaha**: confused noise.

5. **estrade**: spectators' gallery. See p. 86, note 1.

Page 148. — 1. **gradins**: *i.e.* rows of benches, each raised a step above the last.

2. **jour studieux et gris**. Compare Milton's "dim, religious light."

3. **dissipés**: trifling, inattentive.

4. **berceau de la famille impériale**. The first Napoleon was born at Ajaccio, in Corsica, August 15, 1769.

Page 149. — 1. **retour**: on his return.

2. **haro**: hue and cry. Hunting term.

Page 150. — 1. **oubliettes**: deepest cells. — **in pace**: a dungeon tantamount to a grave, with allusion to the common inscription *requiescat in pace*, "rest in peace."

2. **fausses carrières**: pretended quarries. — **chemins de fer en tracé**: "railroads on paper"; both intended to deceive shareholders.

Page 151. — 1. **mis en demeure**. See p. 49, note 5, and p. 64, note 2. Here "summoned" or "given an opportunity."

2. **bastonnades en pleine rue**. An exaggerated allusion to his attack on Moëssard, p. 105.

3. **traitant**: contractor. Usually, as here, in a bad or contemptuous sense.

4. **Jérôme** (about 345–420), one of the Post-Nicene Latin Fathers of the church, who, after extensive study and travel in Italy and Gaul, spent four years as a studious hermit in the Syrian desert, here called *thébaïde*, though this word applies properly only to the hermitages near Thebes in Egypt.

5. **accent étranger.** This shows that the speaker was Baroness Hemerlingue.

Page 152. — 1. **pétrissant**: clutching. Literally, "moulding."

Page 153. — 1. **mers latines.** *I.e.* the Mediterranean and Adriatic.

2. **diables de pays chauds**: "confounded" hot countries, with a suggestion of "strange," "weird," "uncanny," "abnormal."

Page 154. — 1. **Paria.** See English dictionary, *sub* "pariah."

Page 155. — 1. **estradiers**: public men. Cp. p. 86, note 1, and p. 147, note 5.

Page 156. — 1. **rousse**: russet. It was called *jaune*, p. 44, note 1.

Page 158. — 1. **charabias**, more properly *charabia*, the dialect of Auvergne. Hence, as here, "jargon." Compare the last line of this chapter where the Nabab's childish talk is called "patois," or dialect.

CHAPTER XV.

A PARISIAN DRAMA. — AT BORDIGHERA.

Page 159. — 1. **correctionelle**: lower criminal court. Familiar.

2. **Mazas**, a prison, formerly reserved for debtors, where Monpavon might be librarian because unfit for any labor requiring strength.

Page 160. — 1. **vas**, for *vais*. Dandified. See p. 4, note 1.

2. **Diablesse de Chambre**: "Deuce of a session."

3. **infecte**: horrid. Slang. Literally, "infectious."

4. **wagon**: railway carriage. See p. 48, note 3.

5. **chose . . . machin.** Cp. p. 120, note 3.

6. **rosette d'officier**: officer's rosette of the Legion of Honor; worn as the *ruban rouge* by ordinary members, habitually in place of the cross which is reserved for gala occasions. Cp. p. 20, notes 2, 3, and p. 29, note 1.

7. **en feu**: with gaslights.

8. **asphalte**, used more largely in Paris than elsewhere for streets, and almost exclusively for sidewalks.

9. **maître du rendez-vous**: *i.e.* can fix his own time.

10. **tonneaux d'arrosage**: watering carts.

11. **débordant.** Tables and chairs are set in front of the cafés, three and four ranks deep, on summer evenings.

Page 161. — 1. **porte**: enters on the rolls.

2. **sillonnées.** The signs multiply as the shops grow smaller.

3. **faubourgs.** See p. 128, note 1. Unless specially defined, as *Faubourg Saint-Germain*, which is aristocratic, *faubourg* is understood to be a workman's district.

Page 162. — 1. **fond de bain.** In public baths it is customary, when desired, to cover the interior of the bath-tub with a linen sheet. This refinement Monpavon demands by asking for a *fond* as well as a *bain*. See dictionary.

2. **Constantine.** See p. 1, note 3.

3. **sacrées cartes:** "accursed" cards. Alluding to his gambling losses.

4. **montre:** appearances.

5. **agonie:** death struggle.

6. **couvre-feu:** retreat. Military term.

Page 163. — 1. **poupée macabre:** ghastly doll. *Macabre* applies properly only to the Dance of Death, a weird mediæval fancy.

2. **franque:** Frankish, *i.e.* European.

Page 164. — 1. **patelinage:** wheedling. A term taken from the ancient farce "Maître Pathelin," written about 1470.

Page 165. — 1. **personnage d'importance.** The yacht was waiting to take Félicia to Tunis.

2. **ville de marbre.** Genoa is so called both on account of the material of its public buildings and palaces, and because of their noble architecture.

3. **couraient:** went sight-seeing in. Colloquial.

4. **celle,** *i.e.* Félicia.

5. **calesino:** a Provençal word from the Italian *calesso*, "coach," "calash."

Page 166. — 1. **brûler:** spin over. Colloquial.

Page 167. — 1. **"chacal dans le désert."** See p. 71, line 10.

2. **lui.** Emphatic nominative. "He, on his side," "He for his part."

Page 169. — 1. **Cagliostro,** b. 1743, d. 1795, a famous European impostor and quack.

2. **laissé prendre:** let themselves be taken in.

3. **devise.** Namely: "Le bien sans espérance."

Page 171. — 1. **jouait:** gambled.

2. **en faisons:** do about that. Sarcastic.

Page 172. — 1. **à force de:** by dint of.

2. **brûle.** Jenkins here confesses that the death of Mora was due to his professional malpractice.

3. **signor Francese:** Mr. Frenchman. Italian.

CHAPTER XVI.

THE FIRST PERFORMANCE OF "RÉVOLTE."

Page 174. — 1. **Première.** Parisians attach more importance than we to first performances of new dramas, which offer them occasion for public criticism.

2. **douterait**, etc.: to see him you would never suspect the troubles, etc.

3. **commandite**: *i.e.* the capital he expected the Nabab to furnish. See p. 5, note 2.

4. **va-tout**: last stake. Gambling term.

5. **honnête**: decent, morally clean, respectable.

6. **singe**: shrewd fellow, "sly-boots." Familiar slang.

Page 175. — 1. **avant-scène**: box opposite the stage, — state box. The boxes in a French theatre extend around the whole auditorium, and open, each by its own door, on the *couloir*, whence spectators usually resort to the *foyer* between the acts, and by which they may visit one another during the course of the play.

2. **protêts**: protested notes. — **assignations**: legal summons.

3. **papier timbré**: paper bearing an official stamp on which alone legal documents can be written. It is a considerable source of revenue.

4. **notes**: bills. — **service**: domestic arrangements.

Page 176. — 1. **dithyrambes**: dithyrambics. Used, as in English, to describe excited, overwrought prose, usually insincere.

Page 177. — 1. **embués**, etc. This was the first symptom of approaching paralysis.

2. **se met au**: takes to. Slang.

3. **Bigre.** This exclamation corresponds here most nearly to our "Does he though?" with a little surprise and more amusement.

Page 178. — 1. **réplique**: indignant response. A theatrical term, but not "cue" here, as some dictionaries suggest.

Page 179. — 1. **tirade**: a long speech in an oratorical vein. Theatrical term. Cp. English "tirade."

2. **bouc émissaire**, scape-goat. Cp. Leviticus, xvi. 8–26.

3. **interlopes**: irregular.

4. **Compiègne**, a favorite summer residence of **Napoleon III.**, fifty miles from Paris.

5. **bourbe**: muddy bottom. Moëssard is meant.

— 1. **cinq**: *i.e.* fifth act.

: the property-room.

ge 181. — 1. **cordon de gaz**: line of gas globes.

2. **allait bien**: accorded with, suited.

EXERCISES.

I.

TRANSLATION.

(PAGES 2 AND 3.)

1. In spite of the morning hour the court was full of carriages.

2. As I climbed the stairs I said to myself, "Nothing smacks of government here."

3. "It 's no use for others to come early," I said, walking quickly through the crowd.

4. You could see their serious faces in the anteroom with anxious eyes fastened on the door.

5. For the last six months that I have been coming to the duke's I have never waited.

6. I do not yet tire of the impression these footmen make, all standing to honor me.

7. "I am the doctor," said I to the head-usher, who greeted me with a smile.

8. The costumer from the Opera had been with the duke for an hour.

9. Mora was getting him to design a Columbine's dress for the next ball.

10. I had hardly come in when he said he would be at my service in a moment.

11. I bowed respectfully and walked about the beautiful, spacious room.

12. Its windows opened on the garden and framed a familiar Parisian scene.

QUESTIONS.

(PAGE 8.)

1. Pourquoi le Nabab se laissait-il payer cher les chevaux de Bois-l'Héry?
2. Qu'est-ce que Jenkins doit avouer?
3. En l'entendant, qu'est-ce que fait Monpavon?
4. Pourquoi est-il très ému de l'aveu de Jenkins?
5. Qu'est-ce qu'il a fait jadis pour Jenkins?
6. Où, selon Monpavon, Jenkins et lui se sont-ils rencontrés?
7. Comment Monpavon veut-il qu'ils partagent l'écuelle?
8. Qu'est-ce qu'il a promis au Nabab?
9. De quoi Jenkins ne doit-il pas se mêler?
10. Comment Jenkins proteste-t-il de son innocence?
11. Qu'est-ce que Monpavon dit avoir seulement voulu?
12. Que dit Jenkins des explications?

II.

TRANSLATION.

(PAGE 18.)

1. The Nabab had known real misery in the shop and was often famished.
2. Hunger made his head swim and kept him from seeing.
3. Those who had known him in those days could tell if he was lying.
4. For lack of a coat to go out in he had passed whole days in bed.
5. He had sought a living in every sort of trade.
6. His black, crusty bread cost him dear.
7. The bitter, moldy taste of it was still in his mouth.
8. And it had gone on like that till he was thirty.
9. Then, all at once, chance had put him on fortune's road.
10. On the docks at Marseilles the idea came to him to seek a living in some sunny land.
11. A week later, with a comrade as dirty, he had landed at Tunis.
12. He had then ten francs in his pocket. Now at fifty he has come back with twenty-five million.

QUESTIONS.

(PAGE 24.)

1. Pourquoi la mère du Nabab lui recommandait-elle de Géry?
2. A quoi le Nabab aurait-il dû le reconnaître?
3. Pourquoi de Géry est-il venu à Paris?
4. Quelles études a-t-il faites dans le Midi?
5. Depuis quand le Nabab n'a-t-il pas vu sa mère?
6. Qu'est-ce qui l'avait ému dans sa lettre?
7. Quelle est l'occasion qui le rend heureux?
8. Que veut-il faire pour de Géry?
9. Que dit-il des appointements?
10. Quelle occasion lui fournira le Nabab à Paris?
11. Que fait de Géry en entendant cela?
12. Que devaient-ils faire après s'être assis?

III.

TRANSLATION.

(PAGE 26.)

1. I felt a foolish fright when I was introduced into a Parisian drawing-room.

2. I had not the self-assurance of the Nabab with his big hands carelessly crossed.

3. From where I was I witnessed the procession of a fashionable doctor's patients.

4. Each new entry pushed the mass of black coats further away.

5. I slipped about among guests weighed down with years and decorations.

6. In the library they were smoking, so after wandering through the conservatory I approached the parlor again.

7. The men who were there leaned condescendingly on the backs of the chairs.

8. Here personages of mark were chatting in the way you talk to children.

9. They bored the ladies, who were sitting together on low chairs.

10. Their gauzy dresses made a huge bouquet strewn with sparkling rain drops.

11. Murmurs and heady perfumes gave the parlor the aspect of a garden in summer.

12. But the Nabab moved through this social hot-house with the assurance of an immense fortune.

QUESTIONS.

(PAGE 35.)

1. Pourquoi Hemerlingue a-t-il dû quitter Tunis et où est-il allé?
2. Qu'est-ce qu'il a fait à Paris?
3. Qu'est-ce que le Nabab a obtenu du bey pour le fils d'Hemerlingue?
4. Et comment l'ont-ils récompensé de sa bonté?
5. Et ce soir qu'est-ce qu'Hemerlingue lui a fait faire par sa femme?
6. Pourquoi madame Hemerlingue en veut-elle au Nabab?
7. Mais qu'est-ce qu'il en pense?
8. Que dit-il de ses affaires à Tunis?
9. Quelle opinion a-t-il de Paris?
10. Que pense-t-il y faire maintenant?
11. Quelles qualités pense-t-il avoir pour arriver à tout?
12. Pourquoi le Nabab croit-il devoir recommander à de Géry de rester à son bord?

IV.

TRANSLATION.

(PAGE 44.)

1. Jenkins must have known there was no danger when he turned to the studio.

2. Besides, Félicia was not like other girls and did not concern herself about the old lady.

3. He took heaven to witness that he could not tolerate it and half-opened the studio door.

4. Lifting a curtain he saw the Nabab posing quite a way off.

5. In a flash he saw that the sitting had a very animated air.

6. The Nabab and Félicia were talking in laughing whispers.

7. Félicia always did as she pleased; now she was testing the proportions of his face.

8. Then with a light hand she turned down his soft collar at the open vest.

9. He quivered with pleasure like a tickled sleepy beast.

10. He seized her hand as it passed and pressed it to his thick lips.

11. Jenkins had made a noise in entering, for the full light dazzled his eyes.

12. "Who is there?" said she, standing indignant before him.

QUESTIONS.

(PAGE 52.)

1. Que fit Jenkins à la suite du combat généreux provoqué par son coup de théâtre?

2. Que dit-il vouloir faire?

3. Que pensait le Nabab de ces propositions?

4. Qu'est-ce qu'il disait espérer encore?

5. Quel effet cette scène faisait-elle sur de Géry?

6. De quoi y trouvait-il l'explication?

7. Que voulait-il faire pour le Nabab en conséquence?

8. Mais qu'est-ce qu'il aurait dû savoir des Méridionaux?

9. Que fit le Nabab pour montrer qu'il avait bien compris ce que lui avait fait Jenkins?

10. Depuis dix ans qu'est-ce qu'il écrivait dans le petit portefeuille écorné?

11. Maintenant, après l'avoir étudié, que dit-il à de Géry?

12. Qu'est-ce qu'il venait de calculer là-dedans?

V.

TRANSLATION.

(PAGE 58.)

1. The Nabab, without knowing why, felt a sort of uneasy restlessness.

2. But, once down from his coach, you may think whether his eyes sparkled.

3. He saw a sideboard had been set up with a collation ready for His Highness.

4. Outside (the station) people were flattening their noses against the panes.

5. They wanted to see his eyes shining like gilt nails and to hear the clang of the electric bells.

6. The short royal train slackened speed as it approached.

7. It was laden with flags and the locomotive had a bouquet of roses in front.

8. The Nabab went along the track to meet the train.

9. He tried to open the door of the gilded car.

10. The door held firm and the train did not stop.

11. He signalled an order to the engine, but no one obeyed.

12. Then he jumped on the step and put his kinky head to the window.

QUESTIONS.

(PAGE 68.)

1. De quoi les salons du Nabab avaient-ils besoin ?
2. Qu'attendait-il encore pour leur donner ce coup de balai ?
3. A quoi ces gredins lui servaient-ils ?
4. De quoi le Nabab a-t-il fait assignation au bey ?
5. Et comment celui-ci y a-t-il répondu ?
6. Pourquoi cela était-il un vol de la part du bey ?
7. Comment le Nabab a-t-il gagné sa fortune à Tunis ?
8. Qu'est-ce que c'est que ces gains énormes là-bas ?
9. Par quoi le bey a-t-il commencé la persécution ?
10. A quoi le Nabab sent-il là-dessous la patte d'Hermerlingue fils ?
11. Qu'est-ce qui arrivera si le Nabab est élu député ?
12. Et qu'est-ce qui arrivera s'il n'est pas nommé ?

VI.

TRANSLATION.

(PAGE 73.)

1. How could de Géry's friend go to this year's Exhibition ?
2. All the exhibits had been sent long ago.

3. But a little touching-up here and there would only take a few hours.

4. Félicia wanted to gratify de Géry and did not care what people said.

5. At this moment a nice old lady appeared and seemed a real fairy in the falling twilight.

6. Her white waist showed, through the lace, her pretty arms, the beauty which is the last to fade.

7. With her entered a savory smell of pastry, as light and airy as she.

8. "See how well my fritters have come out this time," she said.

9. "Excuse me," said Félicia, raising her head quietly, "I have company."

10. Balancing the plate on the tips of her fingers the dancer skipped forward.

11. "You shall not taste one of the fritters now," said Félicia, "but I will offer you some at dinner."

12. The fairy almost upset the plate, she was so taken aback at it.

QUESTIONS.

(PAGE 86.)

1. Qu'est-ce qui est arrivé au Nabab à force de contempler son buste?

2. Comment la tête en était-elle posée?

3. Qu'en disaient les passants?

4. De quoi tout autre eût-il été gêné?

5. Mais que faisaient ces curiosités au Nabab?

6. En quoi se montrait-il comme certaines femmes du monde?

7. Quelle pensée faisait rire le Nabab tout seul?

8. En réfléchissant qu'il allait être député, quels projets d'avenir lui venait-il?

9. A ce moment que faisait le troupeau famélique?

10. Et comment le Nabab se montrait-il à son égard?

11. En apercevant le Nabab, que fit Moëssard?

12 Comment le journaliste était-il mis?

VII.

TRANSLATION.

(PAGE 92.)

1. When the Nabab took his chocolate in the morning he received the *Messenger* by post.

2. That rascal Moëssard published dreadful revelations about trades he was said to have (**aurait**) carried on fifteen years ago.

3. One must believe to-day's article was pretty slashing.

4. Friends and enemies read it and marked out a line of conduct toward him.

5. It seemed that no one wished to compromise himself.

6. They did not bow to him when he drove around the lake in the Park.

7. At that he got terribly angry and was going to break Moëssard's head on the spot.

8. The scandal sold like bread, for all wanted to buy the newspaper.

9. There was not a copy of it to be had on the square at ten o'clock.

10. My niece, a sly-boots if ever there was one, knew where to look for one.

11. It was in a pocket of the first overcoat she struck in the cloak-room.

12. "Here it is," she said, with a ravishing little smirk.

QUESTIONS.

(PAGE 99.)

1. Pourquoi Mora commençait-il à montrer une vraie sympathie au Nabab?

2. Pourquoi de la pitié se joignait-elle à ces motifs de sympathie?

3. Quelle était l'attitude du public dans cette affaire?

4. Quelle justice faut-il rendre au duc?

5. Qu'est-ce qu'il fit en rencontrant le Nabab dans la galerie?

6. Que firent Jenkins et le Nabab en se trouvant en face l'un de l'autre?

7. Qu'est-ce qui était arrivé à leur ancienne amitié?

8. Qu'avait fait le Nabab pour que Jenkins devînt furieux?
9. Pourquoi à ce moment celui-ci était-il plus furieux encore?
10. De quoi le Nabab voulait-il parler au duc?
11. Quelle inquiétude lui causaient les calomnies du *Messager?*
12. Qu'est-ce qui arriva pour le tranquilliser sur le bon vouloir du duc?

VIII.

TRANSLATION.

(PAGE 105.)

1. A carriage almost hit the sidewalk as it turned opposite the Naval Office.

2. The Nabab suppressed a cry when he saw Moëssard sitting insolently enthroned on it.

3. He let go his portfolio, from which the papers were scattered even to the gutter.

4. He rushes at the bit and, in an eddy of carriages, holds it with his hairy hands.

5. It takes a Tartar to venture a hold-up like that in broad daylight.

6. "I will wreck everything if you do not get out," he said, amid the coachmen's cries.

7. The Nabab will pay him for it, but first he will treat him as they do dirty beasts.

8. Before Moëssard could find refuge on the sidewalk the Nabab lifted him by the neck.

9. He began to rub his face with his wretched newspaper; if he had got a little more excited, he would have killed him.

10. His iron wrists shook Moëssard, and the face-paint from the scratches blinded him.

11. Without heeding his protests he stifled his sputterings with the paper held like a wad.

12. When the struggle was over and he had adjusted his cuffs the black-caps came.

QUESTIONS.

(PAGE 112.)

1. Pourquoi Mora ferme-t-il les yeux ?
2. Quand les rouvrira-t-il ?
3. Qu'attend-il des médecins ?
4. Comment ceux-ci éludent-ils le mot fatal ?
5. Pourquoi les médecins sont-ils pressés de sortir de chez Mora ?
6. Qu'est-ce que fait Monpavon en voyant cela ?
7. Pourquoi Jenkins est-il atterré ?
8. Qu'a-t-il dit à Bouchereau ?
9. Et celui-ci qu'est-ce qu'il y a répondu ?
10. Pourquoi Mora n'insiste-il pas auprès de Jenkins et de Louis ?
11. Qu'est-ce qu'il demande à Monpavon ?
12. Et comment reçoit-il la réponse de celui-ci ?

IX.

TRANSLATION.

(PAGE 117.)

1. Mora is wide-awake and recognizes his intimate friends.
2. Mechanically he repeats to himself, "What will they say of this in France ?"
3. That he is extremely ill is the sole preoccupation of Paris.
4. The news revives political discussion in newspaper offices.
5. Mora is not the solid base of the Empire, but he is what all Europe sees of it.
6. When he falls the edifice will seem stripped of its elegant spire.
7. The spire's fall will drag down suddenly many weakened lives.
8. In a flash all the horror of the Nabab's situation appears to him.
9. He knows that for him what is happening is the end of all.
10. From a distance he sees the abyss lighted up, to the bottom.
11. The crags and bushes of the cliff-side will wound him in his fall.
12. Other fortunes will surely be shaken by the recoil of Mora's death.

QUESTIONS.

(PAGE 128.)

1. Qu'est devenu M. Louis pour se montrer indifférent?
2. A quoi pense le Nabab amolli?
3. Pourquoi le public est-il content ce jour-là?
4. Que peut-on voir aux boulevards?
5. Et dans les quartiers populeux qu'est-ce qu'on trouve?
6. Où a-t-on les pieds et comment tient-on la casquette sur ce parcours?
7. Est-ce que Mora avait connu cette partie de Paris?
8. Quelle est la route qu'il lui faut prendre maintenant?
9. Qu'est-ce qu'il trouvera au bout de cette route?
10. Que font les gens du faubourg Saint-Antoine en le regardant passer?
11. Que fait cette égalité dans la mort?
12. Que pourront se dire les pauvres demain en se levant?

X.

TRANSLATION.

(PAGE 132.)

1. The Nabab had let his wife refuse to receive Marie, and she did not wish the banker to be his friend.
2. "Throw him overboard," she had said, and the banker had played a close game.
3. There is no friendship that stands if one has not peace at home.
4. Marie receives every Saturday; let the Nabab come with his wife.
5. They will talk dresses, and it will all be settled and they will be friends again.
6. The banker has enjoyed seeing the Nabab in the net, but he will pull him out.
7. You seem to know my business to the bottom; are you going to tell me how?
8. Your hits were happy, but you held your cards badly; I could see your hand.

9. But I am going to tell you how you can extricate yourself all right.

10. It is only a matter of turning a good card, and you do not lack skill.

11. In losing Mora he had not lost all, for he had found his friend again.

12. That will make it even, if Le Merquier has not finished his report.

QUESTIONS.

(PAGE 142.)

1. Pourquoi Le Merquier trouva-t-il la peinture un goût onéreux?
2. Pourquoi la situation est-elle nouvelle pour le Nabab?
3. Que dit Le Merquier du panneau resté vide?
4. Comment peut-on savoir qu'il a tendu un piège au naïf?
5. En quoi le Nabab s'est-il montré imprudent joueur?
6. Quel tableau dit-il justement avoir?
7. Que fait Le Merquier en l'entendant dire cela?
8. Quelle permission fatale demande le Nabab ensuite?
9. Quelle remarque fait-il à l'avocat en lui demandant cette permission?
10. Que pense Le Merquier de cette impudeur?
11. Dans quel but sonne-t-il le domestique?
12. Que dit encore Le Merquier par la porte restée ouverte?

XI.

TRANSLATION.

(PAGE 147.)

1. The Nabab's mother had indeed come to her son's session.
2. She was going to hear there things that would hurt her.
3. But she knew better than they what her boy was worth.
4. How ungrateful she will be if they can make her misjudge him.
5. The multitude are expecting some violence from the barbarian brought to bay.

6. They crowd all the galleries as at some famous trial.

7. She works her sharp elbows, rumpling the spring finery of the women.

8. She makes herself small so as to slip between the wall and the benches.

9. But the very name of the Nabab has made all paths smooth for her.

10. Her beautiful maternal pride believes it can make itself heard.

11. For the Nabab has marked his royal progress with a trail of gold.

12. She is drawn toward the middle of the auditorium, where her son probably is.

QUESTIONS.

(PAGE 153.)

1. A quoi le Nabab veut-il seulement répondre?
2. Que dit-on de sa voix à ce moment-là?
3. Par quel récit commence-t-il?
4. A quoi sa vie a-t-elle ressemblé?
5. Décrivez l'atroce lutte de sa jeunesse.
6. Mais quelle est la lutte qu'il a trouvée plus atroce encore?
7. Comment finissaient toujours les hardis corsaires d'autrefois?
8. De quoi le Nabab s'est-il contenté?
9. A quoi est-il arrivé?
10. Que dit-il de la nature gigantesque des pays chauds?
11. Par quoi des fortunes pareilles peuvent-elles s'excuser?
12. Quelle prétention a le Nabab à cet égard?

XII.

TRANSLATION.

(PAGE 164.)

1. It is no use for me to think of a triumph now.

2. All I can hope is to snatch from the bey some wreckage of his booty.

3. Even so I shall have to be quick with my steps.

4. So I will set myself to work, and no wheedling shall discourage me.

5. Where my knowledge of French law fails, my cool composure will help me.

6. I shall succeed in spite of all their lies and intrigues.

7. The Nabab lent fifteen millions to the bey, which he must deduct from the confiscations.

8. By dint of suppleness I had accomplished this when I received a telegram.

9. "This news," I said to myself, "must not reach the palace before I get my drafts."

10. I will go there at full speed and lock them up carefully in my portfolio.

11. Then I will engage a place on the steamer which leaves tomorrow.

12. I shall not be at ease till I see the bey's palace vanish behind me.

QUESTIONS.

(PAGE 178.)

1. Que fit le Nabab devant le mépris du public ?
2. Qu'est-ce qu'on a dit en voyant cela ?
3. Que fit le Nabab en conséquence ?
4. Qu'est-ce qu'on faisait d'ordinaire dans le salon de sa loge ?
5. Que montrait au Nabab l'abstention de Cardailhac ?
6. Alors que se demanda-t-il ?
7. A quoi pensait-il en voyant la fraîcheur des soies ?
8. Qu'est-ce qui lui était arrivé en six mois ?
9. Qu'est-ce qui l'a tiré de sa torpeur ?
10. Pourquoi voulait-il reprendre sa place à l'avant-scène ?
11. Où s'était-il assis de nouveau ?
12. Dans la salle qu'est-ce qu'on écoutait à ce moment ?

VOCABULARY.

NOTE. Gender of nouns, unless common or natural or not distinguished in use, is indicated by *m.* and *f.*; *pl.* is for plural, *aux.* for auxiliary verb, *e.g.* for as an instance, *i.e.* for that is, "*x*" for a term to be supplied at will, ∾ for repetition of the key-word. Feminines formed by adding *-e*, *-le*, *-ne*, *-te*, and those with phonetic change of *c* to *che* or *que*, of *f* to *ve*, of *r* or *x* to *se*, and of *teur* to *trice* are so indicated; where there is change of accent, the ending is carried back to include it (*cher -ère*); plurals formed with *-x* or by changing *-al* or *-ail* to *-aux* are so noted; where there is further change, feminine and plural forms are given in full.

Look for compounds, except those with *à-*, *en-*, *ex-*, and *très-*, under their first part; for phrases, under the most characteristic word; for adverbs in *-ment* (-ly) and ordinal numbers, under the adjective or cardinal number; for infinitives and participles used as adjectives or nouns, under the verb. Renderings placed in " " are colloquial; those followed by page references apply solely to the passages cited. Meanings, however common or obvious, not wanted for this text are not given.

à at, to, in, on, by, with, till, of, for, into, enough to make one, *e.g.* **91** 32; ∾ **la** after the way (style, fashion) of; ∾ **ce qu'il** as it, **92** 6; *often not directly renderable, e.g.* **167** 2
abaisser bring low; **s'**∾ descend, fall; **abaissé -e** lowered, drawn down
abandon *m.* surrender
abandonner abandon, neglect; **s'**∾ yield oneself
abat-jour *m.*: **à** ∾ shaded
abattre cut down; **abattues** swarming down, **64** 16
abîme *m.* abyss; **d'**∾ abysmal
abîmer: **s'**∾ sink, perish
aboiement *m.* bark
abonné -e subscribing
abord *m.* approach; **d'**∾ first, at first, to begin with; **dès l'**∾ from the start
aborder touch, enter, salute
aboutissant -e abutting
aboyer bark
abréger abridge, shorten
abreuvé de restricted to, **36** 6
abréviation *f.* abbreviation
abri *m.* shelter
abriter shelter, screen
abruti -e stupid
absence *f.* absence
absent -e absent, aloof; ∾**s d'eux-mêmes** with wandering thoughts

absolu -e absolute ; **∾ment** -ly
absorber absorb ; **s'∾** sink, remain absorbed
abstention *f.* holding aloof
absurde irrational
abus *m.* abuse
acacia *m.* acacia, gum tree
acajou *m.* mahogany
accabler overwhelm
accaparer monopolize
accent *m.* accent
accentuer accentuate, emphasize ; **s'∾** grow more marked
accepter accept
accessible accessible
accessoire accessory ; *m.* **∾s du théâtre** stage properties ; *see* **garçon, magasin**
accident *m.* accident
accompagnement *m.* accompaniment
accompagner accompany (**de** by)
accomplir accomplish, finish ; **s'∾** be fulfilled
accomplissement *m.* realization
accouder elbow
accourir hasten up, assemble
accrocher hang (up) ; **s'∾** cling, catch
accroître : **s'∾** increase
accroupir crouch ; **accroupi -e** grovelling
accrut *see* **accroître**
accueil *m.* reception ; **faire ∾ à** welcome, greet
accueillir receive, greet ; **accueillant -e** open-hearted ; **si accueillant** such a good host, **25** 16
acculé -e brought to bay
accusation *f.* accusation
accuser accuse
acharnement *m.* tenacity, persistency, rancor
acharner : **s'∾** struggle, persist ; **acharné -e** fierce
achat *m.* purchase money
acheminer : **s'∾** walk, stride
acheter purchase ; **s'∾** be purchasable
achever finish, complete
acier *m.* steel
acquérir acquire
acquiescer acquiesce, accept
acquis -e *see* **acquérir**
acquisition *f.* acquisition, purchase
acte *m.* act
actif -ve active, mobile, stirring
actionnaire *m.* shareholder
activité *f.* activity
actrice *f.* actress
adieu *m.* good-by
admettre admit
administratif -ve official
administration *f.* official business, officials, **118** 3 ; *see* **conseil**
admirable admirable, wonderful (**de** for)
admiratif -ve admiring
admiration *f.* admiration
admirer admire
admis -e *see* **admettre**
adopter adopt
adorable adorable, delightful ; **∾ment** -ly
adorer adore
adossé -e leaning
adoucir soften, ease

adresse *f.* address, skill
adresser: s'∾ be addressed, ask oneself, speak, turn, apply (**à** to, on); **s'∾ à** address
adroit -e skilful
advenir happen
adversaire *m.* adversary
advint *see* **advenir**
aérer air; **aéré -e** airy
affaiblir weaken
affaire *f.* business, affair, "job"; **aux ∾s** absorbed in business; **homme d'∾s** confidential agent
affairé -e busy, preoccupied
affaissement *m.* collapse
affaisser: s'∾ yield, sink; **affaissé -e** humbled, **172** 2
affamé -e hungry
affectation *f.* affectation
affecter affect, pretend
affection *f.* affection, love
affectueux -se hearty, friendly; **∾sement** heartily
affiche *f.* poster
affiner "set off"
affirmer affirm
affluence *f.* throng
affranchi -e freedman, freedwoman
affreux -se awful, dreadful; **∾sement** -ly
affront *m.* insult
affronteur *m.* challenger of fortune
affût *m.*: **à l'∾ de** on the watch for
afin de so as to
africain -e African
âge *m.* age
agent de change *m.* broker
agir act; **s'∾ de** be about, concern, involve, be a matter of
agissement *m.* action
agitation *f.* agitation, bustle; **d'∾** excited
agiter agitate, shake, wave, whisk; **s'∾** struggle, grow restless
agonie *f.* death-struggle
agrandir enlarge; **s'∾** grow
Agrippa (*63–12 B.C.*) *husband of the shameful Julia, daughter of Emperor Augustus*
agripper seize
ah ah! **∾ ça** come now! see here! **∾ bien** O well!
Ahmed *the former bey*
ahuri -e bewildered, "upset"
aide *m.* aid, help; **∾ de camp** aid-de-camp; *see* **venir**
aider help
aigrette *f.* tuft, crest, plume
aigreur *f.* acidity; **avec ∾** sourly
aigu -ë sharp
aiguière *f.* pitcher, decanter
aiguillette *f.* shoulder-knot
aiguiser sharpen, make appetizing
aile *f.* wing; **partir à ses propres ∾s** set up independently
ailé -e winged, marked (**de** at)
aille *see* **aller**
ailleurs elsewhere; **d'∾** besides, for that matter
aimable kind, pleasant, affable
aimer love, like (**s'** one another); **∾ mieux** prefer (**que** rather than, to)
aîné -e elder, eldest
ainsi thus, so, like that, well! **∾ que** as well as, just as

air *m.* atmosphere, air, manner, look, appearance; **à l'∾** free, visible; **grand ∾** open air
aisance *f.* ease, freedom
aise *f.* ease, contentment; **à l'∾** at ease
ajouter add; **s'y ∾** be added to it
ajuster adjust, fit
alarmer alarm
album *m.* album
alcôve *f.* alcove, recess
alerte alert, lively; *f.* alarm
algarade *f.* "rumpus"
Algérie *f.* Algeria; **d'∾** Algerian
algérien -ne Algerian
aligné -e lined up, arranged
allaitement des enfants *m.* infant feeding
allée *f.* driveway (*with trees*), passage way, aisle
aller go, be going to (will); **allons** well! **allons donc** come now! **va** *and* **allez** let it go! come! really! **il va en arriver d'autres** more are coming; **∾ bien à** befit, fit, suit; **ça te (vous) va-t-il** does that suit you? **laisser ∾** give vent to; **s'en ∾** go off (away), depart, go; **allez-vous-en** just go; **va-t-en** away! "get out!"
allier ally
allumer: s'∾ be lighted up; **allumé -e** excited, **180** 22
allure *f.* air; *pl.* behavior, bearing, manner
allusion *f.* allusion
aloès *m.* aloe tree
alors then
alourdir: s'∾ grow weighty (serious); **alourdi -e** heavy, oppressive
alternative *f.* alternative, equivocal position
alterner alternate
altesse *f.* highness, Your Highness
altier -ère haughty, arrogant
amadouer coax
amarré -e moored
amateur *m.* art lover
amazone *f.* amazon, "lady on horseback," riding-habit
ambassade *f.* embassy
ambitieux -se ambitious, expectant
ambition *f.* ambition
âme *f.* soul, spirit
amener bring (about), lead to
amer -ère bitter
ameublement *m.* furnishing
ami -e friend; friendly
amical -e -aux friendly
amincir: s'∾ make oneself smaller
amiral -aux *m.* admiral
amitié *f.* friendship; **prendre "x" en grande ∾** take a great liking to "x"
amolli -e softened
amorcer bait, attract
amortir deaden, muffle
amour *m.* love; **∾-propre** self-esteem, self-pity
amoureux -se lover
amphitryon *m.* host
amuser amuse
an *m.* year; **avoir "x" ∾s de moins** be "x" years younger
anatomie *f.* anatomy
ancien -ne old, former

ancre *f.* anchor
ancrer anchor
âne *m.* ass
anéanti -e prostrated
anéantissement *m.* prostration
anémie *f.* anæmia
anémique anæmic
anfractuosité *f.* crag
anglais -e English ; **à l'∾e** in the English way
angle *m.* corner
angoisse *f.* anguish, agony
anguleux -se angular
anhélant -e gasping
animal -aux *m.* animal
animation *f.* animation, bustle
animer enliven; **animé -e** lively, animated
ankylosé -e stiff-jointed
année *f.* year
anniversaire *m.* anniversary (*i.e.*, **50** 15, *birthday of the Prince Imperial*)
annoncer announce
annuler annul
anonymat *m.* anonymity
anonyme anonymous
antichambre *f.* antechamber
antipathie *f.* aversion
antique antiquated, old-fashioned, classical
antiquité *f.* antiquity
antre *m.* cavern, den
anxieux -se anxious
août *m.* August
apaiser : **s'∾** grow still; **apaisé -e** calmed
apercevoir *and* **s'∾ de** perceive, notice, see
apitoiement *m.* expression of grief
apitoyer move to pity
à-plat *m.* smash, **72** 29
aplatir crush, smash
aplomb *m.* self-assurance, impudence ; **d'∾** plumb, self-assured, well-balanced
apologue *m.* fable
apoplexie *f.* apoplexy
apôtre *m.*: **d'∾** apostolic
apparaître appear; **apparues** become obvious, **109** 17
apparat *m.* apparatus
appareil *m.* apparatus, preparations, attendance, train
apparence *f.* appearance
apparent -e apparent, conspicuous, obvious
apparenté -e connected
apparition *f.* apparition
appartement *m.* suite of rooms, apartment
appartenir belong
apparu -e, apparut, *see* **apparaître**
appât *m.* bait
appel *m.* appeal, call
appeler call (for), summon; **faire ∾** send for ; **s'∾** be called, call one another
appétit *m.* appetite
applaudir applaud
applaudissement *m.* clapping
appliquer apply, press; **s'∾** endeavor
appointement *m.* salary
apporter bring
apposer place
apposition *f.* placing
apprécier appreciate

apprendre learn, teach, tell
apprêt *m.*: **sans ~** unstudiedly
apprêter: **s'~** prepare, get ready
appris, apprit, *see* **apprendre**
apprivoiser tame
approbatif -ve approving
approbation *f.* approbation, commendation
approche *f.* approach
approcher draw near; **s'~ de** come (go) nearer
approuver approve
appui *m.* support; **à l'~** to support it
appuyer lean, recline, apply; **s'~** lean; **appuyé -e** leaning
après afterwards, after; **~-demain** *m.* day after tomorrow; **~-midi** *m.* afternoon
Arabe Arab; **arabe** Arabian, Arabic
arborer display
arbre *m.* tree
arc *m.* arch, bow
arcade *f.* arcade
archevêque *m.* archbishop (*i.e.*, **120** 14, *G. Darboy, 1813–1871*)
architectural -e -aux architectural
ardent -e ardent, glowing
ardeur *f.* ardor, glow
arène *f.* arena
argent *m.* silver, money
argenterie *f.* silverware
argile *f.* modelling clay
aride dry
aristocratique aristocratic
Arles *city near the mouth of the Rhone*
arme *f.* arm, weapon; **sans ~s** unarmed; *see* **maître**
armée *f.* army
armure *f.* suit of armor
arpenter pace, stride through
arrachement *m.* clutching
arracher clutch, tear off, snatch (**à** off, from)
arranger arrange, "fix up"
arrestation *f.* stoppage, "hold up"
arrêt *m.* sentence
arrêter arrest, check, stop; **s'~** stop, be idle; **s'~ à** be limited by, **96** 27
arrière: **en ~** tipped back, backward, ago
arrivage *m.* inflow, arrival
arrivée *f.* arrival, coming; *see* **timbre**
arriver (*aux.* **être**) arrive, come, happen, succeed, attain; **arrivant** *m.* arrival, new guest, **167** 2; **est arrivé à** has become of, **75** 11
arrogant -e arrogant
arrondir round out; **arrondi -e** rounded, puffy, bent, spacious
arsenical -e -aux arsenic
art *m.* art; **d'~** artistic
artère *f.* artery
article *m.* article
artifice *m.* *see* **feu**
artificiel -le artificial
artiste *m.* artist; **d'~** artistic
artistique artistic
ascète ascetic
ascétique ascetic
asile *m.* asylum, refuge
aspect *m.* aspect, view
asphalte *m.* asphalt
aspirateur *m.* absorber

aspirer aspire; **pompe aspirante** suction-pump
assaut *m.* assault; **grands ∾s** exhibition bouts; **d'∾** by assault
assemblée *f.* assembly, company; **Assemblée** Chamber of Deputies
assembler assemble
asseoir: s'∾ sit, be seated; **assis -e** sitting; *see* **vote**
assez enough, well enough, quite
assiduité *f.* attention
assied, assieds, *see* **asseoir**
assiéger besiege
assiette *f.* plate, position
assignation *f.* summons
assis -e *see* **asseoir**
assistant *m.* assistant
assister à attend, witness, be present at
assit *see* **asseoir**
associé *m.* partner
associer associate
assombrir darken, make gloomy; **s'∾** grow more somber
assommer overwhelm, crush
assorti -e various, of all sorts
assortiment *m.* "matching"
assoupissement *m.* fit of drowsiness
assouplir mold
assumer assume
assurance *f.* (self-)assurance
assurer assure, assert, make sure of; **s'∾** grow firm
astrakan *m.* astrakhan (*wool*)
astre *m.* star
astrologue *m.* astrologer
atelier *m.* studio
atmosphère *f.* atmosphere
atours *m. pl.* dress, finery
atroce dreadful
attache *f.* connection
attaché *m.* attaché, assistant
attacher attach; **s'∾ à** concentrate attention on, be eager to
attaquer attack, begin (*to play music*)
atteindre taint, touch, strike, attack (*with illness*)
attelage *m.* team (*coach and horses*)
attelé -e de drawn by; **∾s à quatre** four-horse, **165** 31
attendre await, expect, wait (for); **en attendant que** until; **s'∾ à** expect (**y** it)
attendrir touch with emotion; **attendrissant -e** affecting; **s'∾** soften, break down; **s'∾ sur lui-même** sympathize with himself
attente *f.* waiting, wait
attentif -ve attentive
attention *f.* attention
attentionné -e assiduous
atténuer moderate
atterré -e overwhelmed
attestation *f.* certificate
attifé -e bedizened
attirer attract, draw, allure
attitude *f.* attitude, posture
attrait *m.* attraction
attraper catch, clutch
attribuer attribute
attristé -e saddened, disappointed
attroupé -e gathered
attroupement *m.* crowd
aube *f.* dawn
auberge *f.* inn

aucun -e any; **(ne) ~** none, no one, no
audace *f.* audacity, daring; **d'~** bold; **en ~** audacious
audacieux -se audacious (man), daring, outrageous
au-dessous below
au-dessus above, beyond
au-devant de to meet
audience *f.* audience, hearing, reception
auditeur *m.* auditor
augmenter increase, supplement
auguste august; **Auguste** Augustus
aujourd'hui today
auparavant before
auprès de to the room of, with, **35** 10; from, **80** 18
auquel, auxquels, *see* **lequel**
auréolé -e irradiated
ausculter auscultate, test lungs
aussi also, too, as, as much
aussitôt immediately
austère austere
austérité *f.* austerity
autant: **~ de** as many, so much; **d'~ que** the more since, **141** 18; **d'~ plus** so much the more; **toujours ~** as much as ever
autel *m.* altar
auteur *m.* author
automatique automatic; **~ment** automatically
autorité *f.* authority
autour (de) around, about
autre other, else; **l'~** "what's-his-name," **97** 8; **se jeter l'un à l'~** toss to and fro, **90** 27; *often for emphasis or distinction only;* **~ment** otherwise, differently, especially, any way, far more, further
autrefois formerly; *m.* "old times"
Autrichien -ne Austrian
avachi -e flabby
avalanche *f.* avalanche
avaler swallow
avance *f.* advance, prepayment; **d'~** *and* **par ~** in advance
avancer advance, extend, push forward; **s'~** advance; **plus avancés** wiser, **93** 20
avant (que) before; **en ~** in front, forward
avant *m.*: **de l'~** forward (*on ship*)
avant-goût *m.* foretaste
avant-scène *m.* proscenium-box
avant-veille *f.* two days before
avarié -e damaged
avec with
avenir *m.* future
aventure *f.* adventure
aventureux -se adventurous
aventurier -ère adventurer; adventurous
avenue *f.* driveway
avertir warn, apprise, summon, inform, tell
avertissement *m.* warning
aveu *m.* avowal
aveugle blind
aveuglement *m.* blindness
aveugler blind
avide curious
avilir: **s'~** debase oneself
aviser: **s'~** take into one's head
avocat *m.* barrister, lawyer
avocateur -trice provocative

avoir have, take (*place*), utter (*cries*); **il y a** it (there) is, ago; **qu'est-ce qu'il y a** "what's up?" **qu'est-ce que j'ai (il a)** what is the matter with me (him)? *see* **beau, bond, froid, horreur, raison, tort**
avouer admit, confess
axiome *m.* axiom

baccarat *m.* baccarat (*a gambling card game*)
Bacchus *and* **Bacco** (*Italian*) *m.* Bacchus
badine *f.* cane (rattan)
bagage *m.* baggage
bagne *m.* prison
bah O! bah!
baie *f.* bay-window, open space
baignoire *f.* bath-tub
bâillement *m.* yawn, gape
bâiller yawn, gape
bain *m.* bath
baïonnette *f.* bayonet
baiser kiss; *m.* kiss
baisse *f.* lowering
baisser lower, degenerate; **baissé -e** cast down
bal *m.* ball, dance-hall
balai *m.* broom
balancer: se ∾ rock, totter
balayeuse mécanique *f.* sweeping machine
balbutier stammer
balcon *m.* balcony
baldaquin *m.* canopy
ballot *m.* bale
ballotter toss about
ban *m.*: **au ∾ de** in disgrace with
banal -e commonplace, vulgar
banalité *f.* commonplace
banc *m.* bench
bande *f.* herd, flock, "gang," band (*in fabrics*); wrapper (*newspaper*); **sous ∾** by post
banlieue *f.* suburban district, outskirt
bannière *f.* banner
banque *f.* bank; **de ∾** banking
banquette *f.* bench
banquier *m.* banker
baptême *m.* baptism
Barbantane *a fictitious name*
barbare barbarian, unintelligible
barbaresque of Barbary (*North Africa*)
barbe *f.* beard
barbu -e bearded
Bardo *m. palace and governmental headquarters at Tunis*
Barnave *a revolutionary statesman* (*1761–1793*)
baron -ne baron(ess)
barrer bar
barrette *f.* cap
barrière *f.* city tax-gate
barrique *f.* keg, hogshead
bas, basse, low; **à ∾** down! **en ∾** downstairs; **tout ∾** in a low tone; **∾sement** basely; *see* **haut, tête**
bas *m.* bottom, lower part, foot (*of page*)
basané -e swarthy, tawny
base *f.* base, basis, foundation
Bas-Empire *m.* Later (*i.e.* Byzantine) Empire
bassesse *f.* baseness

bastonnade *f.* beating
bastringue *m.* dance-hall
bataille *f.* battle; **en ∾** square set, **121** 2
bateau -x *m.* boat; **pont de ∾x** pontoon bridge
batiste *f.* cambric, fine linen
battement *m.* beating, palpitation
batterie *f.* battery
battre beat, beat up (*game*), throb; **faisait ∾ des millions** kept millions busy, **52** 22; **battant** *m.* leaf (*of double door*); **ouvrir à deux battants** open wide, **120** 34; **porte battante** double door; **battu -e** trampled, **87** 33; *see* **champ**
baudrier *m.* shoulder-belt
bavard -e loquacious
bavardage *m.* chattering
béatement hypocritically
beau, bel, belle, beaux, beautiful, fine, lucky, "swell"; dandy, beau; "beauty," **179** 20; **j'ai (avais) ∾ "x"** it is (was) no use for me to "x," I "x" in vain; **qu'il faisait ∾** what a beautiful day, **167** 28; **∾x-arts** fine arts; **Beaux-Arts** Art School (*on Quai Malaquais*)
beaucoup much, many
beauté *f.* beauty
bedaine *f.* paunch
bégaiement *m.* stammering
bégayer stammer
bégueule squeamish, prim
beignet *m.* fritter
bel, belle, *see* **beau**
Belge Belgian
Bellaigue *a ruined abbey of this name near Virlay is here described but placed elsewhere*
bellâtre *m.* dandy
bénéfices *m. pl.* profits
bénéficier benefit (**de** by)
bengale *see* **feu**
béquille *f.* crutch
berceau -x *m.* cradle
béret *m.* cap
berle *for* **perle**
Bernois -e man (woman) from Berne
besogne *f.* task, piece of business
besoin *m.* need; **avoir ∾** need
bête beastly, senseless, stupid
bête *f.* beast, horse
Bethléem Bethlehem
bêtise *f.* foolish (silly) thing
beurre *m.* butter
bey *m.* governor (*under a Sultan*)
biaisé -e slanting, sloping
bibelot *m.* artistic trinket
bibliothécaire *m.* librarian
bibliothèque *f.* library
bien good, well, happy, comfortable; just, quite, truly, surely, positively, plainly, probably, perhaps, much, indeed; *often for emphasis only;* **∾ que** although; **∾ des** many a; **c'est ∾** all right! *see* **aller, eh**
bien *m.* good; *pl.* property
bien-être *m., and* **bien être, 151** 20, well-being, comfort, prosperity, pleasure
bienfaisant -e charitable
bienfaiteur *m.* benefactor

bientôt soon
bienveillance *f.* benevolence, kind act
bienveillant -e kindly
bienvenue *f.* welcome
bigre whew!
bijou -x *m.* jewel
billard *m.*: **salle de ∾** billiard-room
billet *m.* note, promissory note, bank-note; **∾ doux** love-letter; **faire des ∾s à** draw bills payable to
bing *m.* resounding stroke
biographie *f.* biography
bise *f.* north wind
biseauté -e bevelled
bizarre strange, queer
blafard -e pale, wan
blague *f.* jeer
blanc -che white, clean; *see* **carte, chauffer**
blancheur *f.* whiteness, white surface
blanchir à chaux whitewash
blasé -e cloyed, surfeited (**de** with); **s'être ∾ sur** become dulled to
blasphème *m.* blasphemy, curse
blé *m.* grain, wheat
blême pallid
blêmi -e become pale
blesser wound; **blessant -e** threatening
bleu -e blue; **∾ de ciel** sky-blue
bleuté -e bluish
bloc *m.* block
blond -e blond, light-complexioned; *m.* light color
blondin -e light-complexioned
blottir: **se ∾** efface oneself
blouse *f.* blouse
bœuf *m.* ox; *pl.* cattle
bohème *f.* "Bohemia"
boire drink; **bu** "been drinking," **178** 4
bois *m.* wood; **∾ d'acajou** mahogany; **de ∾** wooden; **Bois** Park
boîte *f.* box
bojou *for* **bonjour**
Bompain *appears also in "Tartarin"*
bon, bonne, good, kindly, pleasant, "nice"; **à quoi ∾** why; *see* **sentir**
bonasse simple, easy-going, good-natured
bonbon *m.* bonbon
bond *m.* leap; **avoir un ∾** give a start
bondir bound, skip, leap
bonheur *m.* happiness, good fortune, success
bonhomie *f.* good humor
bonhomme *m.* "my man," **169** 32
bonjour *m.* good day! good morning!
bonnet *m.* cap; **gros ∾s** leading men, "big wigs"
bonté *f.* goodness, kindness
bord *m.* bank, edge; **∾ de l'eau** river bank; **à (mon) ∾** on board (my ship); **au ∾ de** beside; **par-dessus ∾** overboard
bordeaux *m.* claret (wine)
bordée *f.* "spree"
border border, line
Bordighera *Italian frontier town, thirty miles from Nice*
bordure *f.* curb, embankment-wall

borne *f.*: **au coin d'une ~** by a milestone
borné -e restricted
bosse *f.* hump
botte *f.* boot; **~s vernies** patent-leather shoes
Bottin *m.* city directory
bouc émissaire *m.* scapegoat
bouche *f.* mouth
Bouchereau *a fictive physician*
bouchon *m.* stopper
boucle *f.* ring, curl
bouclé -e curly
boudoir *m.* lady's private room
boue *f.* mud, dirty water
boueux -se muddy
bouffant -e puffed
bouffée *f.* puff; **par ~s** by fits and starts
bouffi -e puffy
bouffissure *f.* puffiness
bouger stir
bougie *f.* candle, taper
boulet *m.* clog
boulette *f.* little ball
boulevard *m.* boulevard, avenue
boulevardier *m.* man-about-town
bouleversement *m.* commotion
bouleverser agitate
bouquet *m.* bouquet, bunch
bouquetière *f.* flower-girl
bourbe *f.* dregs
bourdonnement *m.* hum, buzz, murmur
bourdonner ring (*in ears*)
bourg *m.* town; **Bourg-Saint-Andéol** *in Ardèche on the Rhone*
bourgeois -e substantial, respectable
bourgeois *m.* citizen, upper-middle-class man, "master," **90** 1; **~ gentilhomme** tradesman turned gentleman (*title of a farce by Molière*)
bourgeron *m.* artisan's jacket
bourgogne *m.* Burgundy (*wine*)
bourreler harass
bourriquet *m.* little ass
bourse *f.* purse, exchange; **Bourse** Stock Exchange; **gens de ~** brokers; *see* **coup**
Bou-Saïd (*Arabic*) Father of Success
bousculade *m.* jostling
bousculer jostle (**se** one another)
boussole *f.* compass
bout *m.* end, tip, bit; **à ~ de forces** worn out, exhausted; **à ~ d'haleine** out of breath; **tout au ~** at the very last
bouteille *f.* bottle
boutique *f.* shop
boutiquier -ère shop-keeper
bouton de manchette *m.* cuff-button
boutonner button
Brahim-Bey *a Tunisian official*
braillée *f.* roaring
braise *f.* ember
branche *f.* branch
branlant -e shaky
branle-bas *m.* "clearing for action," "topsy-turvy"
braquer set, level, point
bras *m.* arm; **à ~** in arms, **180** 24; *see* **rond**
brasier *m.* burning coals
brasser "work up"

brave good, bold, brave (*often ironical*); *m.* "good fellow"; **∾ment** boldly
braver brave
bravo fine! bravo!
break *m.* break (*four-wheeled, covered carriage. English*)
brèche *f.* breach, gap, hole
bredouillement *m.* stuttering
bredouiller stutter, sputter
bref, brève, brief, curt
Bréhat (*1828–1866*) *writer on Eastern travel*
brevet *m.* commission, official notification
brillant -e brilliant, sparkling, bright, shiny
briller shine
brise *f.* breeze
briser break
Brisset *a fictive physician*
brocarder sneer at
brochure *f.* pamphlet
brodé -e embroidered, ornamented, inwrought
broderie *f.* piece of embroidery; *pl.* embroiderings; **∾s hiérarchiques** insignia of office
bronze *m.* bronze
bronzé -e tanned
brouhaha *m.* noisy confusion
brouillard *m.* fog
brouille *f.* quarrel
brouillé -e dimmed, blurred
broussaille *f.*: **en ∾s** bushy, shaggy
broyé -e ground, crushed
bru *f.* daughter-in-law
bruissement *m.* rustle
bruit *m.* noise, rumor, "sensation"; **∾ du diable** deuce of a racket!
brûler burn, consume, parch (**de** with), be urgent, "spin over" (*road*); **∾ le pavé** drive at full speed; **brulé -e** tanned, weather-beaten
brûlure *f.* burning pain
brume *f.* fog, mist
brun -e swarthy, dark-complexioned
brunisseur -se burnisher
brusque abrupt, sudden, hurried; **∾ment** abruptly
brusquerie *f.* abruptness, bluntness; **prendre des ∾s singulières** seem strangely extreme
brut -e rough
brutal -e -aux brutal, wanton, brutish; **∾ement** harshly, crassly
brutalité *f.* brutality, "rough ways"; **avec ∾** bluntly
bruyant -e noisy
bu *see* **boire**
buée *f.* reek, stale smoke
buffet *m.* sideboard
buisson *m.* thorn-bush
bureau -x *m.* desk, office, committee, delegation, committee room; *see* **garçon**
burlesque ridiculous
burnous *m.* Arab cloak
buste *m.* bust
but *m.*: **sans ∾** aimlessly
buvait *see* **boire**

ça that; **avec ∾** besides; **∾ va bien** is all going well? *see* **ah, comme**

çà here
cabalistique cabalistic
cabinet *m.* dressing-room, office; ∾ **d'études** school-room; ∾ **de travail** study
cabriole *f.* capering
cachemire *m.* cashmere (*Indian fabric*)
cacher hide (**à** from); **se** ∾ be hidden, lurk, hide from one another, **172** 7
cachet *m.* seal
cactus *m.* cactus
cadavérique cadaverous
cadavre *m.* corpse
cadre *m.* frame, setting
café *m.* coffee, coffee-house
cage *f.* cage
cahier *m.* sheaf of papers
caisse *f.* strong-box; **Caisse** Bank
calcul *m.* calculation; **tout** ∾ **fait** with every precaution
calculer calculate
cale *f.* hold (*of a ship*); *see* **fond**
calesino *m. pl.*, **165** 31, coaches
calmant *m.* sedative
calme calm; *m.* calm
calmer soothe
calomnie *f.* slander
calomnier slander
calotte *f.* skull-cap
calvaire *m.* Calvary, place of atoning punishment
camarade *m.* comrade
camaraderie *f.* good-fellowship
camarguais -e of Camargue
Camargue *f. swampy and sandy district at the Rhone delta*
cambrer swell out, stiffen out
cambrésine *f.* piece of Cambray linen
cambrure *f.* curving in
Camélia *f.* Camelia
camion *m.* truck, dray
camp *m. see* **aide**
campagne *f.* country, campaign
camper: **se** ∾ settle oneself
canaille *f.* rabble; vulgar; *pl.* blackguards!
canapé *m.* sofa
candélabre *m.* candelabrum, sconce, "spreading branches," **166** 18
candidat *m.* candidate
candidature *f.* candidacy
canne *f.* cane
canon *m.* cannon; *see* **coup**
canonnade *f.* cannonade
canotier *m.* canoeist
cantinier de régiment *m.* camp-follower, sutler
canton *m.* district (*rural*)
cap *m.* cape
caparaçonné -e caparisoned, bedecked
capital -aux *m.* capital; *pl.* money
capitaliste *m.* capitalist
capiteux -se heady
capitonner pad, upholster
caprice *m.* caprice; **à** ∾**s** capricious
capricieux -se capricious
car for
carabiné -e "stiff"; ∾**es** "bracers," **101** 2
carabinier *m.* rifleman
caractère *m.* characteristic
caramel *m.* burnt sugar

carcasse *f.* carcass, body, framework
caresse *f.* caress (**en** like a)
caresser caress
carnet *m.* note-book
caroube *f.* locust bean
carré -e square; **∾ment** boldly; **∾ d'épaule** square-shouldered
carrefour *m.* meeting place of streets, **124** 12
carrick *m.* cape
carrière *f.* quarry
carrosse *m.* coach
carte *f.* card; **∾ blanche** full power, **54** 27
cartel *m.* clock
Carthage: cap ∾ Cape Blanc
carton *m.* box (*pasteboard*)
cas *m.* case; **dans le ∾ où** in case that
cascade *f.* cascade
caserne *f.* barracks; **∾ de pompiers** fire-house
caserner quarter (*soldiers*)
casier *m.* rack, pigeonhole
casque *m.* cap, helmet
casquette *f.* cap
casser break; **∾ une croûte** "take a bite"
Cassette: rue ∾ *near the Institut Catholique and the Luxembourg*
casseur -se: chapeau ∾ crush (opera) hat
caste *f.* caste
catastrophe *f.* catastrophe
catholique catholic
cauchemar *m.* nightmare
cause *f.* cause, trial; **à ∾** because
causer cause, produce, talk
causette *f.* chat
cavalerie *f.* cavalry
cavalier *m.* horseman
ce, cet, cette, ces, this, that, these, those
ce that, it, he, she, they; *when resuming a preceding or announcing a deferred subject untranslated;* **∾ qui (que)** what; **∾ que c'était que "x"** what "x" it was; **est-∾ que** *introduces questions;* **qu'est-∾ que** what; **n'est-∾ pas** is there? isn't it so? haven't you? please! **c'est-à-dire** that is to say
ceci this
céder yield
ceinture *f.* girdle, belt
ceinturon *m.* belt
cela that, that sort of thing; **de ∾** since then; **c'était ∾** that was a fact, **90** 16; **est-ce bien ∾** isn't that right? **143** 6
célèbre celebrated, famous
célébrité *f.* celebrity, fame
celui, celle, ceux, this, that, these, those; **∾ que** the man whom, the kind that; **ceux-là** that sort
cendre *f.* ashes
Cendrillon Cinderella
censeur *m.* censor
cent hundred; **∾ième** hundredth; **∾aines** *f. pl.* hundreds
centre *m.* center
cependant however, though, yet
cercle *m.* circle, ring, club
cercueil *m.* casket
cérémonie *f.* ceremony; **de ∾** ceremonial

certain -e certain, sure, some; **∾ement** surely
certes certainly, verily
cerveau *m.* brain
cervelle *f.* brain
cesse *f.*: **sans ∾** constantly
cesser cease
chacal *m.* jackal
chacun -e each
chagrin *m.* shagreen
chaîne *f.* chain
chair *f.* flesh; *pl.* masses of flesh
chaire *f.* seat of the Speaker (*presiding officer*)
chaise *f.* chair; **∾ de poste** post-chaise; **∾ longue** reclining-chair
châle *m.* shawl
chaleur *f.* warmth, heat
chaleureux -se warm, genial
chamarré -e bedecked, trimmed
chamarrure *f.* bedizening
chambre *f.* chamber; **∾ à coucher** bedroom; **∾ de justice** law-court; **Chambre** Chamber of Deputies
champ *m.* field; **battre aux ∾s** beat (drum) a salute; **Champs-Élyseés** *a parked avenue in the 8th Arrondissement*
champagne *m.* champagne
chance *f.* chance, good-fortune, luck, piece of luck
chanceler stagger
chancelier *m.* chancellor
chancellerie *f.* chancellor's office
chandelier *m.* chandelier
change *see* agent
changement *m.* change
changer (de) change, alter; **se ∾ en** become
changeur *m.* money-changer
chant *m.* chant, song
chantage *m.* blackmail, extortion
chanter sing
chanteur *m.* singer
chaos *m.* chaos
chapeau -x *m.* hat
chapelet *m.* chaplet of beads, rosary
chapelle *f.* chapel, shrine
chaque each, every
char *m.* chariot
charabias *m.* jumble
charbon *m.* coal, charcoal
charbonné -e charred, like live coals, **144** 25
charbonnier *m.* coal dealer
charge *f.* charge, burden
charger: se ∾ take charge; **chargé -e** charged, laden, burdened, commissioned, filled
charité *f.* charity
charlatan *m.* quack doctor
Charles III (*1716–1788*) *king of Spain*
charme *m.* charm
charmer charm; **charmé -e** spell-bound
charrette *f.* cart
chasse *f.* hunt
châsse *f.* casket, framework
chasser push aside, drive away
chasseur *m.* lackey
chat *m.* cat
château -x *m.* manor house, country house
châtiment *m.* chastisement

chatoiement *m.* shimmer
chatouiller tickle, scratch
chaud -e warm, hot
chauffer heat, warm (up); **chauffé à blanc** at white heat
chauffeuse *f.* "sleepy-hollow" (*chair*)
chaussée *f.* road, roadway; **Chaussée-d'Antin** *avenue in the 9th Arrondissement*
chausse-trappe *f.* pitfall
chauve bald
chaux *f.* lime; *see* **blanchir**
chavirer wreck, smash
che *for* **cher**
chef *m.* head; ∾ **de cabinet** confidential secretary; ∾ **de cuisine** head cook; ∾**-d'œuvre** masterpiece
chemin *m.* road; ∾ **de fer** railway; **en si beau** ∾ "when things were going so well," **156** 23
cheminée *f.* fireplace, mantelpiece
chemise *f.* shirt
chêne *m.* oak
chèque *m.* check
cher -ère dear; **mon** ∾ "my friend," "my boy"
chercher seek, search, look for, get
chercheur d'or *m.* gold hunter
chérie *f.* "dearie"
cheval -aux *m.* horse; ∾ **de remonte** fresh mount; ∾ **de selle** saddle-horse; **à quatre chevaux** with a four-horse team, **166** 6
chevalier *m.* knight
chevelure *f.* coiffure
chevet *m.* bed-side, bed
cheveu -x *m.* hair
chez "x" at the house (home, room, office) of "x," at "x's," in the case of "x"; **de** ∾ **"x"** from "x's"; ∾ **nous (soi)** at home
chic *m.* stylishness
chien *m.* dog
chiffonner rumple
chiffons *m.pl.* finery
chiffre *m.* figure
chignon *m.* back-hair knot
chimérique chimerical
Chine *f.* China, China silk; **encre de** ∾ India ink
chinois -e Chinese
chinoiserie *f.* "bit of China"
chocolat *m.* chocolate
choir fall
choisir choose
chômage *m.* lockout
choral -e -aux choral
chorus *m.*: **faire** ∾ "chime in," agree
chose *f.* thing, affair, matter, cause, "thingumy," "what's-his-name" (*i. e.*, **160** 9, *Seneca*); **(ne) autre** ∾ nothing else; **quelque** ∾ something
chouette *f.*: **de** ∾ owlish
chromo-lithographique in color-lithography
chronique *f.* chronicle
chrysalide *f.* chrysalis
chuchotement *m.* whispering
chuchoter whisper
chut hush!
chute *f.* fall
-ci *emphasizes nearness*

cicerone *m.* guide
ciel, cieux, *m.* heaven, sky, weather
cigare *m.* cigar
cil *m.* eyelash
cime *f.* summit, peak
cimetière *m.* cemetery
cingler lash
cinq five, fifth; **∾ième** fifth; **∾ante** fifty; **∾ante-six** fifty-six
circonflexe circumflex; **en accent ∾** opened wide, **149** 22
circonscription *f.* election district
circonspection *f.* circumspection
circonstance *f.* circumstance, occasion
circuit *m.* circuit
circulaire circular, all-embracing, **16** 11
circulation *f.* circulation, movement
circuler circulate, move about, be current
cire *f.* wax
ciré -e waxed
cirque *m.* circus; **∾ de combat** arena
ciselé -e chiselled, clean-cut
cité *f.* city
citer cite
civil -e legal
civilisé -e of civilization, **158** 4
clair -e clear, white, bright, thin (*fabric*)
clairon *m.* bugle-call
clairvoyant -e clear-eyed
clameur *f.* clamor; **pousser des ∾s** clamor
clapet *m.* clapper-valve
claque *f.* clap
classe *f.* class
classer arrange
classique classic
clauvisse *f.* crab
clef *m.* key; *see* **refermer**
clergé *m.* clergy
client *m.* retainer, patient
clientèle *f.* practice (*doctor's*)
cligner wink (**de** with)
clignoter blink
climat *m.* climate, clime
cliquetis *m.* clinking
cloison *f.* partition
clou *m.* nail
cloutier *m.* nail-man
club *m.* club
cocher *m.* coachman
cochère *see* **porte**
cocon *m.* cocoon
code *m.* code
cœur *m.* heart
coffre *m.* coffer, strong-box; **∾-fort** strong-box
coiffe *f.* kerchief, head-dress, lining (*hat*)
coiffer "x" do "x's" hair; **coiffé de "x"** with "x" on one's head, **144** 5
coiffure *f.* head-covering, head-dress, hair-dressing
coin *m.* corner; *see* **façade**
col *m.* neck, collar
colère *f.* anger, wrath; angry, **181** 12
collaboration *f.* collaboration
collection *f.* collection
collègue *m.* colleague

collet *m.* collar (*coat or overcoat*)
colline *f.* hill
colombier *m.* dove-cote
colonel *m.* colonel
colonie *f.* colony
colonnade *f.* colonnade
colonne *f.* column (*i. e.*, **124** 14, *the Column of July in the Place de la République*)
colonnette *f.* pedestal
colorer color
colossal -e colossal
combat *m.* struggle; *see* **cirque, parure**
combien how many (much); **∾ "x" est "y"** how "y" "x" is
combinaison *f.* device
combiner combine, devise
comble *m.* acme, pinnacle
combler cover, overwhelm, fill (**par** with)
comédie *f.* comedy, play; **Comédie-Française** National Theatre (*more properly the state-supported company of actors there*)
comédien -ne actor, actress
comique comic, ridiculous
commandement *m.* command; **secrétaire des ∾s** chief secretary
commander (à) command
commanditaire *m.* silent partner
commandite *f.* silent partnership
commanditer furnish funds for
comme how, like, as if, as though, as it were, "in the way (line) of," **125** 16; **∾ je suis "x"** how "x" I am; **∾ ça** so!
commencement *m.* beginning
commencer begin
commensal -aux *m.* table-guest
comment how, why, what! **∾ donc** certainly! what?
commentaire *m.* comment
commenter discuss
commerce *m.* business (**de** in)
commercial -e -aux commercial
commettre commit
commissionnaire *m.* commission merchant
commode handy
commode *f.* chest of drawers
commotion *f.* thrill
commun -e common, commonplace, mutual; **en ∾** into a common stock; **le ∾ des** ordinary
communiquer communicate, lend
compact -e compact, dense
compagne *f.* companion
compagnie *f.* company
compagnon *m.* companion
comparaison *f.* comparison (**de** with)
comparaître appear
compatriote compatriot
compenser counterbalance
complaisamment complacently
complaisant -e obliging
complet -ète complete; **∾ètement** -ly
compléter complete, perfect
complication *f.* complication
complice accomplice
compliment *m.* compliment
complimenter compliment
compliquer complicate, make worse (**de** by); **se ∾** be made worse; **compliqué -e** complex

composer compose
comprendre understand; **se ∾** be intelligible
compromettre compromise
comptabilité *f.* accounting
compte *m.* count, account; **sur son ∾** about him; *see* **cour, rendre**
compter pay, count (**y** on it), expect (**y** it)
comptoir *m.* counting-room, office
comte *m.* count
concentrer concentrate; **se ∾** be concentrated; **concentré -e** suppressed, **168** 1
concert *m.* concert
concession *f.* concession
concierge *m.* porter
conciliabule *m.* conference, private discussion
conclure conclude; **∾ à** recommend
Concorde: pont de la ∾ Concord Bridge (*opposite the Chamber of Deputies*)
concussionnaire *m.* extortioner, embezzler
condamner condemn, sentence
condensation *f.* condensation, gathering
condenser: se ∾ be concentrated
condescendance *f.* condescension
condescendre condescend
condition *f.* condition
conduire lead, drive, present, **25** 21
conduite *f.* conduct
confesseur *m.* confessor
confessionnal *m.* confessional
confiance *f.* confidence, trust; **de ∾** confidential
confident -e trusted adviser; **∾ de** sharer in the secret of, **172** 20
confidentiel -le confidential
confiscation *f.* confiscation
confiserie *f.* confectionery
confisquer confiscate
confiture de rose *f.* rose preserve
conflit *m.* conflict
confondre mingle, confound, disprove, **151** 6; **se ∾** mingle
confortable comfortable; *see* **demi**
confrère *m.* fellow-physician, **110** 12
confus -e confused; **∾ément** -ly
confusion *f.* confusion, blur
congé *m.* leave
congestion sanguine *f.* apoplectic stroke
congestionné -e flushed
conjurer exorcise, cure
connaissance *f.* acquaintance, knowledge, information
connaisseur *m.* expert; **d'un air (ton) ∾** with a knowing air
connaître know, grow familiar with; **se ∾ en** be a shrewd judge of; **connu -e** familiar, known
conscience *f.* conscience
conscient -e aware
consécration *f.* consecration
conseil *m.* council, counsel; **∾ d'administration** board of directors; **∾ de famille** family council (*as provided in the law*); **Conseil-Suprême** Supreme Council (*of the Empire*)
conseiller *m.* councillor
consentir consent
conserver keep; **se ∾** be guarded
considérable considerable, large

considération *f.* consideration, respect
consigne *f.* order
console *f.* bracket, pier-table
consoler console (de for)
constant -e constant, standing
Constantine *city in Algeria*
constatation *f.* verification
consternation *f.* consternation
consterné -e dismayed
constituer constitute, found
consulat *m.* consulate
consultation *f.* consultation
consulter consult; **se ∾** discuss; **consultant** *m.* consulting physician
contact *m.* touch
conte *m.* story; **∾ de fées** fairy-tale
contempler contemplate, look at
contenir contain, restrain; **contenu -e** self-contained
content -e satisfied, happy, glad
contentement *m.* satisfaction
contenter: se ∾ be satisfied
conter tell
contiennent, contient, *see* **contenir**
contigu -ë adjoining
continental -e continental
continu -e continuous, steady
continuateur -trice continuer
continuel -le constant
continuer continue, go on
contracter contract; **contracté -e** frowning
contraction *f.* contraction
contradictoire contradictory
contraindre constrain
contrainte *f.* constraint
contraire contrary
contraster contrast, form a contrast
contre against; **vent ∾** a head wind, **170** 12; **∾-coup** *m.* recoil, repercussion
contrecarrer thwart
contremarque *f.* return-check
contrôle *m.* control
contrôler: se ∾ look oneself over
convaincre convince; **convaincu -e** self-confident, pompous, **56** 26
convalescent -e convalescent
convenable suitable, proper
convenance *f.* propriety
convenir agree, admit, suit
convention *f.* convention; **de ∾** conventional
conversation *f.* conversation
conviction *f.* conviction, assurance
convient, convint, *see* **convenir**
convive *m.* guest
convocation *f.* convocation, formal request
convoi *m.* train, funeral procession
convoitise *f.* covetousness, desire
convulsif -ve convulsive; **∾vement** -ly
copain *m.* "pal," "mate"
copie *f.* copy
coquet -te coquettish
coquetterie *f.* coquetry
coquin -e rascal
corail -aux *m.* coral
corbeille *f.* basket; **en ∾** like a basket of flowers
corbillard *m.* hearse
cordage *m.* rope

corde *f.* rope; **la ~ au cou** by compulsion, **170** 33
cordial -e cordial, hearty; **~ement** -ly
cordon *m.* cord, string; **large ~** wide ribbon (*over a shoulder and under an arm, bearing the formal decoration of an order*)
Cordoue Cordova (*in Spain*); **de ~** Cordovan
coriace crusty, hard
cornette *f.* head-dress (*of a Sister of Charity*)
Corniche *f.* "Cornice" (*a sea-cliff road*)
corps *m.* body; **~ législatif** legislature; **~ de pompe** pumping cylinder; *see* **prendre**
correct -e correct, precise, classic
correctionnelle *f.* lower criminal court
correspondance *f.* correspondence
corridor *m.* corridor, hall
corrigé -e corrected, well drilled
corrupteur -trice corrupting
corruption *f.* corruption
corsaire *m.* corsair, pirate
corse Corsican
Corse *f.* Corsica
corset *m.* corset
cortége (*Academy* **cortège**) *m.* procession, escort
corvée *f.* tax, burden
cosmopolitain -e cosmopolitan
cossu -e substantial, rich
costume *m.* costume, uniform, dress
costumier -ère costumer
côte *f.* coast, beach, hill-side
côté *m.* side; **à ~** aside; **à ~ de** beside; **à ses ~s** by his side, **180** 26; **de ~** aside; **de (du) ~ de** toward; **de ce ~** this way, on that side; **de son ~** on his part
cotte de mailles *f.* coat of mail
cou *m.* neck; *see* **corde**
couchant *m.* setting sun
couche *f.* layer, coat
coucher lie, recline, crouch; **se ~** set (*of the sun*), go to bed; *see* **chambre**
coude *m.* elbow
couler flow, run
couleur *f.* color
couleuvre *f.* adder, serpent
couleuvrine *f.* culverin, old cannon
coulisse *f.* space between side-scenes
couloir *m.* corridor, entry
coup *m.* blow, stroke, knock, shot, wound, trick, gulp; **~s de baccarat** gambling games; **~ de balai** sweeping; **~s de bourse** speculations in stocks; **~ de canon** cannon ball; **~ de chapeau** lifting of the hat; **~ de fouet** crack of the whip, stimulus; **~ d'œil** glance, general view; **~ de sabre** sword cut; **~ de sang** apoplectic fit, rush of blood; **~ de sifflet** whistle; **~ de théâtre** dramatic effect; **~ de timbre (sonnette)** bell-call (*signal*); **~ de tonnerre** thunder-clap; **~ de vent** squall, blast; **à ~ sûr** surely, certainly; **d'un ~** suddenly

coupable guilty
coupe *f.* cut, outline
coupé *m.* carriage
couper divide, cut (off *or* short)
couperosé -e pimpled, blotched
couple *f.* couple, pair
cour *f.* court, courtyard; ∾ **des comptes** audit office
courage *m.* courage
courageux -se courageous, manful
courant *m.* current; **au** ∾ **de** familiar with
courber bend
coureur *m.* runner
courir run (on, after, along), glide, circulate, explore, **165** 24; sail, **153** 15; *see* **monnaie**
couronne *f.* crown
courrier *m.* mail (*day's correspondence*)
courroux *m.* vexation, anger
course *f.* course, chase, trial, heat (*racing*); **à la** ∾ at a run; *see* **pas**
coursier *m.* courser, war horse
Cours-la-Reine *m. in the 8th Arrondissement, along the Seine*
court -e short, sudden, low (*brow*)
courtine *f.* curtain
courtisan *m.* courtier
coussin *m.* cushion
couteau -x *m.* knife; ∾ **à huîtres** oyster knife
coûter cost
coûteux -se costly
coutume *f.* custom; **de** ∾ usual
couvent *m.* convent
couver brood over, watch over, lie brooding, **60** 30
couvert -e *see* **couvrir**
couvert *m.* table (*when set*), place at table
couvre-feu *m.* curfew
couvrir cover, drown, **129** 11
cracher spit (out), throw
craindre fear, hesitate
crainte *f.* fear, dread
crampon *m.* "sticker"
cramponner fasten, bind; **se** ∾ cling
crâne *m.* skull, head; "swagger," **162** 29
craquer crackle, creak, give way
cravache *f.* horsewhip
cravate *f.* cravat
cravaté -e cravatted
crédit *m.* credit
crédule credulous
créer create
crêpe *m.* crape
crépine *f.* fringe
crépu -e kinky, close-curled
crépuscule *m.* twilight
creux -se hollow, empty
crevasser crease
crever burst, kill; ∾ **la faim** be starving
cri *m.* cry, outcry
criaillerie *f.* scolding, brawling
cribler shake, rack
crier cry, exclaim, proclaim
crime *m.* crime
criminel -le criminal
crinière *f.* mane
crise *f.* crisis
crispation *f.* shrivelling, clutching, **152** 9
crisper clutch, clench, irritate

cristal -aux *m.* crystal ware
crocheter du regard keep one's eyes fixed on
croire believe, expect; ∾ **à** believe in, think (**en** about it); ∾ **sur parole** take at one's word; **à** ∾ enough to make one think, **70** 10; **je crois bien** yes indeed!
croisée *f.* window-frame
croisement *m.* fold, **158** 25
croiser cross, wrap, fold; **se** ∾ pass one another, be interchanged
croître grow; **croissant -e** crescent
croix *f.* cross; *pl.* decorations; **en** ∾ folded
croquis *m.* sketch
crouler dessus tumble over on, **153** 34
croûte *f.* crust; *see* **casser**
croyance *f.* faith, belief
croyant, croyons, croyez, cru, crut, *see* **croire**
cruel -le cruel; ∾**lement** -ly
cuir *m.* leather, piece of leather
cuirassier *m.* heavy-cavalryman
cuire bake; *see* **terre**
cuivre *m.* copper
cuivré -e coppery, clashing
culotte courte *f.* knee-breeches
cure *f.* cure
curé *m.* parish priest (**de province** rural)
curieux -se curious, strange; looker-on, **180** 22; ∾**sement** -ly
curiosité *f.* curiosity; *pl.* idle questions, **86** 10
cuvette *f.* wash-bowl
cyclone *m.* cyclone
cymbale *f.* cymbal
cyniquement cynically
cynisme *m.* cynicism

dalle *f.* slab (*flooring*)
dame *f.* lady; by jingo!
dandy *m.* dandy, beau
danger *m.* danger
dangereux -se dangerous
dans in, among, with, to
danse *f.* dance; **de** ∾ dancing
danser dance
danseuse *f.* dancer
dardé -e flashing
date *f.* date
daté -e dated
dattier *m.* date tree
davantage more
David (*1748–1825*) *a painter-politician*
de (du, des) of, for, from, at, in, on, to, by, with, about, among; than; some, any; *after titles untranslated; often best rendered indirectly or omitted in translation*
dé *m.* die, cube
débâcle *f.* break-up, crash
débarbouiller: le ∾ **de** scrub his face with
débarquer land (*from a ship, train, or cab*)
débarras *m.* release
débarrasser: se ∾ **de** get rid of; **débarrassé -e** freed
débat *m.* debate, talk
débattre: se ∾ struggle, fight one's way
débordement *m.* overflow
déborder overflow, spill, pour, hang over

déboucher come out
déboucler unbuckle
débourser spend
debout erect, standing, "up"
déboutonné -e unbuttoned
débris *m. pl.* remnants, wreckage
début *m.* entry (*in society*); *pl.* beginnings
débutant -e beginner (*social*)
deçà : en ∾ within
décamper decamp, pack off
décavé -e "cleaned out," ruined (*in gambling*)
décemment with propriety
déception *f.* disappointment
décerner award
décès *m.* death
décharger relieve
décharné -e skinny, lean
déchirer rend, tear up; **déchirant -e** heart-breaking
déchirure *f.* rending, tearing
décidément surely, really, evidently
décider decide, settle on; **se ∾** undertake; **décidé -e** determined
décisif -ve decisive
décision *f.* decision
déclarer declare
déclassé -e unclassed, disclassed
décollation *f.* decapitation
décolleté -e bare-necked
décolorer discolor; **décolorante** *see* **poussière**; **décoloré -e** faded
décommander cancel, countermand, withdraw invitations for
déconfit -e dejected, discomfited
déconvenue *f.* disappointment
décor *m.* decoration; *pl.* scenes
décoration *f.* decoration
décorer decorate, ornament, fit out
découper carve, cut (through)
décourager discourage
découronner uncrown
découvrir discover, disclose, bare; **découvert -e** open
décret *m.* decree
décroître decrease
dédaigneux -se disdainful; **∾sement** -ly
dédain *m.* disdain, scorn
dédale *m.* maze, net-work
dédoré -e with worn gilt edges, **65** 32
déesse *f.* goddess
défait -e dejected
défaite *f.* defeat, evasion
défaut *m.*: **à ∾ de** in default of; **faire ∾** fail
défection *f.* desertion
défendre defend; **se ∾** protest
défense *f.* defence
défenseur *m.* defender
déférence *f.* deference
défi *m.* mistrust
déficit *m.* default
défier defy
défiguré -e disfigured
défilé *m.* defile, succession, procession
défiler pass by, pass on
défroque de parade *f.* cast-off gala dress
défunt -e deceased; *see* **parent**
dégager loosen, free; **∾ des odeurs de** smell of; **se ∾** release oneself; **dégagé -e** freed, careless

dégarnir : se ∾ grow empty
dégonfler : se ∾ collapse
dégourdir : se ∾ stretch oneself
dégoût *m.* disgust
dégoûter disgust
dégradation *f.* degradation
degré *m.* degree, extent
déguisement *m.* disguise
dehors outside, out of the window, out of doors, outward; **en ∾ et tout effusion** unrestrained in the display of their emotions, **52** 18; *see* **grille**
déjà already
déjeuner lunch; *m.* lunch
delà : au ∾ outside; **au ∾ de** beyond
délai *m.* stay (*legal*)
délayer dilute
délecter : se ∾ find satisfaction, take pleasure
délibérer deliberate
délicat -e delicate, dainty; **∾ement** -ly
délices *f. pl.* rapture
délicieux -se delicious, blissful, charming; **∾sement** charmingly
délié -e loosed, set free
délire *m.* frenzy, mad illusion
délivrance *f.* deliverance
délivrer deliver
déluré -e "wide-awake"
demain *m.* tomorrow
demande *f.* demand, order, request, petition
demander ask (**à** of), call for; **faire ∾** send to ask
démanteler strip
démarche *f.* step, action
démâté -e dismasted
démêlés *m. pl.* difficulties, contests
démentir contradict; **se ∾** fail
demeure *f.* dwelling; **à ∾** permanently; **mettre en ∾** summon, force, compel (*legally*)
demeurer dwell, remain, spend (*time*)
demi : à ∾ half; **à ∾-voix** *f.* in a low voice; **"x" heures et ∾e** half past "x" o'clock; **∾-baissés** drooping, **135** 16; **∾-bonheur** *m.* bliss unrealized; **∾-cercle** *m.* semicircle; **∾-clos -e** half-shut; **∾-confortable** *m.* show of comfort; **∾-jour** *m.* dim light; **∾-journée** *f.* half-day; **∾-louis** *m.* ten francs; **∾-pouvoir** *m.* illusory power
demoiselle *f.* "lady-like," **40** 27; **∾ d'honneur** bridesmaid
démolir demolish, pull down, destroy the credit of
démon *m.* wild genius
démonstratif -ve demonstrative
démonstration *f.* demonstration, show of feeling
démonté -e taken apart
dénonciation *f.* denunciation, accusation
dénouer unbind, untie
dénoûment *m.* ending
dent *f.* tooth
dentelle *f.* lace, open-work
départ *m.* departure
département *m.* department
dépasser go (pass) beyond, project, show through, stick out from, **170** 2
dépaysé -e foreign

dépaysement *m.* life abroad
dépêche *f.* despatch
dépêcher : se ~ hurry
dépens *m.* expense
dépense *f.* expense; **de ~** expensive
dépit *m.* vexation
déplacement *m.* shifting
déployer unfold, spread out
déposer deposit, leave
dépossédé -e displaced
dépouiller inspect
dépouilles *f. pl.* spoils
dépourvu -e stripped
dépression *f.* depression, sinking
depuis since, from, for (*time*); **~ "x" ans (jours)** "x" years (days) ago
députation *f.* deputation, select company, election as deputy
député *m.* deputy
déraciner uproot
déranger disturb
Derby *m.* Derby Races
dérisoire derisory
dernier -ère last
dérouler : se ~ uncurl, crawl along, **123** 32
déroute *f.* rout
dérouté -e bewildered, **142** 6
derrière behind
dès since, from; **~ à présent** immediately, "right away"; **~ en** already on; **~ que** as soon as, from the time that
désagréable disagreeable
désappointé -e disappointed
désapprendre unlearn
désarroi *m.* disarray, confusion
désastre *m.* disaster
descendre descend, come (bring, take) down
descente *f.* : **à la ~** downhill
description *f.* description
désemplir grow empty
désenchanté -e disenchanted
désert -e deserted, empty
désert *m.* desert
désertion *f.* desertion
désespéré -e desperate, frantic, in despair, very sorry
désespoir *m.* despair
déshonneur *m.* dishonor
déshonorer dishonor; **déshonorant -e** shameful, disgraceful
désigner designate
désillusion *f.* disappointment
désintéressé -e disinterested
désir *m.* desire
désirable desirable
désirer desire; **faire ~ à "x"** make "x" desire
désœuvré -e unoccupied
désoler : se ~ grieve; **désolé -e** grieved, despairing
désordonné -e disorderly, random, extravagant
désordre *m.* disorder; **de ~** careless, disorderly
despote *m.* despot
desservir do ill turns, clear (*a table*)
dessin *m.* design; **~ de modes** fashion-plate; **à ~** intentionally
dessiner design, outline, sketch
dessus up, on, on it, in it, **52** 22
destin *m.* destiny, fate
destination *f.* destination
destinée *f.* destiny, career

destiner destine (for)
destructif -ve destructive
détacher detach; **se ~** stand out, come out
détail *m.* detail
détaillé -e detailed
détaler scurry, scamper off
déteindre take the color out of; **déteint -e** faded
détendre relax; **se ~** unbend
détester detest
détour *m.* turn, circuit, twisting, evasion
détremper drench
détresse *f.* distress
détrousser rob, plunder
détrousseur *m.* cut-purse, pick-pocket
détruire destroy
dette *f.* debt
deuil *m.* mourning; **voiture de ~** funeral coach
deux two, both; **en ~** double; **tous (les) ~** both; **~ième** second
Deux-Sèvres *department in western France*
dévaler come down
devant before (it), at
devant *m.* front
devanture *f.* front, show window
dévaster devastate
devenir (*aux.* **être**) become; **ce que "x" est devenu** *and* **que devient "x"** what has become of "x," **38** 24, **177** 26
deviner guess
devint *see* **devenir**
devis *m.* plan, sketch
devise *f.* device, motto
dévoilé -e unveiled
devoir owe, be obliged to, have to, be going to, be destined to, be likely to; **dois (doit, doivent)** must, ought to; **devait, dut, dût, a dû,** *with inf.* must (might, should) have *with part.*; **devait être** was probably, **93** 25
devoir *m.* duty
dévorer devour, consume (**de** with)
dévotion *f.*: **à votre ~** at your service
dévouement *m.* devotion
dévouer devote; **se ~** self-devotion, **76** 18
diable *m.* devil, "poor fellow"; the deuce! **~ emporte** deuce take it! **ces ~s de** those confounded, **153** 24
diablesse de *f.* deuce of a, **160** 3
diagnostic *m.* diagnostic
dialogue *m.* dialogue
diamant *m.* diamond
dicter dictate
Dieu *m.* God, God's sake, **116** 18; **bon ~** heavens! **mon ~** dear me! really! after all! of course! **pour ~** for mercy's sake! **dieu -x** god, divinity; *see* **tonnerre**
différence *f.* difference
différent -e different
difficile difficult
digne worthy, dignified; **~ment** with dignity
dignitaire *m.* dignitary
dignité *f.* dignity
dilaté -e dilated
dimanche *m.* Sunday; **tous les ~s** Sundays

dimension *f.* size
dîner dine
dîner *m.* dinner
dire say (se to oneself, to each-other), tell; **en ∾ long sur** be eloquent of, **144** 20
direct -e direct; **∾ement** -ly
directeur *m.* director
direction *f.* direction
directorial -e -aux director's
diriger direct, manage; **se ∾** turn, go
dis, disais, disant, *see* **dire**
discours *m.* speech
discret -ète discreet, considerate, cautious; **∾ètement** discreetly
discrétion *f.* reserve
disculper exculpate
discussion *f.* discussion
discuter discuss; **se ∾** be discussed
disgrâce *f.* disgrace, downfall
disgracié -e ill-favored
disparaître disappear, vanish; **disparu -e** missing, **161** 3
dispenser dispense
disperser scatter; **se ∾** disperse, scatter
disposer dispose; **se ∾** prepare
disproportion *f.* disproportion
disproportionné -e abnormal
dissimuler dissimulate, hide; **se ∾** lurk
dissiper dispel, scatter, dissipate; **se ∾** vanish; **dissipé -e** inattentive, **148** 9
dissolution *f.* laxity
distance *f.* distance; **de ∾** distant; **à ∾** far from
distinction *f.* distinction
distinguer distinguish; **se ∾** differ; **distinguées** naturally noble, **145** 15
distraction *f.* diversion
distraire distract, deduct
distrait -e indifferent, absent minded
distribution *f.* distribution
dit, dites, *see* **dire**
dithyrambe *m.* declamation
divan *m.* sofa, lounge
divers -e diverse, various
diversion *f.* diversion
diversité *f.* diversity
divin -e divine, sacred
diviser divide
divulguer divulge
dix ten; **∾-huitième** eighteenth
dizaine *f.*: **une ∾ de** some ten
docteur *m.* doctor, Dr.
document *m.* document
dogmatique dogmatic
dogue *m.* mastiff
doigt *m.* finger
dois, doit, doive, *see* **devoir**
domestique servant
dominer dominate, overlook
dominicain *m.* Dominican (monk)
dommage *m.*: **quel ∾** what a pity!
don *m.* gift
donc then, now!
donner give; **se ∾** take; **∾ de face** face, **119** 13
dont of (at, by, with) which (whom), whose; **∾ le** whose
dorer gild
dormir sleep, be asleep
dorure *f.* gilding, gold trimmings (lace)

dos *m.* back
dose *f.* dose
dossier *m.* file (*of papers*), docket
dot *f.* dowry
double double
doubler double; **doublé -e** lined
douce *see* **doux**
doucereux -se sweetish, sugary
douceur *f.* softness, gentleness, delight, gentle manners; **∾s de reflet** soft shimmerings
doué -e gifted
douleur *f.* pain, grief
douloureux -se dolorous
doute *f.* doubt, suspicion; **sans ∾** doubtless, of course
douter doubt; **se ∾ de** suspect, guess (s'en it)
douteux -se dubious, dim
doux, douce, gentle, soft, sweet; **∾cement** -ly
douzaine *f.* dozen
douze twelve
dragon *m.* dragoon
drame *m.* drama
drap *m.* cloth
drapeau -x *m.* flag, banner
draper drape
draperie *f.* drapery
dresser draw up, raise, erect, set, **58** 2; **se ∾** rise; **dressé -e** standing erect, **148** 19; sitting up, **59** 27
dressoir *m.* sideboard, exhibition case
droit -e right, straight, erect, upright, just; directly; **la ∾e** the right hand (side); **de ∾e** right, **95** 20
droit *m.* right, law
drôle droll; **∾ment** -ly
drôlesse *f.* hussy
drufé *for* **trouvé**
dû, due, *see* **devoir**
duc *m.* duke
duchesse *f.* duchess
duel *m.* duel
duo *m.* duet
duperie *f.* swindle, swindling
duquel *see* **lequel**
dur -e hard, harsh, severe, stern
durer last; **durant** for the space of
dureté *f.* hardness, harshness, severity
dus, dut, dût, *see* **devoir**
dynastie *f.* dynasty

eau -x *f.* water; *pl.* baths, mineral springs; **faire ∾** leak; *see* **bord**
ébauchoir *m.* boasting-tool (*for modelling clay*)
ébaudir: s'∾ frolic
éblouir dazzle (de at, with); **éblouissant -e** dazzling, fascinating
éblouissement *m.* dazzling; **avoir un ∾** be dazed
ébouler: s'∾ fall in clods, **123** 34
ébranler shake; **s'∾** start, "lumber off"
ébréché -e notched
écart *m.*: **à l'∾** aside
écarté *m.* "discard" (*a gambling game*)
écartement *m.* cleared space
écarter part; **s'∾** move aside; **écarté -e** apart, aside, secluded, removed
ecclésiastique professional

échafaud *m.* scaffold
échange *m.* exchange
échanger exchange
échappée *f.*: **par brusques ∼s** by fits and starts
échapper escape (**à** *and* **de** from)
échauder : s'∼ scald oneself
échec *m.* check, blow (**de** to), checkmate, **164** 6
écho *m.* echo, repetition
échoppe *f.* shop
éclabousser splash
éclair *m.* flash, lightning, gleam
éclaircir bring to light
éclairer enlighten, carry a light for, light (up), exhibit
éclat *m.* brightness, splendor, striking effect, burst, explosion; **∼ de tonnerre** thunderclap
éclater burst out; **éclatant -e** bright, dazzling, sensational, loud; **voix éclatante** shout, **19** 12
écœurant -e revolting
écœuré -e heartsick, sickened
écœurement *m.* revulsion
école *f.* school
écolier -ère pupil
économies *f. pl.* savings
écorce *f.* bark
écorchure *f.* scratch (**où** through which, **105** 29)
écorné -e broken, "dog's-eared"
écornifleur *m.* swindler
écossais -e Scotch
écouler : s'∼ flow off (in)
écouter listen (to)
écraser crush, press, flatten out, "smash"; **s'∼** crash; **écrasé -e** overweighted, **125** 27
écrier : s'∼ exclaim
écrire write
écriteau -x *m.* placard
écriture *f.* handwriting
écrivant *see* **écrire**
écroulement *m.* collapse
écrouler : s'∼ crumble, crash
écru -e yellowish
écu *m.* écu (*obsolete coin worth about $1.20*); *pl.* money, dollars
écuelle *f.* platter, dish; **par ∼s** in bucketfuls, **61** 34
écume *f.* froth
écumeux -se foamy, spumy
écurie *f.* stable
édifice *m.* building
éducation *f.* education, training
effacé -e blurred
effaré -e frightened, bewildered
effarement *m.* bewilderment
effaroucher : s'∼ get frightened
efféminé -e effeminate
effendi (*Turkish*) *m.* master
effet *m.* effect, purpose; **à ∼** for effect, disingenuous; **en ∼** in fact; **me faire un ∼ du diable** have the deuce of an effect on me
efficacement effectively
effiler twirl
effleurer touch, graze
effondrement *m.* collapse
effondrer : s'∼ fall in; **effondré -e** collapsed, broken down, sunken
effort *m.* effort, exertion
effrayer frighten
effréné -e excited
effroi *m.* terror, emotion
effronté -e impudent, bold; **∼ment** -ly

effronterie *f.* effrontery
effroyable dreadful, frightful
effusion *f.* outpouring, lack of restraint; *pl.* unction, **42** 30; *see* **dehors**
égal -e -aux equal, indifferent; **à l'∾ de** to match; **c'est ∾** never mind! no matter! all the same!
égalité *f.* equality
égard *m.*: **à l'∾ de** about, in regard to
égarement *m.* distraction, disorder (*mental*)
égarer distract; **égaré -e** gone astray, stray, roving, restless
église *f.* church
égoïsme *m.* egoism
égoïste *m.* egoist
égout *m.* sewer
égoutter drip; **s'∾** trickle away
égrener tell (*beads for prayers*)
égyptien -ne Egyptian
eh O! **∾ bien** well!
élaborer elaborate
élan *m.* start, spring, outburst, momentum; **∾ à toute vapeur** full steam ahead; **prendre son ∾** start forward
élancement *m.* eagerness
élancer: s'∾ rush (dash) off (forward); **s'∾ sur** ascend briskly, **2** 10; **élancé -e** slender
élargir: s'∾ expand; **élargi -e** widened
élastique elastic
électeur *m.* elector
élection *f.* election
électoral -e -aux electoral
électrique electric
élégance *f.* elegance, daintiness
élégant -e elegant, dainty, man (people) of fashion, **109** 9, **87** 34
élément *m.* element
éléphantiasis *m.* elephantiasis
élever raise, bring up; **élevé -e** high; **mal élevé** ill-bred
élire elect
élixir *m.* elixir
elle *f.* she, it, he, **14** 25; herself, her; **(son) à ∾** her own, **43** 8; **pour ∾** in its favor, **81** 5; **∾-même** herself; **d'∾-même** of its own accord
éloge *m.* eulogy, praise
éloignement *m.* estrangement, separation
éloigner estrange, alienate, get out of the way, **115** 28; **s'∾** go off, grow remote; **éloigné -e** remote
éloquence *f.* eloquence; **d'une ∾** eloquent
éloquent -e eloquent, expressive
élu -e *see* **élire**
éluder elude
élyséen -ne Elysian
émacié -e emaciated, haggard
emballage *m.* packing up
emballement *m.* gullibility
emballeur *m.* packer, shipping-agent
embargo *m.* embargo
embarras *m.* embarrassment
embarrasser embarrass
embéguiné -e kerchiefed
embelli -e beautified
embrasé -e burnt out

embrassade *f.* embrace, hug
embrasser kiss
embrasure *f.* casement, window-recess
embrouillé -e obscured, mixed up
embûche *f.* ambush, snare
embué -e misty
embuscade *f.* ambush
embusqué -e lurking
émerger emerge
émerveillé -e surprised
émeute *f.* street riot
émissaire *see* **bouc**
emmener take (off, along)
émotion *f.* emotion
émotionner : s'∾ de leur propre mimique be moved by their own acting of emotion, **61** 14
émoustiller exhilarate
émouvoir move ; **s'∾** stir, be disturbed (**en** at it) ; **ému -e** stirred (*with emotion*)
empanaché -e beplumed
emparer : s'∾ take possession
empêcher hinder ; **s'∾ de** keep from
empereur *m.* emperor
empêtrer : s'∾ get entangled
emphatique impressive
empiler pile
empire *m.* empire ; **premier ∾** *i.e. of Napoleon I, 1804–1814*
empirique empiric ; *m.* irregular practitioner
emplâtrer : s'∾ flatten itself
emplir : s'∾ grow (get) full
emploi *m.* trade
employer employ
empoisonné -e venomous
emporter bear (along), take (away), overcome, **169** 15 ; carry (*a vote*, **107** 11) ; *see* **diable**
empressement *m.* eagerness, assiduity, concern
empresser : s'∾ be eager, be assiduous, bestir oneself ; **empressé autour de** concerned about
emprunt *m.* loan
emprunter borrow (**à** from)
emprunteur *m.* borrower
ému -e, émut, *see* **émouvoir**
en of (from, with, by, about, at, for) him (her, it, that, them) ; some, any, people, **119** 28 ; *often redundant or renderable indirectly only*
en in, within, at, to, by, on, into, from, out of, made of, as, as (like) a ; *before present part.* when, while, on ; *often redundant or best rendered indirectly*
énamouré -e like a lover
en-avant forward ! impulsion, **30** 11
encadrer enclose, frame in
en-cas *m.* collation
enceinte *f.* circuit
enchanté -e delighted
encombré -e encumbered, crowded
encombrement *m.* crowding, accumulation
encombrer : s'∾ be stuffed full, **114** 33
encore still, yet, though, even, again, yet more, even so ; **∾ un** another
encouragement *m.* encouragement
encourager encourage
encre *f.* ink
encrier *m.* inkstand

endormir : **s'∾** fall asleep, go to sleep; **endormi -e** asleep
endroit *m.* place; **à son ∾** in his regard
énergie *f.* energy
énergique forceful, hearty
énervant -e enervating, nervously exhausting
énervement *m.* nervous strain
enfance *f.* infancy, childhood
enfant *m. and f.* boy, girl, child, infant, "boy"; **toute ∾** while still a little girl; **bon ∾** good-humored, simple; **d'∾** childlike
enfantin -e childlike, childish
enfermer : **s'∾** shut oneself up
enfiévrer make feverish
enfilade *f.* : **en ∾** in suite
enfiler slip through
enfin finally, at last, in short, of course, anyway
enflammé -e aglow, "lighted up" (*with wine*)
enfler swell, bloat; *see* **espèce**
enflure *f.* swelling, bloating
enfoncer : **s'∾** sink, plunge; **enfoncé -e** withdrawn, **138** 26, "dished," **63** 12
enfourner pocket
enfumé -e smoky
engagement *m.* pledge (**pris** given, **175** 23)
engager engage, invite, urge, enter (*aux.* **être**, **130** 4); **s'∾** involve oneself; **s'∾ sur** start to cross, **103** 25
engloutir sink, swallow up (**à** into); **s'∾** be swallowed up, bury oneself
engouffrer : **s'∾** be engulfed
engourdi -e benumbed
engourdissement *m.* languor
énigmatique unintelligible
énigme *f.* enigma
enjambée *f.* stride
enjoué -e sportive, sprightly
enlacé -e entwined
enlever remove, take away, carry off (**à** from), settle
enlisé -e in quicksand
ennemi -e enemy
ennui *m.* weariness
ennuyer: **s'∾** get bored; **ennuyé -e** tired, annoyed
énorme huge
enquête *f.* investigation
enrager enrage; **enragé -e** wild, angry, mad, "crazy"
enrayer "slow up," "put on the brakes," **97** 7
enrhumer : **s'∾** take cold; **enrhumé -e** with a cold, hoarse
enrichir : **s'∾** get rich; **enrichi -e** enriched
ensablé -e stranded
enseigne *f.* signboard
ensemble together
ensemble *m.* harmony; **avec un même ∾** in unison
enserrer shut in, hold, guard
ensuite then, afterwards
entaché -e tainted
entasser : **s'∾** crowd
entendre hear, expect; **∾ ainsi** have that intention; **s'∾** get on together; **s'y ∾** know how; **entendu -e** agreed, understood
enterrement *m.* interment

enterrer bury
en-tête *m.* heading
enthousiasme *m.* enthusiasm
enthousiasmer fill with enthusiasm
enthousiaste enthusiastic
entier -ère entire, whole, all; wholly, utterly, absolutely
entour *m.*: **à l'~** around them
entourage *m.* company, surroundings
entourer surround; **s'~** be circled
entr'acte *m.* pause between the acts
entrailles *f.pl.* bowels, heart
entrain *m.* gusto, zest
entraîner carry (drag) off (away, on, down)
entraîneur *m.* trainer
entrave *f.* fetter
entraver fetter, hobble, clog
entre between, through, in
entrechat *m.* dancing step, **57** 19
entrée *f.* entrance, coming in
entrelacement *m.* interlacing
entreprendre undertake
entreprise *f.* enterprise
entrer (*aux.* **être**) enter, come (go) in; **faire ~** usher
entretenir: **s'~** converse
entretien *m.* talk
entrevoir glimpse, perceive
entrevue *f.* interview
entrouvrir *and* **entr'ouvrir** set ajar, half open
énumérer enumerate
envahir invade
envahissement *m.* invasion
enveloppe *f.* envelope, exterior
envelopper envelop, wrap; **s'~** wrap oneself up
envie *f.* envy, desire
environ about
environner environ, surround
environs *m.pl.* environs
envoi *m.* sending, exhibit
envolé -e winged, airy, vanished, **168** 4
envoyer send; **envoyé** "a home hit," **19** 9
épais -e thick
épaisseur *f.* thickness
épandre spread, diffuse
épanouir *and* **s'~** expand, burst, brighten
épargner spare
éparpiller scatter, strew
épars -e scattered
épaté -e flattened
épaule *f.* shoulder
épave *f.* waif; *pl.* wreckage
épée *f.* sword
éperdu -e bewildered, distracted, passionate
épicer spice, season
épicurien -ne Epicurean
épiderme *m.* skin
épisode *m.* episode
éponge *f.* sponge
époque *f.* time, age
épouse *f.* wife, bride
épouser marry
épouvantable dreadful, frightful, scandalous, "awful"
épouvante *f.* terror
épouvanter frighten
épreuve *f.* trial, testing, proof-sheet
éprouver test, try, tax, feel

épuisement *m.* exhaustion
épuiser exhaust
épurer purge
équilibre *m.* balance, even tenor; en ∾ balanced
équilibrer balance, ballast
équipage *m.* crew, team, "rig," **105** 18
éraillé -e rough, hoarse
éraillure *f.* rasping, scratch, scar
Érèbe *m.* Erebus
Ermite *see* **Pierre**
errer wander, stray
erreur *f.* error
érudit -e well-informed
esbrouffeur -se pretentious, humbugging
escadron *m.* squadron
escalade *f.*: **en ∾** ranging down
escalader mount
escalier *m.* stairway
esclave slave
escorte *f.* escort
escorter escort, attend
espace *m.* space
espacer space, emphasize; **s'∾** stand at intervals; **espacé -e** placed at intervals, measured, deliberate
Espagne *f.* Spain; **d'∾** Spanish
espagnol -e Spanish; **Espagnol -e** Spaniard
espèce *f.* sort; **∾ d'enflé** bloated fool
espérance *f.* hope
espérer hope (**99** 27, *ironical*)
esplendeur *f.* splendor (*dialectic*)
espoir *m.* hope
esprit *m.* wit, mind, nature
esquisse *f.* sketch
esquisser sketch
esquiver: **s'∾** slip away
essai *m.* trial, attempt; **à l'∾** on trial
essayer try (on)
essence *f.* essence
essieu -x *m.* axle
essoufflé -e out of breath
essuyer wipe
estafette *f.* courier, messenger
estimer estimate
estomac *m.* stomach
estomper "stump" (*in drawing*), dim
estrade *f.* platform, gallery
estradier *m.* man of the platform
et and
établir establish, settle, set up; **s'∾** settle down, get married, **49** 6
établissement *m.* establishment
étage *m.* story, landing-place (*stairs*), stage (*of progress*)
étagé -e terraced
étageant -e: **s'∾** in ascending ranks
étain *m.* pewter
étalage *m.* display
étaler spread out, display; **s'∾** stretch
étape *f.* stage (*of progress*)
état *m.* state, condition
été *m.* summer
éteindre extinguish; **s'∾** go out (*i.e.* die); **éteint -e** unnerved, feeble
étendard *m.* standard, banner, battle-flag

étendre stretch; **s'∼** stretch, extend; **étendu -e** shut, **167** 1
éternel -le constant
Éthiopien -ne Ethiopian
étinceler sparkle; **étincelant -e** glittering, in gorgeous array, **89** 11
étiquette *f.* etiquette, label
étoffe *f.* stuff (*fabric*)
étoile *f.* star; **à bonne ∼** lucky
étonnement *m.* astonishment
étonner astonish, surprise; **s'∼** be astonished (surprised)
étouffer stifle; **s'∼** crowd; **étouffé -e** stifled, stifling, close, suppressed
étourdir make dizzy; **besoin de s'∼** need of distraction; **étourdissant -e** bewildering, giddy
étourdissement *m.* dizziness
étrange strange, foreign; **∼ment** -ly
étranger -ère foreigner
étrangeté *f.* oddity, foreignness
étrangler choke; **s'∼** be choked
être be; *aux. with reflexives and some other verbs* have; **∼ à** belong to; **est-il** the fact is, **102** 29; **nous sommes** this is, **73** 4
être *m.* being, creature; **bien ∼** good-living
étreinte *f.* embrace
étrenne *f.* first wearing
étroit -e close, close-fitting; **∼ement** closely
étroitesse *f.* narrowness
étude *f.* study; *see* **cabinet**
étudier study
Europe *f.* Europe
Européen -ne European
eux they, them, themselves; **∼-mêmes** themselves; **entre ∼** among themselves, with one another
évacué -e vacated
évaporer: s'∼ evaporate
éveiller awaken, arouse; **s'∼** awake; **éveillé -e** wide-awake
événement *m.* happening
éventail *m.* fan
éventer: s'∼ fan oneself
évidemment evidently
évident -e evident
éviter avoid
évoluer circle about, disport oneself, **102** 28
évoquer evoke
exactement exactly, precisely
exagération *f.* exaggeration
exagérer exaggerate
exalter excite, stimulate; **s'∼ encore** rise to yet higher pitch, **151** 28
examiner examine
exaspération *f.* exasperation
exaspérer exasperate
ex-cantinier *m.* former sutler
excédé -e overworked, tired, languid, worn out
Excellence *f.*: **Son ∼** *or* **l'∼** His (Your) Excellency
excellent -e excellent, worthy, good
excepté except, **64** 20
exception *f.* exception; **d'∼** exceptional; **par ∼** exceptionally
exceptionnel -le exceptional
excès *m.* excess
excitant *m.* incitement
excitation *f.* excitation, arousing

exciter excite, urge; s'∾ "brace oneself," **65** 27
exclamation *f.* exclamation
exclamer: **entendre s'∾** hear blurted out, **86** 9
excuse *f.* excuse
excuser excuse
exécrable execrable
exécuter execute, take, **161** 18
exécution *f.* execution, fulfilment
exemplaire *m.* copy
exemple *m.*: **par ∾** for instance! of course! really! come now! to be sure!
exercer exercise
exigeant -e exigent
exiger demand
exil *m.* exile
exiler exile; **s'∾** expatriate oneself
existence *f.* life, way of living
exister exist
exotique exotic
expansion *f.* expansion, exaggeration, outburst, overflow, heartiness, **133** 9; communicative mood, **75** 27
expédient *m.* shift
expédier send, despatch, ship
expéditif -ve expeditious, quick
expérience *f.* experience
expertise *f.* analysis, **150** 16
explication *f.* explanation, understanding
expliquer explain; **s'∾** give account
exploitation *f.* exploitation
exploiter exploit
exploiteur *m.* exploiter
explorer explore
exposer expose, exhibit
exposition *f.* exhibition
expressif -ve expressive, alert, with mobile features
expression *f.* expression, utterance; **∾ retombante** downward curl, **73** 7
exprimer express
exquis -e exquisite
exsangue bloodless, anæmic
extasier: s'∾ be delighted
exténuer debilitate
extraction *f.* origin
extraordinaire extraordinary; **∾ment** greatly
extrême extreme, very great; **∾ment** -ly
extremis *see* ***in***
extrémité *f.* extremity; **∾ de ville** outskirt, **128** 24
exubérance *f.* exuberance
exubérant -e exuberant

F . . . *for* **foutu** done for! gone up!
façade *f.* front; **∾ en coin** double frontage
face *f.* face; **en ∾** opposite, in view of; **faire ∾ à face**; **se faire ∾** confront one another; **bien en ∾** full in the face; *see* **donner, retrouver**
fâcher vex, annoy
fâcheux -se vexatious
facile easy; **∾ment** -ly
facilité *f.* readiness, carelessness, heedlessness
faciliter facilitate, smooth

façon *f.* way, fashion, fashioning, **31** 2; **sans ∾** carelessly
factice factitious, seeming
faction *f.* sentry duty
faculté *f.* faculty, capability, profession, **112** **9**
faible weak; **∾ment** -ly
faiblesse *f.* weakness
faiblir weaken
faïence *f.* pottery; *pl.* pieces of pottery
failli -e bankrupt
faillite *f.* bankruptcy, failure
faim *f.* hunger; **avoir (grande) ∾** be (ravenously) hungry
faire do, make, get, say, cause, matter, bring about, arrange, manage, negotiate, model, produce, practise; *with following inf.* have *with part.*; **∾ à "x"** get (cause) "x" to; **∾ bon (chaud, froid)** be fine weather (warm, cold); **en ∾ de** experience, **18** 2; **en être fait de** be all over with, **171** 16; **laisser ∾** let alone; **fait -e** fitted, adapted, ready-made, **136** 1; **de fait** finished, settled; **rien de fait** "it's no go," **132** 2; **se ∾** happen, become, come, be formed (made up), adapt oneself (**y** to it); **se ∾** *with inf.* get oneself *with part.*; *see* **appeler, billet, défaut, eau, effet, face, horreur, malin, mine, peine, pitié, plaisir, suite, toilette, venir**
fait *m.* fact; **au ∾ de** familiar with; **de ∾** in fact
faîte *m.* top
fakir *m.* fakir (*East Indian devotee*)
falloir be necessary (needed, right, proper, best, a matter of course, worth while, **164** 4); **il faut, il le faut, il me (te** *etc.*) **faut,** *and* **il faut que je (tu** *etc.*) *with subj.*, I (you *etc.*) must, can, may, need, want, ought to, have to, must have; **fallait** *with inf. or subj.* must (should) have *with part.*; **il lui fallut** he was obliged, **152** 24; **il faudra que "x" "x"** will have to; **il faudrait** it would be right, **154** 6; **avait fallu** took, **176** 3; **lui en aurait fallu** would have taken, **87** 27
famélique hungry
fameux -se famous, notorious
familial -e -aux family
familiarité *f.* familiarity
familier -ère familiar, intimate
famille *f.* family
fanchon *f.* gauzy head-scarf
faner fade, nip
fanfare *f.* brass band
fange *f.* mire, mud
fangeux -se muddy, dirty
fantaisie *f.* fantasy
fantassin *m.* foot-soldier
fantastique fantastic
fantôme *m.* phantom; **de ∾** phantasmal
fanure *f.* "washed-out look"
Faraman *coast town in the Rhone delta*
farandole *f.* (*a dance*) company of dancers, **56** 21
farandoleur *m.* dancer of the farandole

farce *f.* farce, nonsense
farceur -se droll, jesting, **52** 28
fard *m.* face-paint
farouche wild, fierce
fascinateur -trice fascinating
fasse *see* **faire**
fatal -e -aux fatal; ∾**ement** inevitably
fatalisme *m.* fatalism
fatalité *f.* fatality
fatigue *f.* fatigue; **beaucoup de** ∾ very tiring, **114** 18
fatiguer tire; **fatiguant -e** wearisome
fatuité *f.* fatuity
faubourg *m.* suburb, working-class district, **161** 13; ∾ **Saint-Antoine** (Anthony) *artisan district near the Place de la Bastille;* ∾ **Saint-Denis** *artisan district north of Saint-Antoine;* ∾ **Saint-Martin** *artisan district east of Saint-Denis;* ∾ **Saint-Honoré** *aristocratic quarter, socially the 8th Arrondissement*
faudra, faudrait, *see* **falloir**
faufiler: se ∾ slip about
fausse(ment) *see* **faux**
fausseté *f.* false pretense
faut *see* **falloir**
faute *f.* fault; ∾ **de** for lack of; **pris en** ∾ caught in disobedience
fauteuil *m.* armchair
fauve *m.* wild beast
faux, fausse, false, fraudulent; **faussement** -ly
faux-col *m.* collar (*detachable*)
faveur *f.* favor
favorable favorable
favori -te favorite
favoris *m.pl.* whiskers
favoriser favor
féal -e -aux vassal
fébrile feverish; ∾**ment** -ly
fée *f.* fairy
féerie *f.* fairy-land; **sur les théâtres de** ∾ in fairy-plays
féerique fairy-like
feint -e feigned
félicitation *f.* felicitation
felouque *f.* felucca, lighter
féminin -e feminine
féminiser: se ∾ become womanly
femme *f.* woman, wife; *pl.* ladies, servants, **48** 24
fendre split, rend, cut (open)
fenêtre *f.* window
fer *m.* iron; ∾ **à friser** curling-tongs; ∾ **de flèche** arrowhead
ferai, ferais, *see* **faire**
ferme firm, settled
ferme *f.* farm
fermer close, shut, seal, enclose end; **fermé -e** set, clenched
fermeture *f.* closing time
féroce fierce; ∾**ment** -ly
férocité *f.* ferocity
ferraille *f.* iron-ware; *see* **revendeur**
ferré: voie ∾**e** *f.* railway
férule *f.* ferule, stick
fervent -e fervent
festival -aux *m.* festival
fête *f.* festival, entertainment, party; *pl.* festivities; **de**∾ festive
fétiche *m.* fetich, charm
feu -x *m.* fire; ∾**x d'artifice** fireworks; ∾ **de bengale** Bengal light; **en** ∾ ablaze

feuillage *m.* foliage
feuille *f.* sheet (*of paper*)
feuillet *m.* slip, leaf, sheet (*of paper*)
feuilleter turn leaves, "thumb"
fève *f.* bean
fez *m.* fez (*Turkish cap*)
fi fie! really!
fiacre *m.* cab
fichtre of course!
fichu *m.* fichu (*neck-piece*)
fidèle faithful; **∾ment** -ly
fier: se ∾ rely, trust
fier -ère proud, "precious," "tremendous"; **∾èrement** -ly
fierté *f.* pride; *pl.* feelings of pride, **116** 23
fièvre *f.* fever; **avec ∾** excitedly; **avoir la ∾** be feverish
fiévreux -se feverish; **∾sement** -ly
Figaro *title character in a play by Beaumarchais and an opera by Mozart*
figuration *f.* performance, staging
figure *f.* figure, face, image, expression
figurer take part, be present; **se ∾** suppose, picture to oneself
fil *m.* wire, thread
file *f.* file, row
filet *m.* string, streak, **109** 8
filigranées d'argent with silver tracery
fille *f.* daughter, girl, young woman, maid; **∾ de chambre** chambermaid
filleule *f.* god-daughter
fils *m.* son, Jr., **164** 19
filtrer filter, gleam furtively, **29** 10
fin -e fine, delicate, slender, small, close, keen, clean-cut, delicately molded; **frisés ∾** in little curls, **83** 1; *see* **partie**
fin *f.* end; **∾ de phrase** period; **à la ∾** at last
final -e final
finance *f.* finance; **homme de ∾** financier
financier -ère financial; financier
finesse *f.* daintiness, delicacy
finir finish, end; **en ∾** "get through"; **fini -e** over, settled, "done for"
firent, fit, fît, *see* **faire**
fixe fixed
fixer fix, embody, stare at; **se ∾** take shape
flair *m.* instinct
flairer smell, sniff
flaireur *m.* scenter
flamand -e Flemish
flamant *m.* flamingo
flambeau -x *m.* chandelier
flambée de gaz *f.* sign in gas-jets
flamber flame, flicker; **flambant -e** lighted up; **flambé -e** burnt up, gone, **178** 20
flamboiement *m.* bright array
flamboyer blaze, glare, gleam
flamme *f.* flame, fire, flashing glance; *see* **montée**
flâneur *m.* loiterer, man of leisure
flanquer par-dessus bord throw overboard
flaque *f.* puddle
flasque haggard
flatter flatter

flèche *f.* arrow, beam of light, spire; *see* **fer**
fleur *f.* flower
fleuri -e full of blossoms, decked, **160** 13
fleuve *m.* river
floraison *f.* blooming time, blossoming
flot *m.* wave, tide, stream, rush (*of blood*)
flotte *f.* fleet, flotilla, navy
flotter float, drift about, flutter; **flottant -e** flitting, vague, "baggy," **138** 17
flou *m.* softness of touch
flouerie *f.* fraud
foi *f.* faith; **ma ∾** really! verily!
fois *f.* time; **à la ∾** at once; **une (deux, trois) ∾** once (twice, thrice); **mille ∾** very, **25** 20
fol *see* **fou**
folie *f.* folly, nonsense, frenzy
folle(ment) *see* **fou**
foncer darken
fonction *f.* function
fonctionnaire *m.* official
fonctionner function, work
fond *m.* background, bottom, back part, depths, substance, **139** 32; **∾ de bain** bath sheet; **∾ de cale** hold (*in a ship*); **∾ de train** full speed; **à ∾** thoroughly; **au ∾** in reality; *pl.* distances, **181** 22
fondateur *m.* founder
fondation *f.*: **de ∾** from the start, permanently
fonder found
fondre *and* **se ∾** melt away
fondrière *f.* pitfall
fonds *m.* funds, money
font *see* **faire**
fontaine *f.* fountain
Fontainebleau *town and wooded park some 25 miles southeast of Paris*
forban *m.* pirate
force *f.* force, strength; **∾ de chevaux** horse-power; **à ∾** by dint; **à toute ∾** insistently; **de ∾** forcibly; *see* **bout**
forcené -e mad; mad-cap
forcer force, break open, compel
forêt *f.* forest
forge *f.* forge; *see* **soufflets**
formalité *f.* formality
forme *f.* form, shape
former form
formidable formidable, fearful
formule *f.* formula, set phrase
formuler express
fort -e strong, loud, great, large, "smart"; very, closely, hard; **trop ∾** "too much"; **∾ement toasté** drunk deep to, **82** 24
fortifier fortify, strengthen; **fortifiant -e** tonic
fortuit -e chance
fortune *f.* fortune; **à bonnes ∾s** lucky in love
fosse *f.* pit, grave; **∾ commune** "potter's field," **161** 8
fossé *m.* ditch
fou, fol, folle, foolish, wild, "crazy," rumpled, **77** 26; madcap; **follement,** foolishly, wildly, immensely; *see* **tête**
foudroyer crush, blast; **foudroyant -e** thunderous, dreadful

fouet *m.* whip
fougue *f.* impetuosity
fougueux -se impetuous
fouiller fumble
fouillis *m.* tangle
foule *f.* crowd, "lot"
fouler trample, tread
four *m.* furnace
fourbe *f.* imposture; *m. and f.* knave, cheat
fourbu -e worn out, foundered, "knocked up"
fourchette *f.* fork
fourmillement *m.* swarming
fourmiller swarm
fournée *f.* batch, load
fournir furnish
fournisseur *m.* furnisher, contractor
fourrager rumple, **152** 9
fourreau *m.* case
fourrer thrust (down)
fourrure *f.* fur; **en ∾** fur-trimmed
fourvoyé -e astray
foyer *m.* hearth, home; **dans ses ∾s** to his district, **102** 7
frac *m.* frock-coat
fracas *m.* confusion, bustle, fuss, din
fragment *m.* fragment, snatch
fraîche(ment) *see* **frais**
fraîcheur *f.* freshness
fraîchir grow fresh (cool)
frais, fraîche, fresh(ly); **de ∾** freshly; **prendre le ∾** take an airing; **fraîchement** recently
frais *m.pl.* expenses
fraise *f.* ruff
franc -che frank; **∾chement** -ly
franc -que European
franc *m.* franc (*about 19 cents*)
français -e French; **Français -e** Frenchman (woman)
France *f.* France
Francese (*Italian*) *m.* Frenchman
franchir cross, pass over
franchise *f.* frankness
François I Francis I (*king 1515–1547*)
Françoise *f.* Frances
frange *f.* fringe
frangé -e fringed
frapper strike; **eau frappée** *f.* ice-water
fredonner hum a tune
frein *m.* bridle, restraint
frémir quiver, shudder; **frémissant -e** eager
frémissement *m.* quiver
fréquent -e frequent
fréquenter frequent
frère *m.* brother
frétiller wriggle
fretin *m.* small fry
fricot *m.*: **du ∾** a stew
fringant -e brisk
frise *f.* frieze; *pl.* upper windows, **174** 3
frisement *m.* twinkle
friser curl; **frisé -e** curly; *see* **fer, fin**
frison *m.* little curl, trace, **23** 14
frisson *m.* quiver, shudder
frissonner shiver, shudder
frisure *f.* curls
froid -e cold, cool, chilly; **∾ement** coolly, icily
froid *m.* cold, chill; **avoir ∾** be cold; **à ∾** *see* **railleur**

froideur *f.* coolness, indifference
froissement *m.* rustling
froisser crumple, rumple
frôlement *m.* rustling
froncement *m.* frowning, lowering
froncer frown; **fronçant -e** wrinkling; **froncé -e** lowering, frowning
front *m.* brow, forehead
frontière *f.* frontier
frotter: le ∾ rub his face
frou *and* **frou-frou** *m.* rustle
fruit *m.* fruit
fuir flee, run away, take flight, escape, vanish
fuite *f.* flight
fumée *f.* smoke
fumer smoke, puff, steam
funèbre funeral, funereal
funérailles *f. pl.* funeral ceremonies
funéraire funereal
funeste baneful
fureter ferret out, search
fureur *f.* fury, anger, rage
furieux -se furious, angry, wild; **∾sement** -ly
furtif -ve furtive; **∾vement** -ly
fuseau -x *m.* spindle
fusée *f.* rocket, burst, **57** 23
fusil *m.* gun, musket
futile trivial
futilité *f.* futility
fuyaient *see* **fuir**

gâcheur -se bungler
gâchis *m.* mess, wanton waste
gagner gain, win, earn, spread; **gagnant -e** winner
gai -e gay, light-hearted
gaieté *f.* gayety
gaillard *m.* "fellow"
gain *m.* gain, profit
gala *m.*: **de ∾** festive
galerie *f.* gallery
galion *m.* treasure-ship
galoper gallop
galvaniser electrify
gamin -e youngster, chit, saucebox
gandin *m.* dandy
gant *m.* glove
ganté -e gloved
garantir guarantee
garçon *m.* boy, "boy," young man, bachelor, fellow, waiter; **∾ de bureau** clerk; **∾ d'accessoire** stage hand
garde *f.* guard; **en ∾** on (my) guard; **prendre ∾** take care, pay attention, "look out"; *m.* **∾ de Paris** municipal guardsman (*abolished 1871*)
garder keep, keep up, **133** 15; **se ∾** be on one's guard (**en** against it)
gardien *m.* guard
gare *f.* railway station
garer: se ∾ be cautious
garnir garnish, fill, **92** 32; **garni -e** furnished, covered; **garni** *m.* furnished lodging
garrotté -e bound
gascon -ne Gascon, southern French
gaspillage *m.* waste
gaspiller lavish
gâteau -x *m.* cake

gâte-bourse *m.* cut-purse, pickpocket
gâter spoil; **gâté -e** spoilt
gauche left, awkward; **de ∾** on (to) the left
gaucho *m.* herdsman
gaufrure *f.* goffering, stamping
gaver stuff
gaz *m.* gas, gas-jet
gaze *f.* gauze; **en ∾** like a gauzy veil, **124** 11
géant *m.* giant
gendre *m.* son-in-law
gêne *f.* annoyance, restraint, hesitation
gêner annoy, interfere with, embarrass
général -e -aux general
généreux -se generous
Gênes Genoa (*in Italy*)
génial -e genial
génie *m.* genius; **de ∾** spirited **158** 2
genou -x *m.* knee
genre *m.* kind
gens *m. and f. pl.* people, men, servants, farm-hands; **∾ du monde** people of fashion; **∾ de service** lackeys; **∾ de livrée** footmen; *see* **bourse**
gentil -le "nice"
gentilhomme, gentilshommes, *m.* gentleman; *see* **bourgeois**
gérant *m.* manager
geste *m.* gesture, motion, social bearing
gesticuler gesticulate
gibet *m.* gallows; **au ∾** gibbeted
Giffas *a fictitious town*
gigantesque gigantic
gilet *m.* vest, waistcoat
girandoles *f. pl.* groups of lamps
gisant -e lying; **gisent** lie; **gît** lies (*from* **gésir**)
glace *f.* mirror; **lever les ∾s** close the carriage windows, **61** 22
glacé -e icy, cold
glacial -e -aux icy, frigid
glaise *f.* molding clay; **en pleine ∾** right into the clay
glaive *m.* sword
gland *m.* acorn, tassel
glanes *f. pl.* gleanings
glisser *and* **se ∾** slip, glide
gloire *f.* glory, fame
glorieux -se glorious, radiant, exultant
glorification *f.* glorification
golfe *m.* gulf
gonflement *m.* swelling
gonfler swell, puff out
gong *m.* gong
gorge *f.* throat; **rendre ∾** disgorge
gouffre *m.* gulf, depth, abyss
Goulette *harbor at Tunis*
goulu -e greedy
gourmand -e gluttonish
gourmandise *f.*: **de ∾** for an epicure, **74** 26
gourmette *f.* curb-chain
goût *m.* taste, savor; *see* **haut**
goûter taste
goutte *f.* drop
goutteux -se gouty
gouttière *f.* gutter, rain-spout
gouvernement *m.* government
gouverneur *m.* governor

grâce *f.* grace, favor, pardon, thanks! **fais-moi ∾** spare me!
gradin *m.* step; **∾s en demi-cercle** seats rising in a semicircle
grain *m.* texture
graisse *f.* fat
grand -e great, big, tall, long, large, main, stately, full (*dress*), aristocratic, **108** 8; **tout(es) ∾s(es)** wide, **154** 7, **167** 8; **voir ∾** have large imagination; *see* **air, assaut, jour, soleil, volée**
Grandbois *m.* Bigwood (*no one of the 14 places of this name in France is associated with Mora-Morny*)
grand'chose much
grandeur *f.* grandeur, greatness
grandiose imposing; **∾ment** -ly
grandir grow up, grow rich
grand'peine *f.* trouble; **à ∾** hardly, with difficulty
gras, grasse, unctuous, fat, thick
gratitude *f.* gratitude
grave grave, serious; **∾ment** soberly
gravir mount
gravité *f.* gravity, seriousness
gredin *m.* rascal
grêle lank, shabby-genteel, frosty, **80** 27
grêle *f.* hail, hand-clapping, **180** 19
grelotter shiver, quiver
grésillant *m.* crusting (*of a bellows-blown fire*)
grève *f.* strike
grief *m.* grievance, injury
grille *f.* gate (*barred*), grating; **∾ du dehors** street gate
grillon *m.* cricket
grimace *f.* grimace, smile, smirk, wry face, pretense
grimper climb; **grimpé -e** perched, **57** 4
grincement *m.* scratching (noise)
grincer grate
gris -e gray
griser intoxicate
grisonnant -e turning gray
grommeler mutter
gronder mutter, scold
gros, grosse, big, coarse, thick, fat
grossier -ère coarse, gross
grotesque grotesque
grouiller swarm
groupe *m.* group
grouper: se ∾ gather; **groupé -e** grouped, massed
guenilles *f.pl.* tatters
guère: (ne) ∾ (que) hardly, barely
guérir cure
guerre *f.* war, strife
guerrier *m.* soldier
guet-apens *m.* ambuscade
guetter watch, lie in wait for
guetteur -se on the watch, **44** 33
gueule *f.* muzzle, jaws, throat
gueux -se beggar, vagabond
guide *m.* guide
guider guide
guipure *f.* trimming, lace
guirlande *f.* garland
guttural -e throaty
gymnase *m.* gymnasium
gynécée *m.* women's apartment

habile clever; **∾ment** -ly
habiller *and* **s'∾** dress

habit *m.* coat, frock (dress) coat
habitant *m.* inhabitant
habiter dwell in, live in
habitude *f.* habit, way, familiarity; **d'∾** usual(ly); **avoir l'∾** be used
habitué -e accustomed
habituel -le habitual, usual
hagard -e haggard
haïck *m.* cloak (*Arab*)
haie *f.* rank, row, line of guards, hedge-row; **former la ∾** stand in line
haillons de sainte *m. pl.* tattered garments of some saint, **158** 16
haine *f.* hate; **∾ mortelle** mortal feud
haineux -se spiteful
haïr hate
hâle *m.* tan, sunburn
hâlé -e swarthy, sunburnt
haleine *f.* breath, exhalation; *see* **bout**
haleter pant, gasp; **haletant -e** out of breath
hallebarde *f.* official staff
halluciné -e deluded
halte *f.* pause, stay
hameçon *m.* hook
hampe *f.* flag-staff
hanter frequent
happer catch, "buttonhole"
haquet *m.* dray
hardi -e bold, sharply defined, **44** 26
harem *m.* women's apartment (*Arabic*)
harmonie *f.* harmony
harmonieux -se harmonious
harnais *m.* harness
haro *m.* hue and cry
harponner clutch
hasard *m.* chance, luck; **∾ de la trouvaille** haphazard; **au ∾** at a venture; **un peu au ∾** irregularly
hasarder venture
hâte *f.* haste; **à la ∾** *and* **en toute ∾** hastily, in haste; **avoir ∾** be in a hurry
hâter hasten; **se ∾** hurry, hasten; **hâté -e** hurried
hâtif -ve hasty, hurried
hausse-col *m.* gorget
haussement *m.* shrug
hausser raise, shrug
haut -e high, lofty, aloft, erect, great, loud, aloud; **∾ la main** unchallenged, **107** 11; **de très ∾** very condescendingly; **de ∾ goût** "gamey"; **plus ∾** above; **tout ∾** out loud, audibly
haut *m.* top; **de ∾** high; **tout en ∾** at the pinnacle; **de ∾** from above; **de ∾ en bas** from top to bottom; **∾ du pavé** middle of the road, **178** 32; **par le ∾** in the perpendicular, **162** 17
hautain -e haughty
hauteur *f.* superciliousness
hé come!
hein what! wasn't it!
hélas alas!
héraldique heraldic
hérissé -e bristling
hermine *f.* ermine
héroï-comique mock-heroic
héroïque heroic
héros *m.* hero
hésitation *f.* hesitation

hésiter hesitate
heure *f.* hour, o'clock; **à l'∾** by the hour; **à l'∾ qu'il est** to this very hour, **61** 18; at present, **67** 4; **de bonne ∾** early; *see* **tout**
heureux -se happy, lucky; **∾sement** -ly
heurter: se ∾ jostle, collide
hibou -x *m.* owl
hideux -se hideous
hier yesterday
hiérarchique hierarchical; *see* **broderie**
hiéroglyphe *m.* secret writing
hisser lift, hoist
histoire *f.* history, story; **∾ de femme** women's affair, **28** 29
hivernal -e wintry, winter's
hochement *m.* tossing, shake, **132** 18
hollandais -e Dutch
homélie *f.* homily
hommage *m.* tribute
homme *m.* man; **∾ d'état** statesman; *see* **affaire, monde**
honnête respectable, honest
honnêteté *f.* honesty, integrity; **d'∾** respectable
honneur *m.* honor; *see* **demoiselle**
honorabilité *f.* reputation, **150** 19
honorable honorable
honorer honor
honorifique honorary
honte *f.* shame, hesitation, **54** 4
honteux -se shameful; **∾sement** in disgrace
hôpital -aux *m.* hospital
hoquet *m.* gasp
horizon *m.* horizon, prospect
horreur *f.* horror, shameful thing; **avoir ∾ de** shrink from; **faire ∾** horrify
horrible horrible, dreadful, awful, wretched
hors de out of
hospitalier -ère hospitable
hospitalité *f.* hospitality, entertainment
hostilité *f.* hostility
hôte *m.* guest
hôtel *m.* mansion, city house, hotel
hôtelier *m.* landlord
houle *f.* surge
houleux -se surging
huée *f.* hoot
huile *f.* oil
huilé -e oiled
huilier *m.* cruet-stand
huissier *m.* usher, sheriff
huit eight; **∾ jours** a week; **à ∾ ressorts** eight-spring; **∾ième** eighth
huître *f.* oyster
humain -e human, humane
humanitaire humanitarian
humanité *f.* humanity
humble humble; **∾ment** -ly
humer savor, enjoy
humeur *f.* humor, vexation
humide moist
humiliation *f.* humiliation
humilier: s'∾ prostrate oneself; **humiliant -e** humiliating
hurlement *m.* roaring
hurler roar
hydropique dropsical
hygiénique hygienic; *see* **promenade**

hymne *m.* hymn, national song
hypocrisie *f.* hypocrisy
hypocrite hypocritical

ici here; **par ∾** this way!
idéal -e ideal; *m.* ideality
idéalisation *f.* idealization
idée *f.* idea, ideal
ignorance *f.* ignorance
ignorant -e ignorant (of)
ignoré -e obscure, **176** 14
il he, it, there
île *f.* island
illégal -e -aux illegal
illumination *f.* illumination
illuminer illuminate, light up
illusion *f.* illusion, self-deception
illusionné -e under an illusion
illustre illustrious, famous; *pl.* worthies, **87** 34
image *f.* image, metaphor, picture
imagination *f.* imagination
imaginer imagine, think
imbécile de fool of a
imitation *f.* imitation, mimicry
imiter mimic
immaculé -e immaculate
immense vast, great; **∾ément** immensely
immobile motionless
immobiliser hold motionless
immobilité *f.* immobility
immoler immolate
impalpable impalpable
impartial -e -aux impartial
impasse *f.* position without escape
impassibilité *f.* stolidity
impassible impassive, unmoved
impatience *f.* impatience
impatient -e impatient, eager, restless
impatienté -e becoming impatient
impayé -e unpaid
impénétrable impenetrable
impératrice *f.* empress
impérial -e -aux imperial
impertinence *f.* impertinence
imperturbable imperturbable
implorant -e imploring
importance *f.* importance
important -e important, consequential
importe : n'∾ never mind!
importun -e importunate
imposer impose; **∾ à** constrain, **103** 22
impossibilité *f.* impossibility
impossible impossible
imprenable not to be caught
imprésario *m.* opera manager
impression *f.* impression, effect (aux responsive to, **102** 27)
imprévu -e unforeseen
imprimer print
improvisation *f.* improvisation
improviser : s'∾ teach oneself to play the part of, **114** 5
imprudence *f.* imprudence
impudence *f.* impudence
impudent -e impudent
impudeur *f.* insolent act
impuissance *f.* impotence
impunément with impunity
impunité *f.* impunity
imputer impute
in extremis (*Latin*) in death's hour; ***in pace*** (*Latin*) rest in peace
inaccessible inaccessible

inattendu -e unexpected
inavoué -e unavowed
incapable incapable
incapacité *f.* incapacity
incarnation *f.* embodiment
incertitude *f.* uncertainty
incliner bend; **s'~** bow
incolore colorless
incomparable incomparable
incompréhensible incomprehensible
inconnu -e unknown, unfamiliar
inconscient -e unconscious
inconsolable inconsolable
inconvenance *f.* impropriety
incorrect -e faulty
incorruptible incorruptible
incroyable incredible
inculte uncultivated, undisciplined
incurie *f.* heedlessness
indéchiffrable indecipherable
indécis -e indistinct
indication *f.* direction, statement
indifférence *f.* indifference
indifférent -e indifferent, immaterial
indignation *f.* indignation
indigne unworthy, shameful; **~ment** -ly
indigner outrage, make indignant; **indigné -e** indignant
indiquer indicate
indiscret -ète indiscreet, telltale
indispensable indispensable
indisposition *f.* ailment
indolence *f.* indolence
indolent -e indolent
indomptable untamable
indulgent -e indulgent
industrie *f.* manufacturing, trade; **Palais de l'~** *Industrial Exhibition in the 8th Arrondissement, off the Champs Élysées*
industriel *m.* trader
inébranlable unshakable
inentendu -e uncomprehended, unheeded
inépuisable inexhaustible
inerte inert
inertie *f.* inertia
inexercé -e unpractised
inexorable inexorable
inexpérience *f.* inexperience
inexpérimenté -e inexperienced
inexplicable inexplicable
infâme infamous; scoundrel
infamie *f.* shameful act, base scheme, slander, "shame"
infatigable untiring, unwearied
infect -e infectious, horrid
inférieur -e inferior
infernal -e -aux infernal
infini *m.* infinity
infirmité *f.* infirmity
inflexible unbending
infliger inflict
influence *f.* influence
influencer influence; **s'~** be influenced
influent -e influential
informer inform; **s'~** inquire
infraction *f.* infraction
ingénieur *m.* engineer
ingénieux -se ingenious, well devised
ingénue *f.* actress of girlish parts
ingrat -e ingrate
ingrédient *m.* drug

ininterrompu -e continuous, uninterrupted
initier initiate
injure *f.* insult, imprecation
injurieux -se insulting, menacing
injustice *f.* injustice
innocence *f.* innocence
innocent -e innocent
innombrable innumerable
inoffensif -ve inoffensive
inonder flood; **inondé -e de** bathed in
inopinément unexpectedly
inouï -e unheard of
inquiet -ète uneasy, anxious, disturbed, restless
inquiéter : s'~ concern oneself
inquiétude *f.* anxiety
insaisissable unseizable, imperceptible
inscrire inscribe; **s'~** be signed, **108** 7
insecte *m.* insect
insensé -e meaningless
insensible insensible; **~ment** -ly
insigne signal, notable
insistance *f.* insistence, persistence
insister insist (**pour** on), persist
insolemment insolently
insolence *f.* insolence; **d'~** insolent
insolent -e insolent, saucy
insolvable bankrupt
insomnies *f.pl.* sleepless nights, **154** 3
insoutenable unbearable
inspecter inspect
inspecteur *m.* inspector; **~ des Beaux-Arts** official of the Art Museum
inspiration *f.* inspiration
installation *f.* installation, getting settled, outfitting
installer install, set up; **s'~** settle down, **165** 24
instamment urgently
instant *m.* instant, moment; **à l'~ même** this very moment; **à chaque ~** constantly
instinct *m.* instinct
instinctif -ve instinctive; **~vement** -ly
instituteur *m.* schoolmaster
institution *f.* institution
instruction *f.* instruction, investigation; **juge d'~** examining judge (*with functions of a grand jury*)
instruire set up, take the initial steps in, **163** 23
insulaire islander
insulter insult
insulteur *m.* calumniator
intact -e intact
intègre upright
intégrité *f.* integrity, soundness
intelligence *f.* intelligence, mind
intelligent -e intelligent
intelligible intelligible
intendant *m.* steward
intention *f.* intention, purpose
intentionné -e disposed
intentionnellement intentionally
interdit -e taken aback
intéresser interest
intérêt *m.* interest, concern
intérieur -e inside, interior
intérieur *m.* interior, household
interlope irregular
interminable endless

interpréter interpret
interroger question
interrompre interrupt, check; **s'∾** stop
interruption *f.* interruption
intervenir intervene
intestin -e intestine, bitter
intime intimate, private, internal
intimider overawe
intimité *f.* intimacy
intolérable intolerable
intonation *f.* tone (voice), accent
intrigue *f.* intrigue
intriguer puzzle, perplex
introduire introduce
intrus -e intruder
intuition *f.* intuition
inusité -e unusual
inutile unnecessary, useless, no use
invalidation *f.* unseating
invalidé -e unseated, invalidated
invectiver denounce
inventer invent, devise
inventeur *m.* inventor
invention *f.* invention
invincible invincible, stubborn
invisible invisible
invitation *f.* invitation
invité -e guest
involontairement involuntarily
invoquer invoke
irai, irais, *see* **aller**
irisé -e rainbow-hued
irlandais -e Irish; **Irlandais** Irishman
Irlande *f.* Ireland
ironie *f.* irony
ironique ironical
irréfléchi -e impulsive
irrégularité *f.* irregularity
irréparable irreparable
irréprochable irreproachable
irrésistible irresistible
irrespect *m.* disrespect
irrévérence *f.* irreverence
irrévocable irrevocable
irritation *f.* irritation
Isis *f.* Isis (*Egyptian goddess*)
isolement *m.* isolation
isoler isolate
issue *f.* issue, outcome
italien -ne Italian
ivre drunk, intoxicated
ivresse *f.* intoxication

jabot *m.* shirt-front
jadis formerly, long ago
jaillir gush, dart
jais *m.* jet
jalousie *f.* Venetian blind
jaloux -se jealous
jamais ever, never; (**ne**) **∾** never
jambe *f.* leg
jardin *m.* garden
jardinier *m.* gardener
jargon *m.* jargon
jaune yellow
jaunir grow yellower, **130** 21; **jauni -e** yellowed
je (**Jé, me, moi, nous**) I, *etc.*
jet *m.* jet, gleam, flash
jeter cast (se at one another), throw (*aside*), deal (*cards*), dash off, **98** 14
jeu *m.* game, "hand" (*at cards*), gambling; *pl.* expressions, **28** 21; **à ∾** for gambling; **en ∾** at stake; *see* **maison**

jeudi *m.* Thursday
jeune young, fresh
jeunesse *f.* youth, young person (people)
jockey *m.* jockey (*English*)
Joë *m.* Joe (*the coachman*)
joie *f.* joy
joindre attach; **se ∾ à** join, be added to
joli -e pretty
joue *f.* cheek
jouer play, gamble; **∾ de** give play to, **147** 30; **joué -e** acted, pretended
joueur *m.* player, gambler
jouir de enjoy
jouissance *f.* delight; *see* **vaniteux**
jour *m.* day, daytime, light; **∾ de Dieu** by God's light! **découpée à ∾** perforated, **117** 16; **grand (plein) ∾** full daylight; **de nos ∾s** nowadays; **tous les ∾s** every day
journal -aux *m.* newspaper; **∾ du matin** morning paper; **∾ officiel** official journal ("Le Moniteur")
journaliste *m.* journalist, "newspaper man"
journée *f.* day; **à la ∾** daily; **dans la ∾** in the course of the day; **de la ∾** all day, **52** 13
Jousselin *a fictive physician*
joyeux -se joyous, delighted; **tout ∾** overjoyed; **-sement** joyously, "with gloomy satisfaction," **70** 17
judiciaire judicial
juge *m.* judge; **∾ de paix** justice of the peace
juger judge; **entendre ∾** hear the verdict on, **147** 2
juin *m.* June
jupe *f.* skirt
jurement *m.* oath
jurer swear
jusque till, even; **∾ à (en)** until, as far as, to, up (down, even) to, even; **∾-là** up to that point
juste just, righteous; exactly; **∾ment** precisely, by the way
justice *f.* justice, court, law, "the fair thing"; **une ∾ à lui rendre** fair to him to say, **160** 11
justicier -ère *see* **organisation**
justicier *m.* vindicator of justice
justification *f.* justification
justifier justify, set right

kabyle Algerian
kalmouck *m.* Kalmuck (*Tartar cavalryman*)
képi *m.* cap (*military and police*)
kiosque *m.* booth
kuchlen *m.pl.* little cakes (*Viennese Küch'l*)

la you (*i.e.* **Votre Altesse**), **80** 21; *see* **le**
là there, here, off, **76** 12; **∾** *and* **-là** *emphasizing distinction or separation are best rendered by accent or* that; **∾-bas** down (over) there; **∾-dedans** in (into) it (*i.e.*, **133** 17, *Paris*); **∾-dessous** underneath, behind it, **∾-dessus** thereupon, on that subject; **∾-haut** upstairs, up there (*i.e.*, **128** 24, *to the cemetery*); **par ∾-dessus** over the whole, **57** 5
laboratoire *m.* laboratory

laborieux -se toilsome
labyrinthe *m.* labyrinth
lac *m.* lake
lâche lax, loose, cowardly
lâcher let go, let off (*steam*); **lâchez-tout** *m.* slackness
lâcheté *f.* cowardice
laid -e ugly
laideur *f.* ugliness
laine *f.* wool; **haute ∾** high-ply (*carpet*)
laisse *f.* cord
laisser leave, let; **laisse** *and* **laissez** stay! stop! never mind! **∾ perdre** let go
lambin -e dawdling
lamentable lamentable
lampas *m.* China-silk brocade
lampe *f.* lamp; **à la ∾** by lamp-light
lancer throw (fling, shoot) out; **lancé -e** driven, **58** 20; **se ∾** launch out
lancier *m.* lancer
langage *m.* language
langue *f.* tongue; *see* **tirer**
languir: se ∾ de long for
lanterne *f.* lantern, carriage-lamp
lapin *m.* rabbit
laquais *m.* lackey
laque *m.* lacquer
laquelle *see* **lequel**
large wide, broad, great; **du ∾** room; **∾ment** generously, wide; *see* **long**
largeur *f.* width
larme *f.* tear, drop; **aux ∾s** till she cried, **42** 33; **de ∾s** tearful, **152** 18
larmoyant -e whining
lasser weary, tire
lassitude *f.* weariness
latin -e Latin
Lazare *m.* Lazarus
lazzis (*Italian*) *m.pl.* jests
le, la, les, the
le, la, *etc.*, him, her, it; *see* **eux, la, lui**
leçon *f.* lesson
lecture *f.* reading
légende *f.* tale, heading, **80** 9
léger -ère light, gay, faint, evanescent, frivolous; **∾èrement** lightly, slightly
légèreté *f.* lightness, levity
Légion *f.* Legion
législatif -ve legislative
légitime legitimate, legal (wife, **91** 24)
lendemain *m.* next day; **∾ de** day after
lent -e slow; **∾ement** -ly
lépreux -se leper
lequel, laquelle, who, which, whom
lésion *f.* lesion
lesquels -les *see* **lequel**
leste brisk, deft; **∾ment** -ly
léthargie *f.* lethargy
léthargique benumbing
lettre *f.* letter; *see* **pied**
leur their; to (for, *etc.*) them
leurrer lure
levantin -e Levantine
lever raise, lift, shrug; **se ∾** rise, get up; **levé -e** "up," **67** 15; *see* **vote**
Léviathan *m.* Monster
lèvre *f.* lip

lévrier *m.* foxhound
lézarde *f.* crack, crevice (*in masonry*)
liasse *f.* bundle
liberté *f.* freedom
librairie *f.* bookstore
libre free; **~ment** -ly
lié -e à bound up with, **148** 28
lien *m.* tie
lieu *m.* place; **au ~** instead
lieue *f.* league
ligne *f.* line
lilas *m.* lilac bush
Lille: **rue de ~** Lille Street (*parallel to the Quai d'Orsay*)
limer file
limiter limit
limpide clear, limpid
lin *m.* flax
linge *m.* linen, shirt-bosom, sheet, covering-cloth
lingerie *f.* linen-room
lion *m.* lion, central figure
lippe *f.* fullness, **152** 17
lippu -e thick (*lipped*)
liquide "clear," "in money"
lire read
lisible legible; **~ment** -ly
liste *f.* list
lit *m.* bed
littoral -aux *m.* coast
livide livid
livre *m.* book; **~ à souches** check-book
livre *f.* pound (*English coin*)
livrée *f.* livery, "footmen," **121** 4
livrer fight, **118** 16; **~ passage** make way; **se ~** yield
livret *m.* exhibition catalogue
local -e -aux local
locomotive *f.* locomotive
loge *f.* lodge, box (*in theatres*)
logique logical
logis *m.* establishment; *see* **maître**
loi *f.* law
loin far (away); **de ~** from a distance; **de ~ en ~** at intervals; **revenir d'aussi ~** recover after being so low, **119** 28; **plus ~** further
lointain -e distant
lointain *m.* distant prospect, distance, **161** 21; **au ~** far away
loisir *m.* leisure
long -ue long, widely, **27** 8; **à la ~ue** after a while; **chaise ~ue** reclining chair; **de ~ en large** up and down; **en ~** at full length; **~uement** leisurely; *see* **dire, robe**
long *m.* length; **le ~ de** along; **tout le ~** the whole length
longtemps long; **depuis ~** since long ago
lophophore *m.* pheasant
loque *f.* tatter, shabby dress
lorgnette *f.* opera-glass
lors: **dès ~** from that moment
lorsque when
louche "shady"
louer hire, rent
louis *m.* louis (*20-franc piece*)
loup *m.* wolf; **de ~** wolfish
lourd -e heavy, sluggish, dreary
louvoyer tack (*ship*)
Louvre *m.* Louvre (*palace on the right bank of the Seine*)
loyal -e -aux loyal
loyauté *f.* loyalty

lu *see* **lire**
lueur *f.* gleam
lugubre gloomy, dreary, sad; **∾ment** -ly
lui he, him, himself; **∾-même** himself, itself, he himself
luisant -e glistening
lumière *f.* light; **bien en ∾** in broad daylight
lumineux -se bright
lunettes *f. pl.* spectacles; **à ∾** spectacled
lustre *m.* light, chandelier
lustré -e rubbed shiny, **138** 22
lut *see* **lire**
lutte *f.* struggle, contest, striving
lutter struggle
lutteur -se antagonist
luxe *m.* luxury; **de ∾** luxurious
luxueux -se luxurious
lycéen *m.* high-school boy
Lyon Lyons (*on the Rhone*)

M. Mr., "Mora," **125** 24; "Moëssard," **104** 17
macabre ghastly
machin *m.* "what's-his-name?"
machinal -e -aux mechanical; **∾ement** -ly
machination *f.* plot
machine *f.* machine, engine
machiniste *m.* scene-setter, **174** 1
madame *f.* madam, Mrs., "my lady"
Madeleine *f.* "*Magdalen*," *a church near the Place de la Concorde*
mademoiselle *f.* Miss (*supply the name where needed, e.g.* **46** 4)
madère *m.* Madeira wine
magasin d'accessoires *m.* property-room (*theatrical*)
magicien -ne magician
magie *f.* magic
magique magic
magistral -e -aux masterful
magistrat *m.* magistrate
magnétique magnetic
magnétisme *m.* magnetism
magnificence *f.* magnificence
magnifique magnificent; **∾ment** -ly
mai *m.* May
maigre lean, thin, scraggy, barren
maille *f.* mesh; *see* **cotte**
main *f.* hand; *see* **promener**
maintenant now
maintenir hold firm
maire *m.* mayor (*head of a subprefecture of a department*)
mairie *f.* mayor's office
mais but, why!
maison *f.* house, household, firm; **∾ de banque** banking house; **∾ de jeu** gambling house; **∾ de santé** sanitarium; **à la ∾** at home
maître *m.* master, "Maître" (*as lawyer's title*); **∾ d'armes** fencing-master; **∾ du logis** head of the house; *see* **voiture**
maîtresse *f.* mistress
majesté *f.* majesty
majestueux -se majestic
majorité *f.* majority
mal ill, badly; **plus ∾** worse; **au plus ∾** very badly; **∾e rage** soured fury, envious rage
mal *m.* evil, pain, hurt, trouble; **faire ∾** hurt

malade ill, ill at ease; patient (*doctor's*)
maladie *f.* sickness, illness
maladresse *f.* blunder, mistake
maladroit -e awkward; **∼ement** -ly
malaise *m.* uneasiness, restlessness, ailment
mâle manly
Malesherbes: boulevard ∼ *northwest from the Madeleine*
malgré in spite of
malheur *m.* misfortune, ill-omened thing
malheureux -se unfortunate, unhappy; "poor fellow"; **∼sement** unluckily
malice *f.* archness, spitefulness
malicieux -se mischievous
malin, maligne, mischievous, shrewd; **faire le ∼** "play smart"
malle *f.* trunk
malpropre dirty, vile
malsain -e morbid
malveillant -e hostile
mama *and* **maman** *f.* mother; **bonne ∼** "little mother" (*i.e. motherly sister*), **84** 30
manade *f.* drove
manche *f.* sleeve, cuff
manchette *f.* cuff
mandarin *m.* mandarin
mander summon, send for
manège *m.* manœuvre, scheming
manger eat; *see* **salle**
mangeur *m.* eater, devourer
manie *f.* mania
manier handle
manière *f.* manner
manieur *m.* handler
manifestation *f.* manifestation
manifester show
manipulation *f.* manipulation
manœuvre *f.* manipulation
manœuvrer keep at work
manque *m.* lack
manquer fail, miss, be lacking; *with inf.* almost *with indic., e.g.* **manqua tomber** almost fell, **59** 7; **manqué -e** abortive, **170** 14
mansarde *f.* top story
manteau -x *m.* cloak
mantelet *m.* short cloak
mantille *f.* mantilla
maquignon *m.* jockey
maquillage *m.* artificial coloring, "rouging and powder"
maquiller "rouge and paint"
maquis *m.* jungle
marbre *m.* marble, piece of marble
marc *m.* marrow, grounds (*coffee*)
marchand -e dealer
marchandage *m.* sub-letting; **le ∼ et le trafic** "the purchase and sale," **143** 2
marche *f.* march, step, pace, course, procession; *see* **remettre**
marché *m.* market-place, bargain
marchepied *m.* step
marcher walk, get on, **123** 3
maréchal -aux *m.* marshal
mari *m.* husband
mariage *m.* marriage
Marie *f.* Mary
marier marry; **nouveau (nouvelle) marié(e)** bridegroom (bride)
marine *f.*: **de la ∼** naval
marinier *m.* sailor

marmiton *m.* kitchen-boy
marocain -e Moroccan
marque *f.* distinction
marquer mark
marquis -e marquis, marchioness
marraine *f.* godmother
marron chestnut-colored
marronnier *m.* chestnut tree
mars *m.* March
Marseillais -e man (woman) of Marseilles
Marseille Marseilles (*Mediterranean port*)
martyre *m.* martyrdom
martyriser torment
mas *m.* "ranch"
mascarade *f.* masquerade
masque *m.* mask, face, false face
masquer mask
masse *f.* mass, crowd
masser mass
masseur -se rubber
massif -ve massive
mat -e pale, dull, daintily white, **56** 20
mât *m.* mast
matelot *m.* sailor
maternel -le maternal
matin *m.* morning, early; **le ∾** in the morning, forenoons
mâtin *m.* mastiff, cur, "buck"; **∾ de "x"** deuce of an "x"
matinal -e -aux early, morning
matinée *f.* morning
mâture *f.* masts and spars
maudit -e accursed
mauresque Moorish
mausolée *m.* monumental tomb
maussade sullen
maussaderie *f.* gloom
mauvais -e bad, malicious, ill, wry
Me. *for* **Maître** (*lawyer's title*)
mécanique mechanical; *see* **ba-layeuse**
méchant -e bad, evil, ill-tempered
méconnaissable unrecognizable
méconnaître mistrust
médaille *f.* medal
médecin *m.* physician
médecine *f.* medicine
médical -e -aux medical
médisance *f.* slander
méditer meditate, be thinking
méfiance *f.* distrust, mistrust, caution
mêlée *f.* mixed company
mêler mix, mingle (**à** with); **se ∾** be joined (associated), mingle; **s'en ∾** intervene; **s'y ∾** share in it, **111** 16
melliflu -e mellifluous, "honey-tongue," **96** 12
mélopée *f.*: **de ∾** musically modulated, sing-song
membre *m.* member, limb
même same, even; **à ∾ de** in a position to; **ce "x" ∾** this very "x"; **de ∾** in the same way; **tout de ∾** just the same
mémoire *f.* memory; *m.* memorandum, list; *pl.* memoirs; **en ∾** to mind, **178** 18
menacer menace, threaten
ménage *m.* household, housekeeping
ménager spare
ménagère *f.* housewife
ménagerie *f.* menagerie

mendiant -e mendicant
mendicité *f.* beggary
mener lead, take, manage, make, **178** 7
mens *see* **mentir**
mensonge *m.* falsehood
mentalement mentally
menteur -se false, deceptive, feigned; liar; **(ne) rien de ∾** no pretense about it, **100** 33
mentir lie
menton *m.* chin
Mentor *m.* Mentor
méprendre: se ∾ be mistaken
mépris *m.* scorn, neglect
mépriser scorn; **méprisant -e** scornful
mer *f.* sea, ocean
mercanti *m.* foreign trader
merci *f.* mercy; *m.* thanks! **sans ∾** merciless
mère *f.* mother
méridional -e -aux southern; Southerner
mérite *m.* credit, **119** 29
mériter earn, merit
merveille *f.* marvel
merveilleux -se marvellous, admirable; **∾sement** -ly
messager *m.* messenger
messieurs *m. pl. see* **monsieur**
mesure *f.* measure, extent; **à ∾ que** while, as; **à la ∾ de** proportionate to; **outre ∾** unreasonably
mesurer measure
métal -aux *m.* metal
métier *m.* trade; **par ∾** as part of the business, **177** 18
mètre *m.* meter
mets *m.* dish (*food*)
mettre put (on), place, set, lay, wear (*clothes*), pay (*prices*), "stick," **115** 33; **mis -e** dressed; **se ∾** set out, start, begin, become, get (**dans** into); **se ∾ à** "take to," **177** 28; *see* **demeure, perce, route, soin**
meuble *m.* piece of furniture
meubler furnish
meurent, meurt, *see* **mourir**
meurtri -e bruised
meute *f.* pack (*of hounds*)
M' ' ' 'hmed: Viv'' L'' B''Y ∾ Long live Mohammed Bey!
miaulement *m.* wail, cry
microscopique tiny
midi *m.* noon, twelve o'clock; **Midi** South of France
mien -ne: le (la) ∾ mine
miette *f.* fragment, crumb
mieux: le ∾ best, improvement, **112** 25; **de mon (son) ∾** the best I (he) could; **valoir ∾** be better
mignon -ne "pretty boy" (girl), "dear"
migraine *f.* headache
milieu *m.* middle, midst, environment; **de ∾** central
militaire military; **∾ment** in military style
mille *m.* thousand
milliers *m.pl.* thousands; **∾ de chevaux** 1000 horse-power
million *m.* million
millionnaire *m.* millionaire, wealth, **9** 19
mimique *f.* mimicry, reflection, **152** 29; *see* **émotionner**

mince thin, snug-fitting
mine *f.* look, appearance (**faire** have)
Minerve *f.* Minerva (*goddess of wise counsel*)
mineur *m.* miner
ministère *f.* ministry
ministériel -le ministerial
ministre *m.* minister
minois *m.* face
minuit *m.* midnight
minuscule tiny
minute *f.* minute, moment
minutieusement carefully
miracle *m.* wonder; *pl.* legends, **138** 4; **par ∾** for a wonder
miraculeux -se miraculous
mirage *m.* mirage
mirent *see* **mettre**
miroitant -e glittering, reflecting
mis -e *see* **mettre**
mise *f.* costume; **∾ en scène** stage-setting
misérable wretched, vile, worn out, confounded; wretch; **∾ment** in poverty
misère *f.* misery, poverty, wretchedness; *pl.* petty troubles
missive *f.* missive
mistral *m. a dry, northwest wind in southern France*
mit, mît, *see* **mettre**
mitraille *f.* "shot and shell," **124** 23
mn *an inarticulate murmur*
mobile changeable, variable
mobile *m.* motive power
mode *f.* fashion; **à la ∾** fashionable, after the fashion
modèle *m.* model, form
modeler model
moderne modern
modeste modest, unassuming; **∾ment** -ly
moduler modulate
mœurs *f. pl.* manners, ways, morals
moi I, me, *etc.*; **∾-même** myself; **pour ∾** on my side, **171** 11
moindre least, smallest, most trifling
moins less, least, without, **40** 19; **à ∾ (que)** except, unless; **au (du) ∾** at least, anyway
mois *m.* month
moisi -e musty, moldy
moisson *f.* harvest
moiteur *f.* moisture, warm freshness, **81** 1
moitié *f.* half; **à ∾** half
mol, molle, *see* **mou**
Molière (*1622–1673*) *greatest French writer of comedy*
mollesse *f.* laxness
moment *m.* moment; **par ∾s** sometimes
mon, ma, mes, my
Monaco *tiny city and princedom east of Nice*
monarque *m.* monarch
monceau -x *m.* heap, pile
mondain -e worldly, social, socially experienced; man (woman) of fashion
monde *m.* world, society, company, "set," "guests"; **homme du ∾** man of good breeding; **gens du ∾** people of fashion; **que de ∾** what a crowd

monnaie courante *f.* cash
monosyllabe *m.* monosyllable
monotonie *f.* monotony
monseigneur *m.* your (his) Lordship
monsieur, messieurs, *m.* Mr., sir, his Honor, gentleman; **∾ le duc** your (his) Excellency; **∾ le marquis** your (his) Grace; **∾ le ministre (préfet)** your (his) Honor
monstre *m.* monstrosity, sphinx; **de ∾** monstrous
montagne *f.* mountain
Montaigne: rue ∾ *north from the "rond point" of the Champs Élysées*
montant *m.* scaling ladder
montée *f.* rising, ascent, surge; **∾ de flamme** flash
monter (*aux.* **être**) rise, mount, ascend, get in, carry up, ride up, set (up); **se ∾** get excited; *see* **ton**
montre *f.* show
montrer show, point to, set forth (up)
Montreuil *an eastern suburb of Paris*
monument *m.* monument
monumental -e -aux monumental, like a statue
moquer: se ∾ de scorn, despise, laugh at
moqueur -se mocking
moral -e -aux moral
morceau -x *m.* piece
mordre bite
moribond -e dying
morne somber
mors *m.* bit
mort -e dead; *see* **mourir**
mort *f.* death; **à ∾** mortal
mot *m.* word, phrase; **∾ d'ordre** watchword
motif *m.* motive
mou, mol, molle, soft, nerveless
mouche *f.* fly; *see* **patte**
moucheter spot
mouchir (*Arabic*) *m.* ruler's brother
mouiller moisten, wet; **tout mouillé** kept always moist
mouler mold
mourir (*aux.* **être**) die; **mourant -e** dying man (woman); **à ∾** "to death," **10** 24; **se ∾** be dying
moussiou *m. for* **monsieur**
moustache *f.* moustache
moutardier *m.* mustard-pot
moutonner surge
mouvant -e animated
mouvement *m.* movement, motion, impulse, twitching
mouvoir move; **se ∾** keep moving
moyen *m.* means; *pl.* measures, means
muet -te silent, mute
mugir bellow, roar
mule *f.* mule
multicolore variegated, of many colors
multiple varied
municipal -e -aux municipal; *m.* municipal guardsman
munir furnish, equip
mur *m.* wall
mûr -e ripe
muraille *f.* wall
mûrir ripen
murmure *m.* murmur

murmurer murmur
muscle *m.* muscle
museur -se : en ∾ musing
musique *f.* music; *pl.* bands, orchestras
mystère *m.* mystery
mystérieux -se mysterious; *m.* man with a secret; **∾sement** surreptitiously, **110** 27
mystifier trick

nabab *m.* nabob
nacre *f.* mother of pearl
naïf -ve artless, innocent; **∾vement** -ly
naître (*aux.* **être**) be born; **naissant -e** rising
naïveté *f.* ingenuousness, simplicity
Nanterre *suburb seven miles west of Paris*
nappe *f.* tablecloth
narguer mock, defy
narine *f.* nostril
narquois -e cunning, sly
nasse *f.* fish-trap
nation *f.* nation
national -e -aux national
nature *f.* nature
naturel -le natural; **∾lement** -ly, simply; *see* **rond**
naturel *m.* naturalness, ease
naufrage *m.* shipwreck
naufragé -e one who has made shipwreck
nausée *f.* nausea
navire *m.* ship
navrer distress; **navrant -e** heart-rending; **navré -e** aggrieved
ne not (*with* **savoir, 115** 6); *affirmative after* **craindre, 112** 1, *and comparisons, e.g.* **67** 31; *see* **aucun, guère, jamais, ni, non, nul, pas, personne, plus, que, rien**
né -e *see* **naître**
nécessaire necessary
nécessité *f.* necessity
négligemment carelessly
négligence *f.* negligence
négligent -e careless
négocier negotiate
Négou (*African*) *m.* king
nègre negro
neige *f.* snow; **à la ∾** "whipped" (*white of egg*)
neigeux -se snowy
néophyte neophyte, uninitiated (one)
nerveux -se nervous, vigorous, wiry; **∾sement** nervously
nervosité *f.* nervous twitching
net -te clear, bright, clean, plain, outright, short; **∾tement** -ly
nettoyer clear, clean, polish
neuf nine
neuf -ve new; **∾vement** -ly
neutre neutral
nez *m.* nose
ni : (ne) ∾ . . . ∾ neither . . . nor; **(sans) ∾** or
Nice *ancient city halfway between Genoa and Marseilles*
Nicham(Nisham)-Iftikahr *m. a Tunisian decoration*
Nicklauss *m.* Nicholas
nid *m.* nest
nièce *f.* niece
nimber glorify

Nisham *see* **Nicham**
niveau *m.* level
no *for* **numéro**
noble noble
noce *f.* wedding festival; **voyage de ∾** wedding journey
nocturne by night
Noël *Jansoulet's valet*
nœud *m.* knot
noie *see* **noyer**
noir -e black, dark; *m.* darkness
nom *m.* name; **∾ de Dieu** in God's name, **105** 19; **∾ d'un sort** by my luck!
nombre *m.* number
nombreux -se numerous
nommer name, elect, proclaim
non no, not; **(ne) ∾ plus** (nor) ... either
note *f.* note, bill, **175** 30; touch, **39** 26; paragraph, **51** 2
notification *f.* citation
notre, nos, our; **le (la) nôtre, les nôtres,** ours
nouer bind
nous we, us, ourselves; **à ∾** our turn, **20** 16
nouveau -x, nouvel, nouvelle, new; **∾lement** -ly; **de ∾** again
nouveauté *f.* novelty
nouvelle *f.* (piece of) news; *pl.* news; *see* **nouveau, savoir**
novembre *m.* November
novice *f.* novice
noyade *f.* drowning
noyau -x *m.* stone (*of fruit*)
noyer drown; **noyé -e** drowning man (woman); **se ∾** be drowning
nu -e naked, bare; **mettre à ∾** lay bare
nuage *m.* cloud
nuance *f.* shade, touch
nuire damage, hurt
nuit *f.* night, darkness; **la ∾** at night, o'nights; *see* **restaurant**
nul -le: (ne) ∾ none, no one
numéro *m.* number, issue
nuque *f.* back of the neck

ô O!
oasis *f.* oasis
obéir obey
obésité *f.* obesity
objet *m.* object, purpose
obligation *f.* obligation, duty
obliger oblige, constrain
obscur -e dark
obscurcir: s'∾ grow duller, **49** 8; **obscurci -e** dim, glassy, **116** 32
obscurité *f.* obscurity
obséder haunt
obsèques *f.pl.* obsequies
obséquieux -se obsequious
observation *f.* observation; **faire l'∾ à "x"** call "x"'s attention to
observer observe, watch
obsession *f.* obsession, besetting
obstacle *m.* obstacle
obstination *f.* obstinacy
obstruer obstruct, block
obtenir obtain, get
obtus -e dull
occasion *f.* occasion, chance; **l'∾ s'offrit belle** a fair chance should come, **86** 29
Occident *m.* West

occidental -e -aux occidental, western
occupation *f.* occupation
occuper occupy; **occupé -e** busy; **s'∾ de** concern oneself with, look out for
océan *m.* ocean
ocre *f.* ochre
octroi *m.*: **porte d'∾** toll-gate
odalisque *f.* harem attendant
odeur *f.* odor; *see* **dégager**
œil, yeux, *m.* eye; *see* **coup**
œuf *m.* egg
œuvre *f.* work, charity (foundation)
offensant -e offensive (**pour** to)
offensé -e offended, hurt
office *f.* servants' hall
officiel -le official, governmental
officier *m.* officer
offre *f.* offer
offrir offer; *see* **occasion**
oh O!
oiseau -x *m.* bird
oisiveté *f.*: **d'∾** idle
ombragé -e shadowed, sheltered
ombre *f.* shadow, obscurity, darkness
ombrer throw shadows on
omnibus *m.* omnibus
omoplate *f.* shoulder-blade
on one, people, you, I, **101** 4
onde *f.* wave, wavy line, **83** 1
ondée *f.* undulation
onduler undulate, sway; **ondulant -e** wavy
onéreux -se burdensome
ongle *m.* finger nail; **sans∾** stubby-nailed
opalisé -e given an opal sheen
opéra *m.* opera
opération *f.* speculation, "deal"
opérer work
opinion *f.* opinion, public opinion; **se faire une ∾** make up his mind, **38** 4
opium *m.* opium
opposer: **s'∾ à** object, be in contrast with, **81** 4
opposition *f.* contrariness
or now
or *m.* gold; **d'∾** gilded, golden
orage *m.* storm; **vent d'∾** storm blast
orateur *m.* orator
orchestre *m.* orchestra, orchestra seats, **176** 29
ordinaire ordinary, usual; **∾ment** -ly; **à l'∾** usual; **d'∾** usually
ordonner order, prescribe; **ordonné -e** orderly
ordre *m.* order, class
oreille *f.* ear
oreiller *m.* pillow
organe *m.* voice
organisation *f.* arrangements, **54** 21; **∾ justicière** judiciary; **∾ universitaire** professorial body, **127** 18
organiser organize, "get up"
orgueil *m.* pride
orgueilleux -se proud
Orient *m.* Orient, East
oriental -e -aux oriental; **à l'∾e** in Eastern fashion
oriflamme *f.* flag (*of flame-red silk*)
originaire native

original -e -aux peculiar
originalité *f.* originality
orme *m.* elm
ornement *m.* decoration
orner adorn, fit out
orphelin -e orphan
orphéon *m.* choral society
orthographe *f.* correct spelling
oser dare, venture
ostentation *f.* ostentation
ostracisme *m.* ostracism, boycotting
ôter take away, remove
ou or
où where, in (at, to) which; **∾ en** in what situation, **111** 31; **d'∾** whence, where . . . from, from which; *see* **cas**
oubli *m.* forgetfulness
oublier forget; **en ∾** cease, **13** 12
oubliettes *f. pl.* dungeon cell
ouf ah!
oui yes
ouistiti *m.* monkey (*little striped*)
ourdir lay (*a snare or plot*)
outil *m.* tool
outrage *m.* insult
outrager outrage, insult
outrageux -se outrageous; **∾sement** -ly
outre beyond; **en ∾** in addition, "into the bargain"; *see* **mesure**
ouvert -e(ment) *see* **ouvrir**
ouverture *f.* opening
ouvrage *m.* (piece of) work
ouvragé -e wrought, carved
ouvré -e wrought
ouvrier -ère working; workman (woman)
ouvrir open; **s'∾** be open, expand; **ouvert -e** open, exposed, undetermined, **163** 28; **ouvertement** openly
ovation *f.* ovation, reception, **176** 22

pacha *m.* pasha
page *f.* page
paille *f.* straw; **homme de ∾** unavowed agent
paillette *f.* spangle
pain *m.* bread
paisible peaceful, quiet; **∾ment** -ly
paix *f.* peace
palais *m.* palace, Chamber of Deputies (*Palais-Bourbon*); **Palais** Law Courts, **151** 26
pâle pale
palefrenier *m.* groom
paletot *m.* overcoat, coat
pâleur *f.* pallor, ivory tint (*complexion*)
palier *m.* stair-landing
pâlir grow pale; **pâli -e** pallid
palpiter quiver
pâmoison *f.* swoon, thrill, **175** 5
pan *m.* skirt (*of a frock-coat*)
panier *m.* basket
panique *f.* panic
panneau -x *m.* panel
panse *f.* paunch
paperasses *f. pl.* papers, documents
papier *m.* paper, document
papillon *m.* butterfly, "star," **108** 21
papillotte *f.* paper wrap (*for edible dainties*)

paquebot *m.* steamboat
paquet *m.* package; **en ∾s** "in sheets," **61** 34
par by, through, along, about, on, in, a (*day, etc.*); **∾ ici** hereabouts; **∾ là** that way, in that quarter; **∾-dessus** over, across; **∾-dessus bord** overboard; **∾-dessus le marché** into the bargain; *see* **pardessus**
parade *f.*: **de ∾** gala; *see* **défroque**
paradoxal -e -aux paradoxical
paraître seem, appear
paralyser paralyze
parapluie *m.* umbrella
parasitisme *m.* parasitism
paravent *m.* screen
parbleu indeed! confound it!
parc *m.* park, grounds
parce que because
parcourir run (glance) through; **parcouru -e** past, traversed
parcours *m.* line
pardessus *and* **par-dessus** *m.* overcoat
pardi yes indeed!
pardieu truly!
pardon *m.* excuse me!
pardonner pardon
pareil -le equal, like; **un "x" ∾** such an "x"
parent -e relative; **∾ de défunt** kinsman at a funeral
parenté *f.* family tie
parer deck, adorn, parry; **paré -e** dressed up
paresse *f.* indolence
parfait -e perfect; **∾ement** fully, thoroughly, very well
parfois sometimes
parfum *m.* perfume, odor
parfumé -e fragrant, odorous
paria *m.* outcast
parier bet
parisien -ne Parisian
Parlement *m.* Parliament
parlementaire parliamentary
parler speak
parloir *m.* parlor
parmi among, amid, into
paroi *f.* wall, cliff-side, **117** 32
parole *f.* word, talk, speech, promise; **manquer à ma ∾** not keep my word
parquet *m.* floor
part *f.* part, share; **à ∾** apart, except for; **quelque ∾** somewhere; **nulle ∾** nowhere; **de toutes ∾s** everywhere
partager *and* **se ∾** share, divide (de by)
parterre *m.* flower garden
parti *m.* position, decision; **∾ à prendre** thing to do, **61** 22
particulier -ère peculiar, private, intimate, special
partie *f.* part, game, "business"; **∾s fines** gay times
partir (*aux.* **être**) leave, issue, start, go (off); *see* **aile**
partout everywhere, all about; **∾ où** wherever
paru, parut, *see* **paraître**
parure *f.* finery, bedecking; **∾ de combat** fighting trim, **114** 3
parvenir succeed
parvenu -e upstart

pas: **(ne) ~** not; **~ plus** no more, "that's all," **97** 2

pas *m.* step, gait; *pl.* course, **123** 21; **au ~ de course** on the run, **61** 28; **du même ~** arm in arm, **84** 34; **tout d'un ~** on the spot, **92** 24; **Pas-Perdus**: **salle des ~** "Echoless Hall," *the Quai d'Orsay entrance to the Chamber of Deputies*

pasquinade *f.* farce

passage *m.* passage, passing, flight, **95** 23; **au ~** on the way, in passing, as they passed

passager -ère transient; passer

passe *f.* situation, **155** 29

passer pass; **passant -e** passer; **en passant** as he passed, **160** 14; **passé** *m.* past; **passé -e de** promoted to, **93** 16; **se ~** happen; **s'en ~** get on without

passion *f.* passion, love; **~ de luxe** extravagance

passionné -e passionate, emotional

pastel *m.* crayon portrait

patauger splash

pâte *f.* pastry

patelinage *m.* wheedling

paternel -le paternal, father's; **~lement** paternally

paternité *f.* paternity

patient -e patient, sufferer, culprit, waiter, **6** 17

pâtisserie *f.* (piece of) pastry; *pl.* cakes

patois -e native (*in speech*); *m.* dialect

patrie *f.* native land

patron -ne patron, employer

patte *f.* paw, hand, foot, "claws"; **~s de mouches** scrawls, dabs, **137** 13

pauvre poor (fellow); beggar, **116** 11

pavé *m.* paving-block, pavement; *see* **brûler, haut** *m.*

pavillon *m.* flag

payer pay (for); **se ~** buy, afford, treat oneself to

pays *m.* country, district, fellow countryman

paysage *m.* landscape

paysan -ne peasant

paysannerie *f.* country manner

peau *f.* skin, hide

pêcher catch, "fish up"

peignoir *m.* dressing gown

peindre paint

peine *f.* pain, trouble; **à ~** hardly, barely, "as much as ever"; **avoir ~** find it hard; **faire de (la) peine** hurt; **sous peine de** or risk, **46** 2

peint *see* **peindre**

peinture *f.* painting, face paint, **112** 27

pêle-mêle *m.* confusion

pelotonné -e curled up

pelouse *f.* turf, sward

penaud -e abashed, disconcerted, sheepish

pencher bend; **penché -e** stretching forward, **152** 28; helpless, **164** 12; **se ~** bend forward, stoop, stretch

pendant que while

pendre hang

pêne *m.* bolt

pénétrer penetrate, enter; **pénétré -e** convinced, **131** 21
pénible painful; **∾ment** with difficulty
pensée *f.* thought
penser think (à of, **en** of it); **vous pensez si** you may guess (that), *e.g.* **28** 34
pension *f.* boarding school
pensionnaire boarding-school pupil
pensionnat *m.* boarding school
pente *f.* slope
pépite *f.* nugget
perce *f.*: **mettre en ∾** broach
percer pierce, traverse
percher perch
percuter tap, test by percussion
perdre lose; **perdu -e** bewildered, obscure; **se ∾** be lost, fade away; *see* **laisser**
père *m.* father, "old man," "uncle"
Père-Lachaise *largest cemetery in Paris*
perfectionné -e consummate
perfide perfidious
période *f.* period
périphrase *f.* paraphrase, circumlocution
péristyle *m.* colonnaded porch
perle *f.* pearl, little pill
permanent -e constant, steady
permettre permit; **permettez** excuse me! **permis -e** permissible; **se ∾** dare, venture
permission *f.* permission
perplexité *f.* perplexity
perron *m.* front steps
perruque *f.* wig
persécution *f.* persecution
persiflage *m.* bantering, mocking
personnage *m.* personage
personne *f.* person, personality; *pl.* people; **(ne) ∾** nobody, (not) anyone
personnel -le personal
personnel *m.* staff
perspective *f.* perspective, prospect
persuader (à) persuade
perte *f.* loss; **à ∾ de vue** as far as one could see, **129** 8
pesée *f.* pressure
peser weigh; **pesant -e** heavy, **125** 22
pétards *m.pl.* fireworks
pétillement *m.* crackling
petiot -e little one
petit -e little, small; **∾-fils** *m.* grandson; **s∾-fils** *pl.* grandchildren
pétrifier petrify
pétrir mold, clutch, **152** 19; "steep," **167** 10
peu little, far from, **96** 12; **∾ à ∾** gradually; **à ∾ près** almost; **pour ∾ que** if, **100** 24; **un ∾** somewhat
peuple *m.* people, common people, multitude
peur *f.* fear; **avoir ∾** be afraid; **faire ∾ à** frighten, make afraid
peut, peuvent, peux, *see* **pouvoir**
peut-être perhaps
phaéton *m.* phaeton (*carriage*)
phalange *f.* finger joint; **jusqu'aux ∾s** to the quick

phare *m.* lighthouse
philanthropique philanthropic
phrase *f.* phrase
phraséologie *f.* language
physionomie *f.* expression, aspect
physique physical, material, external; *m.* physique
pic *m.* pick
pièce *f.* piece, room, play; ∾ **d'honneur** decoration
pied *m.* foot, footing; **à** ∾ afoot; **au** ∾ **de la lettre** literally; *see* **pointe**
piège *m.* snare
pierre *f.* stone, rock
Pierre Peter; ∾ **l'Hermite** Peter the Hermit (*crusader, 1050–1115*)
pierreries *f.pl.* jewels
pierrette *f.* Columbine (*in pantomime*)
piétiner trample on; ∾ **sur place** "mark time," **166** 3
piéton *m.* rural postman
pilastre *m.* pilaster
pile *f.* pile, stack, **153** 34
pillage *m.* pillage
pilori *m.* pillory
pincer pinch, button tight
piquant -e stimulating
pique *f.* pike, halberd
piqué -e dotted
piqûre *f.* puncture, prick
pis: **tant** ∾ so much the worse
piston *m.* piston
piteux -se piteous, woeful
pitié *f.* pity; **à faire** ∾ pitifully; **prendre en** ∾ take pity on, feel pity for
pittoresque *m.* picturesque effects, **55** 31
place *f.* place, space, public square (*prefix* to, in, *or* at *if required, e.g.* **119** 5); **sur** ∾ in position, **57** 19; *see* **piétiner**
placer place
plafond *m.* ceiling
plaidoierie *f.* pleading
plainte *f.* complaint, wail
plaire (à) please; **se** ∾ **à** take delight in; **s'il vous plaît** if you please; **plaisant -e** pleasant, amusing, "funny part of it," **91** 28
plaisance *f.*: **de** ∾ pleasure, **122** 18
plaisanter jest
plaisanterie *f.* jest
plaisir *m.* pleasure; **faire** ∾ **à** gratify
plan *m.* plan
planche *f.* plank, board; *pl.* landing, stage
planer hover
plante *f.* plant
planter plant; **planté -e** gawking, **93** 23
plantureux -se plenteous, lavish
plaque *f.* decoration, badge
plaquer blotch, **105** 11
plastique plastic
plastron *m.* shirt-bosom
plastronné -e in full-dress shirt, **114** 1
plat -e deferential
plat *m.* platter
plateau -x *m.* tray
plâtre *m.* plaster
plébéien -ne plebeian

plein -e full; **en ∾** in the midst of (the); **en ∾e terre** on open ground, **166** 17; *see* **jour, rue, sang, visage**
pleurer weep, trickle
pli *m.* fold, crease, wrinkle, draping, folded paper; **prendre des ∾s trop droits** be draped too stiffly
plier fold
plomb *m.*: **de ∾** leaden
plonger plunge, dive
plongeur *m.* diver
ployer bend
pluie *f.* rain, shower
plume *f.* feather, pen
plupart *f.* majority
plus more (**de** than); no more, **120** 31; (**ne**) **∾** no more (longer), never, **162** 34; (**ne**) **∾ qu'à** only of, **114** 13; **de ∾** besides, longer, further, additional, **142** 33
plusieurs many, several
plutôt rather
poche *f.* pocket
poêle *m.* pall
poésies *f. pl.* poetry
poigne *f.* grip (*of the hand*), fist
poignée *f.* handful; **∾ de main** hand-grasp
poignet *m.* wrist
poil *m.*: **à ∾s** hairy
poing *m.* fist; **sabre au ∾** with drawn sabers
point *m.* point, degree; **∾ d'appui** support
pointe *f.* point, dash (spice), **74** 34; **∾ des pieds** tiptoe, **97** 10
pointu -e peaked, sharp
pois *m.* pea, dot
poitrail *m.* front, chest, breast
poitrine *f.* breast, chest
poli -e polite; *m.* polish
police *f.* police
policier -ère police
politesse *f.* politeness
politique political; *f.* politics; **homme de ∾** politician
pompe *f.* pump; pomp, show; **∾-bijou** toy-pump
pomper pump
pompeux -se stately, in full display, **56** 16
pompier *m.* fireman; *see* **caserne**
pont *m.* bridge
pontife *m.* pontiff
ponton *m.* hulk
Popolasca *a Corsican deputy*
populaire popular
population *f.* people
populeux -se populous
porche *m.* porch
port *m.* port, docks, wearing, **51** 32
portail *m.* portal, carriage entrance
porte *f.* door, gate; **∾-cochère** carriage entrance
porte-bannière *m.* banner-bearer
portefaix *m.* porter
portefeuille *m.* portfolio, brief-case
portemonnaie *m.* purse
porter bear, carry (off), strike, wear (clothes); **portant** with a bearing, **21** 15; **se ∾** be (*in health*), feel
Porte-Saint-Martin *Paris theatre for spectacular shows*

porte-sequins *m.* "money-bags"
portière *f.* door, door-sash (*of a carriage or car*); door-curtain, **116** 10
portique *m.* gateway; *pl.* parallel-bars, **162** 16
Porto-Vecchio Old Port, *in Corsica*
portrait *m.* portrait, image
portraiturer portray
pose *f.* pose, pretense
poser pose, lay, place, set (down); **posé -e** settled, resting, calm
position *f.* position
posséder possess
possession *f.* possession
possibilité *f.* possibility
possible possible
poste *f.* post, position; *see* **chaise**
post-scriptum *m.* postscript
poudre *f.* gunpowder
poudré -e powdered
poudreux -se dusty
pouilleux -se "lousy"
poulie *f.* pulley
poupée *f.* doll; **de ∾** doll-like
poupin -e affected, dandified
pour for; **∾ que** (in order) that
pourpre purple
pourquoi (que) why
pourrai, pourrais, *see* **pouvoir**
poursuite *f.*: **à sa ∾** in pursuit of him
poursuivre pursue; **se ∾** chase one another
pourtant still, yet
pourtour *m.* circuit
poussée *f.* push, surge
pousser push, urge, utter, carry, grow, **153** 25; *see* **clameur**
poussière *f.* dust; **∾ décolorante** dusky haze
pouvoir have power (opportunity), avail, be able; **peux,** *etc.*, can, may (do); **pourrais,** *etc.*, could; **put** could; **ai (avais, aurais,** *etc.*) **pu** *with inf.* could *with inf.*, could have *with part.;* **n'en peut plus** is exhausted, **85** 23
pouvoir *m.* power; *pl.* credentials; *see* **vérification**
pratique *f.* experience (**de** in dealing with, **114** 8)
pratiquer practise
précaution *f.* precaution
précéder precede
précieux -se precious
précipitamment hastily, urgently, in haste
précipiter hurry, throw (hurl) down; **précipité -e** hasty; **se ∾** hurry, rush in
précis -e precise, definite, defined; **∾ément** -ly
prédestiner predestine
prédiction *f.* prediction
préfecture *f.* prefecture; **de ∾** prefectural
préférer prefer
préfet *m.* prefect
premier -ère first, first day of, front; *f.* first performance, "opening day"
prendre take, catch, seize, assume, make (*decisions*), fix (*days*), call (*to witness*); **se ∾ corps à corps** wrestle; **s'en ∾ à** blame, find fault with; *see* **brusquerie, élan, garde, parti, pli**

préoccupation *f.* preoccupation, prepossession
préoccuper preoccupy
préparatif *m.* preparation
préparatoire preparatory
préparer prepare, premeditate
près near; ∾ **de** with, by, close to, about to, almost; **à peu** ∾ almost; **de si (plus)** ∾ so (more) closely; **tout** ∾ **d'ici** close by
présence *f.* presence; **en** ∾ in company
présent -e present; **(jusqu') à** ∾ (till) now; *see* **dès**
présentation *f.* presentation, introduction
présenter present, introduce
président -e president, presiding officer; ∾**-fondateur** founder and president
présidentiel -le presidential
présider preside (over)
presque almost
presse *f.* press, crowd, jam
pressentiment *m.* foreboding
presser press, crowd, hurry; ∾ **le pas** quicken one's steps; **se** ∾ crowd, jostle; **pressé -e** urgent, in a hurry
prestance *f.* bearing
prestige *m.* prestige
prêt -e ready
prétendre pretend, claim
prétention *f.* pretension, confidence, **153** 27
prêter lend, give
prétexter make a pretext
prétoire *m.* high magistracy; **de** ∾ "high and mighty," **152** 1
prêtre *m.* priest
preuve *f.* proof; **à** ∾ "witness," **131** 18
prévaricateur *m.* betrayer of trust
prévenir warn, tell
prévu -e foreseen
prier say prayers, beg; **en** ∾ beg; **je vous en prie** please
prière *f.* prayer
primer take precedence of, get the better of
primitif -ve primitive
prince *m.* prince
princier -ère princely
principal -e -aux chief
principauté *f.* principality
printanier -ère spring, springlike
pris, prit, *see* **prendre**
prison *m.* prison
prisonnier -ère prisoner (*of death*, **124** 21)
privation *f.* privation
priver deprive; **privé -e** private, privy (*council*); **se** ∾ be deprived
privilégié -e privileged, favored
prix *m.* price, prize; **à tout** ∾ at all costs
problématique problematical, dubious
procéder proceed
procès *m.* lawsuit, case, **163** 23; ∾**-verbal -aux** *m.* official report
prochain -e next, near by, soon; ∾**ement** soon
proche near; **de** ∾ **en** ∾ from each to the next, **60** 34
procurer procure, get
prodigieux -se marvellous

prodiguer be prodigal of
produire produce
produit *m.* product, wares
profanation *f.* profanation
profane outsider; uninitiated
proférer utter, proffer
profession *f.* profession
profil *m.* profile
profit *m.* profit
profiter profit
profond -e deep; **∾ément** -ly, low, **85** 29; carefully, **67** 12
profondeur *f.* depth
programme *m.* program, plan
proie *f.* prey
projectile *m.* missile
projet *m.* project, proposal
projeter cast
prolonger prolong; **se ∾** stretch
promenade *f.* walk; **en ∾** out walking; **∾ hygiénique** "constitutional," **161** 19
promener walk, exhibit, strew, **178** 29; **∾ à la main** lead (*for exercise*); **se ∾** walk about, parade, behave, **133** 18
promesse *f.* promise
promettre promise
prompt -e prompt, quick
prononcer utter, state; **se ∾** take a stand, declare oneself
prophétique prophetic
proportion *f.* proportion
propos *m.*: **à ∾** by the way, in connection (**de** with); **à ∾ rompus** desultory, **177** 21
proposition *f.* proposal
propre own
prospérer prosper
prospérité *f.* prosperity
protecteur -trice protector; patronizing
protection *f.* protection; *pl.* official influence
protégé -e protected; favorite, favored one
protestation *f.* protest, protestation, **132** 5
protester protest
protêt *m.* protest
prouver prove, show
provençal -e -aux of Provence; **Provençal** man of Provence
Provence *f.* Provence (*Southern France*)
province *f.* province, countryside; **de ∾** provincial; *see* **curé**
provincial -e -aux provincial
proviseur *m.* head master
prudent -e prudent, cautious
prune *f.* plum
prunelle *f.* (pupil of the) eye
ps *inarticulate muttering*
pu *see* **pouvoir**
public, publique, public
publicité *f.* publicity
publier publish
pudeur *f.* modesty, bashfulness
puis then, again
puiser draw
puisque since
puissance *f.* power
puissant -e powerful; man of power
puisse *see* **pouvoir**
punir punish
pupitre *m.* desk
pur -e pure, classic

purent, pus, put, pût, *see* **pouvoir**
purifier purify

quadruple quadruple
quai *m.* quay, embankment, dock; **Quai d'Orsay** *along the Seine opposite the Tuileries Garden*
qualité *f.* quality; *pl.* gifts
quand when, though, even; **∾ même** even so, anyway
quant à as for
quarantaine *f.* quarantine, isolation; **mettre en ∾** "send to Coventry," **101** 31
quart *m.*: **de trois ∾s** three-quarters
quartier *m.* district
quartz *m.* quartz crystal
quatre four; **∾ à ∾** four steps at a time, **89** 24; **∾-vingts** eighty; **quatrième** fourth
que whom, which, what; *see* **ce**
que that, till, until, while, since, how (much, many), why, whether, even if, when, as; *after negative expressed or implied* only, except, but, anything but; *in comparisons* than; *with subjunctive in wishes* let *with inf.; in appositions, redundant, e.g.* **34** 5, *or renderable by inversion, e.g.* **37** 11; *see* **ce, parce, quoi**
quel -le which, what sort of
quelconque: un "x" ∾ some sort of an "x"
quelque some, any; *pl.* a few; **∾'un, ∾s-uns,** someone, anyone, some, any
quelquefois sometimes
quenouille *f.* distaff
question *f.* question, discussion, talk
quêteur -se suppliant
queue *f.* line, train (*of a dress*)
qui who, whom, what
quinzaine *f.* fortnight
quinze fifteen
quittance *f.* receipt
quitter quit, leave
quoi what, which; after all! **∾ que** whatever; **de ∾ (faire)** reason, occasion, wherewithal, enough to, **140** 27; what was needed, **109** 20; **à ∾ bon** why?
quoique although
quolibet *m.* jest

rabaisser degrade
rabat *m.* neck-band
rabattre turn down
Rabelais *satirist, about 1495–1555*
raccroc *m.* lucky hit; **coup de ∾** "scratch shot"
race *f.* race
racine *f.* root
racontars *m.pl.* scandalous tales
raconter tell
rade *f.* roadstead, harbor
radieux -se beaming
radoucir soften, mollify
raffermir: se ∾ gain substance
raffiné -e refined; military dandy
raffoler be "crazy" **(en** over it)
ragaillardir rejuvenate
rage *f.* rage
ragoût *m.* sauce
raie *f.* part (*of the hair*)
railler mock, laugh at

raillerie *f.* jesting
railleur -se jesting, mocking, bantering; ∾ **à froid** cynically amused, **106** 7
raison *f.* reason; **avoir** ∾ be right; **te rendre** ∾ settle with you for it, **105** 24
raisonnable reasonable, sensible
rajeunir rejuvenate; **le** ∾ renew his youth
rajuster readjust
raki *m.* arrack
ralentir slacken (*speed*)
râler breathe with rattling
ramassement *m.* concentrated attention
ramasser gather, pick up
rameau -x *m.* branch
ramener bring back, carry off, guide
rampe *f.* flight of steps, railing
ramper crawl
rançon *f.* ransom
rancune *f.* rancor, grudge
rang *m.* rank, row
rangée *f.* row
ranger range, arrange, draw up; **se** ∾ **au quai** dock
ranimer revive
rapacité *f.* rapacity
rapide quick; ∾**ment** -ly
rapine *f.* rapine, plundering
rappeler *and* **se** ∾ recall
rapport *m.* report; **par** ∾ **à** in relation to
rapporter bring back, recall, repeal; **se** ∾ rely
rapporteur *m.* reporter (*for a committee*)
rapprochement *m.* reconciliation
rapprocher bring nearer (**de** to); **se** ∾ draw nearer
rare rare; *pl.* thin (*hair*)
raréfié -e rarefied
ras *m.*: **au** ∾ **de terre** close to earth
raser shave; **rasé** *m.* smooth-faced man, **56** 2
rasoir *m.* razor
rassasier cloy, satiate
rassemblement *m.* gathering
rassembler gather
rasseoir: **se** ∾ sit down again
rasséréner: **se** ∾ grow serene
rassit *see* **rasseoir**
rassurer reassure
rat *m.* rat
rattacher tie again
rauque hoarse, rough
ravage *m.* ravage
raviné -e furrowed
ravir delight; **ravissant -e** charming
ravitailler reprovision
raviver revive
ravoir have back
rayer streak (**de** with)
rayon *m.* ray, flash
rayonnement *m.* radiancy, brightness, dazzling
rayonner beam (**de** at, **154** 24), shed light; **rayonnant -e** bright
réaction *f.* effect produced
réaliser: **se** ∾ come true
réalité *f.* reality
rebelle obstinate
rebondir rebound, reëcho
rebord *m.* ledge

rebuffade *f.* snub, rebuff
rébus *m.* puzzle
rebuter rebuff, discourage
rebuts *m.pl.* cast-off trumpery
récent -e recent
réception *f.* reception
recette *f.* recipe, receivership
receveur *m.* receiver, collector
recevoir receive, admit; **reçu -e** understood, **68** 18
réchauffer warm again, reanimate
recherche *f.* selection, choice; *pl.* hunting, **168** 17
rechigné -e glum, sulky
récit *m.* story, recital
réciter recite
réclamation *f.* protest
réclame *f.*: **de ∾** advertising
réclamer protest, entreat
reçoit *see* **recevoir**
recommandation *f.* recommendation
recommander commend, bid
recommencer begin again
récompense *f.* reward
récompenser reward
réconcilier reconcile; **se ∾** be friendly again
reconduire escort, show (one) the door, **142** 28
réconforter cheer (up), strengthen
reconnaissable distinguishable (**à** by)
reconnaissance *f.* gratitude
reconnaître recognize, be recognizable, **83** 34; **reconnaissant -e** grateful; **reconnu -e** obvious
reconquérir regain, reconquer
reconstruire rebuild
reconventionnel -le in offset, counter, **68** 10
recours *m.* recourse
recouvrir hide
reçu -e, reçut, *see* **recevoir**
reçu *m.* receipt
recueilli -e absorbed, meditative, quiet
recul *m.* recoil, drawing back
reculer draw back, defer; **font de ∾** put off, **100** 20
redescendre come down again
redevenir become again
rédiger draw up (*reports*)
redingote *f.* frock-coat
redoutable dreadful
redouter dread
redresser straighten up (down, **55** 1), train (*vines*); **se ∾** draw oneself up
réel -le real; **∾lement** -ly
refaire remake
refermer close; **∾ à clef** lock again
reflet *m.* reflection, gleam, flash, gloss, light; *see* **douceur**
refléter reflect; **se ∾** be reflected
réflexion *f.* reflection
refluer flow back
réforme *f.* reform
réformer reform, reorganize
refouler crowd back
refrain *m.* refrain
refroidir cool
réfugier: **se ∾** take refuge; **réfugié -e** withdrawn
refus *m.* declination
refuser (se) refuse
regard *m.* look, glance; *see* **crocheter**

regarder look (at, **y** at it), see, concern; **se ∾** look (at) one another
régence *f.* regency
régiment *m.* regiment; *see* **cantinier**
réglementaire regular, standing, **127** 9
régler settle, regulate
regret *m.* regret; **à ∾** regretfully
regretter regret, miss
régularité *f.* regularity
régulier -ère regular, symmetrical; **∾èrement** -ly
reine *f.* queen
reins *m. pl.* loins, waist
rejaillir spurt, rebound, be reflected, **14** 12
rejeter reject, throw back
rejoindre rejoin, "get," **88** 4
réjouir delight
relever raise, relieve, lighten, throw back; **se ∾** rise, "get on one's feet again," **176** 6
religieux -se religious, devout; **∾sement** -ly
relique *f.* relic
relire reread
reluire glitter
remarque *f.* remark; **en faire la ∾** notice it
remarquer remark, notice
rembourrer pad
rembourser reimburse
remède *m.* remedy
remettre put back, set again, deliver, hand over; **∾ en mémoire** bring to mind again; **se ∾** begin again, compose oneself; **se ∾ en marche** set out again
remise *f.* carriage-house
remit *see* **remettre**
remonte *f.*: **cheval de ∾** fresh mount
remonter pull up, be pushed back, **105** 32; **remontant -e** hunched up, **121** 9
remords *m.* remorse
remous *m.* eddy
rempart *m.* rampart
remplacer replace
remplir fill; **rempli -e** full, crowded
remuer stir, rouse, surge, move, nod, clink (*coins*)
renaître revive; **renaissant -e** reappearing
renard *m.* fox
rencontre *f.* meeting, coming, **83** 16; **à sa ∾** to meet her, **158** 8
rencontrer (se) meet, be gathered
rendre render, return, restore, give, issue; **rendez-vous** *m.* appointment; **se ∾** yield, go; **se ∾ compte** take (keep) account, get a clear idea; *see* **gorge, raison**
renflouement *m.* refloating
renfoncer push back
renier disown
renom *m.* reputation
renommé -e famous; *f.* renown
renoncement *m.* renunciation
renoncer (à) renounce, cease to try
renouveler renew
renseigné -e informed
renseignement *m.* information
rente *f.* annual income (*from property*)
rentrée *f.* return

rentrer come (go) back, withdraw; ~ **dans** be again possessed of, **159** 7; **rentré en** restored to; **en rentrant** when I go home, **132** 4
renverrai *see* **renvoyer**
renverse *f.*: **à la** ~ backwards
renversement *m.* back (*of a chair*)
renverser reverse, overturn, upset, spill
renvoi *m.* dismissal
renvoyer send back
repaire *m.* den
repaître pasture, feed; **repu -e** full-fed
répandre spread, scatter; **répandu -e** widespread
réparer repair, "fix"
repas *m.* repast, meal
repasser pass back
repeindre repaint
répéter (se) repeat
répétition *f.* rehearsal
replet -ète stout, corpulent
réplique *f.* denunciation (**contre** of, **178** 31)
répondre reply, answer (**en** for it), promise; **répondant -e** guarantor
réponse *f.* reply, answer
reporter *m.* reporter
repos *m.* repose, quiet
reposer repose, rest, be restful, **175** 4; **reposé -e** reposeful, settled; **se** ~ find rest, **131** 12
repousse *f.* offshoot
repousser repel, reject
reprendre resume, take back (up again), seize again
représentation *f.* exhibition, performance
représenter represent; **représentant** *m.* representative
reprise *f.*: **à plusieurs** ~**s** several times
reproche *m.* reproach
reprocher reproach; **se** ~ blame oneself for
reproduction *f.* reproduction
reproduire reproduce
reps *m.* repp
repu -e *see* **repaître**
répulsif -ve of repulsion
réputation *f.* reputation, attribution
réseau -x *m.* network; **à fins** ~**x** drizzling, **124** 10
réserver reserve
réservoir *m.* reservoir
résidence *f.* residence, palace, **163** 18
résignation *f.* resignation
résister resist
résolu -e resolved; **s'être** ~**e** be turned, **163** 10; **résolûment** (*Academy* **résolument**) resolutely
résolution *f.* resolution, determination, **159** 19
respect *m.* respect, self-respect
respectif -ve respective
respectueux -se respectful; ~**sement** -ly
respirer breathe, take breath, enjoy the air, **34** 3; ~ **sur** get air from, **177** 19
resplendir be resplendent, shine; **resplendissant -e** radiant
responsabilité *f.* responsibility
ressemblance *f.* resemblance
ressembler (à) resemble; **se** ~ be alike

ressentir feel, experience
resserrement *m.* gathering (de into)
ressort *m.* carriage-spring
ressortir come (stand) out
ressource *f.* resource
ressuscité -e revived
restaurant *m.* restaurant (de nuit "after-theatre")
restaurer restore
reste *m.* rest, trace, last glow, **42** 12; **du ∾** besides, still, however, "for that matter"
rester (*aux.* être) remain, stay; **resté -e** left, **101** 11
restreint -e restricted
résumé *m.* summing up
retard *m.* delay
retenir hold back, retain, remember, engage, **164** 31
retentir resound, sound
retentissement *m.* ringing stroke, **121** 2; sensational publicity, **140** 19
retiens, retient, *see* **retenir**
retirer: se ∾ withdraw; **retiré -e** withdrawn, in retirement
retiro (*Italian*) *m.* retreat, retiring room
retomber fall back; **retombant -e** unbent; *see* **expression**
retouche *f.* retouching, touch
retour *m.* return; **de ∾** back; **∾ de** back from (the)
retourner turn again (over, up), return, transform; **se ∾** turn around
retraite *f.* retreat, seclusion
retrousser turn (curl) up
retrouver find again, recover; **se ∾ en face l'un de l'autre** be face to face again
réunion *f.* meeting
réunir gather
réussir succeed, turn out well
revanche *f.* retaliation; **en ∾** on the other hand
rêve *m.* dream
réveil *m.* awakening
réveiller: se ∾ awake; **réveillé -e** (re)awakened
révélation *f.* revelation (sur of, about)
révéler reveal
revendeur de ferraille *m.* junkman
revenir come (turn) back, return, revive, **119** 28
rêver dream, meditate
réverbération *f.* reflection (*of rays*, **166** 13)
révérence *f.* courtesy
rêverie *f.* reverie
revers *m.* lapel
revêtir wear, assume
reviser revise, scrutinize
revivre live again, be revived
revoir see again; **à (au) ∾** till next time, "by-by"
révolte *f.* revolt; **∾ en arrière** recoil
révolter revolt; **se ∾** protest; **révolté -e** indignant
rez-de-chaussée *m.* ground-floor, street level
Rhône *m. river in southeastern France*
rhumatisme *m.* rheumatism
rhythme *m.* rhythm

rhythmé -e rhythmic
ricanement *m.* jeer
ricaner chuckle, sneer
ricaneur -se jeering
richard *m.* "money-bags"
riche rich (man), full; **∾ment** richly
richesse *f.* wealth
ride *f.* wrinkle
rideau -x *m.* curtain
rider wrinkle
ridicule ridiculous
rien (ne) nothing; *after negation or comparison, expressed or implied* anything; **∾ qu'avec** just by; **(sans) pouvoir ∾** have any power (control)
rieur -se laughing, jesting, in good humor
rigide rigid, strict
rigidité *f.* stiffness
rigoler frisk
rigoureux -se severe, stern
rigueur *f.* rigor; **à la ∾** possibly, **96** 14
rire laugh; **riant -e** smiling
rire *m.* laugh, laughter
risible laughable
risque *m.* risk
risquer de run the risk of
rival -e -aux rival
rivière *f.* river
rixe *f.* brawl, "row"
robe *f.* dress (**longue** with a train)
robuste robust (man), hearty, sturdy
rocaille *f.* rock-work
roche *f.* rock
rocher *m.* cliff
rôder prowl, skulk
roi *m.* king
rôle *m.* part
romantique romantic
rompre break, interrupt, weary, **160** 6; **se ∾** break
rond *m.* circle; **∾s de bras peu naturels** theatrical embraces, **40** 25; **vous fait des ∾s dans la tête** make your head swim, **18** 7; **en ∾** rounded; **∾-point** *m.* circle (*at crossings*)
ronflant -e humming, noisy
ronflement *m.* hum, roll (*of drums*), tinkling
ronger gnaw, bite, wear away
Roquette: rue de la ∾ *from Place Voltaire to the main gate of Père Lachaise*
rose rosy, rose-colored
rose *f.* rose; **de ∾** rose-scented
rosette *f.* rosette
rosse de fiacre *f.* hack-horse
rotonde *f.* rotunda
roue *f.* wheel
Rouen *m.* Rouen-ware
rouge red, red-hot; *m.* red, blush
rougeaud -e ruddy
rougir blush, redden
rouleau -x *m.* roll
roulement *m.* rumbling, hollow reverberation
rouler roll, twist, involve, move, **181** 23; wrestle with, **59** 28; wallow, **140** 15; **se ∾** romp, **76** 27; **se faire ∾** get cheated, **133** 19
rousse *see* **roux**
roustissure *f.*: **de la ∾** "old nags"

route *f.* highroad, path, way; **se mettre en ∾** start
rouvrir reopen
roux, rousse, russet-colored
royal -e -aux royal; **rue Royale** *from the Place de la Concorde to the Madeleine*
royaume *m.* kingdom
ruban *m.* ribbon (*replacing the Honor Cross,* **51** 32)
ruche *f.* ruching, pleating
rucher frill, pleat
rude rude, strong; **∾ment** harshly
rudesse *f.* harshness, sternness
rudoyer use harshly, ill-treat
rue *f.* street; **∾ de "X"** on (at) "X" Street; **en pleine ∾** in the open street
rugissement *m.* bellowing, roar
rugueux -se rough, corded
ruine *f.* ruin, wreck
ruiner ruin
ruisseau -x *m.* gutter, mill-stream, **103** 31
ruisseler gush, trickle
ruissellement *m.* trickling
rumeur *f.* rumor, disturbance, noise of voices
ruminer ruminate, ponder
ruse *f.* device
rustique rustic, countrified
rustre *m.* countryman, rustic
rutilant -e reddish brown

sabir mercantile Levantine
sable *m.* sand, gravel
sablonneux -se sandy
sabre *m.* saber
sac *m.* sack, plundering
sachant, sache, *see* **savoir**
sacré -e sacred, "accursed," **162** 23
sacrifice *m.* sacrifice
sacrifier sacrifice
sacristain *m.* sacristan
sacristie *f.* sacristy
safrané -e saffron-colored
sage wise
sagesse *f.* wisdom; *pl.* wise counsels
saignée *f.* bleeding (*surgical*)
saigner bleed
saillie *f.* sally, flash of wit
sain -e healthy, healthful
saint -e saint, St.; **Saint-Romans** *represents no one of the four Saint-Romans in France; see* **Bellaigue**
sais, sait, *see* **savoir**
saisir seize, get hold of; **saisissant -e** affecting
saison *f.* season; **belle ∾** summer time
sale dirty
salem alek (*Arabic*) all hail
saleté *f.* defilement
salière *f.* salt-box, salt-cellar
salir sully
salle *f.* hall, room, audience; **∾ à manger** dining-room
salon *m.* reception-room, parlor, compartment (*car*); **∾ d'attente** waiting-room; **Salon** Exhibition (*art*)
saluer greet, hail, bid farewell to, bow
salut *m.* salvation, greeting, salute, welcome
salutaire salutary

salve *f.* salvo, round, **179** 2
samedi *m.* Saturday
sang *m.* blood; **∾-froid** *m.* composure; **du ∾ plein** bloodshot; **se faire un bon ∾** have a rollicking time
sanglant -e bloody
sanglé -e buttoned tight
sanglot *m.* sob
sanguin -e *see* **congestion**
sans without; **∾-façon** *m.* lack of ceremony, familiarity; **avec tant de ∾-façon** so unassumingly
santé *f.* health; *see* **maison**
sapristi by jingo! (*corruption of* **sanguis Christi,** *Latin*)
Sardanapale *m.* Sardanapalus (*668–624* B.C.)
Sarigue "Opossum"
satin *m.* satin; **de ∾** satiny
satiné -e satin-finished
satire *f.* satire
satisfaction *f.* satisfaction
satisfaire satisfy, content; **satisfait -e** pleased, complacent, gratified
saturé -e steeped
saurai, saurais, *see* **savoir**
saut *m.* start, sudden awakening, **101** 3
sauter jump, leap, seize, fly up, **125** 12
sauterelle *f.* locust
sautiller skip, hop
sauvage savage, wild, uncivilized, barbarian
sauvageon *m.* wild shoot
sauver save; **se ∾** get away, **169** 24
savamment learnedly, shrewdly
savate *f.* old shoe
savoir know (how), be able; **∾ des nouvelles** inquire, **180** 28; **saurais** could, *e.g.* **51** 30; **se ∾** be understood (recognized); **savant -e** learned
Savone Savona (*town 25 miles west of Genoa*)
savourer taste, enjoy
scandale *m.* scandal
scandaleux -se scandalous, provocative, **177** 6; outraged, **138** 18
scellé *m.* seal (*legal*)
scène *f.* scene, stage; *see* **mise**
scénique scenic, dramatic
scepticisme *m.* skepticism
sceptique skeptic(al)
science *f.* science
scintillement *m.* sparkling
scintiller sparkle
scrupuleux -se scrupulous
scrutin *m.* investigation
sculpté -e carved, molded
sculpteur *m.* sculptor
sculptural -e -aux sculptural, plastic
sculpture *f.* sculpture; **de ∾** sculptor's
se himself, herself, itself, oneself; themselves, each other, one another; *often best rendered indirectly*
séance *f.* sitting, session
seau -x *m.* tub
sec, sèche, dry
sécher dry
sécheresse *f.* drought
second -e second; *m.* second floor (*i.e. two flights up*, **146** 1)

seconde *f.* second (*of time*)
secouer shake, shed, wave, **150** 9
secours *m.* aid; *pl.* charities; **au ∾** help! **pour les ∾** to get aid, **180** 27
secousse *f.* shock
secret -ète secret; *m.* secret
secrétaire *m.* secretary
séduire attract, fascinate
seigneur *m.* lord, nobleman
seigneurial -e -aux lordly
Seine *f. river flowing through Paris*
seize sixteen
séjour *m.* stay, sojourn
selle *f.* saddle, stool; *see* **cheval**
sellette *f.* stool
selon according to
semailles *f. pl.* seed (*grass or grain*)
semaine *f.* week
semblable such; **∾ à** like; **de ∾** of that sort
semblant *m.* semblance
sembler seem
semer sow, strew
semestre *m.* semester, half-year
Sénat *m.* Senate
sénateur *m.* senator
sénile senile
sens *see* **sentir**
sens *m.* sense, perception
sensible sensitive
sensuel -le sensuous
sentiment *m.* feeling, consciousness
sentimental -e -aux sentimental
sentir feel, indicate, smack of; **∾ bon** be redolent with, **104** 7; **se ∾** feel (oneself), appear, be felt
seoir à become, befit, suit
séparation *f.* separation
séparer separate, divide
sept seven
sequin *m.* sequin (*Turkish coin*)
serein -e serene, calm
sérénité *f.* serenity
serge *f.* serge
sergent *m.* sergeant; **∾ de ville** city policeman
série *f.* series
sérieux -se serious, grave; *m.* seriousness; **∾sement** -ly
serment *m.* oath
serre *f.* hot-house, conservatory
serrer press, compress, oppress, grip, clench, lock, tie up, fit close, button tight, **10** 2; **jouer serré** play a squeezing game, **132** 21; *see* **vis**
service *m.* service; **de ∾** serving (*table*), on duty; **gens de ∾** subordinates, **128** 3
serviette *f.* napkin, brief-case
servir serve (de as), wait on, be used, **125** 29; **à quoi sert** what's the use? **110** 4; **se ∾ de** use
serviteur *m.* servant
servitude *f.* servitude
seuil *m.* threshold
seul -e sole, only, alone, single (one); **tout ∾** just merely, **86** 16; **∾ement** only, merely, just
sévère stern
sévérité *f.* severity
Sèvres *m.* Sèvres-ware
sexe *m.* sex
seyait *see* **seoir**

si if, if ever, **92** 30; of course, *e.g.* **32** 9
si so as; **∾ fait** certainly; **∾ "x" que** however "x," **28** 21
siècle *m.* century; **longue d'un ∾** age-long, **155** 15
siège *m.* seat, chair
siéger sit
sien -ne: le (la) ∾, les ∾s, his, hers, its (own)
sieur *m.* Mr. (*formal*)
sifflement *m.* hissing (*i.e.* slander, **69** 5)
siffler hiss
sifflet *m.* whistle
siffloter whistle
signal *m.* signal
signaler point out, characterize
signature *f.* signature; **aux ∾s** for signing papers, **98** 6
signe *m.* sign, signal
signer sign
significatif -ve significant
signifier signify
signor Francese (*Italian*) Mr. Frenchman
silence *m.* silence
silencieux -se silent(ly); **∾sement** -ly
silhouette *f.* silhouette, outline
sillon *m.* track
sillonner streak, line, **161** 11
simiesque ape-like
similitude *f.* likeness
simple simple; **∾ment** -ly
simplicité *f.* simplicity
sinapisme *m.* mustard-plaster
sincère sincere
sincérité *f.* sincerity
singe *m.* ape, "monkey," **174** 21
singulier -ère singular, strange; **∾èrement** -ly
sinistre sinister, ill-omened
sinon if not, except
sirène *f.* fog-horn
sirocco *m.* south-wind
site *m.* site
sitôt as soon (**que** as)
situation *f.* situation
situé -e situated
six six
smala (*Arabic*) *f.* household
sobre sober, quiet
sobriété *f.* sobriety
social -e -aux social
société *f.* society
socle *m.* pedestal
sœur *f.* sister; **bonne ∾** Sister of Charity
soi: chez ∾ at home
soie *f.* silk
soif *f.* thirst
soigner tend, care for, treat (*medically*); **soigné -e** elaborate, **71** 3; **se ∾ par** take (*as medicine*), **131** 17
soigneux -se careful
soin *m.* care, attention; **avoir le (mettre du) ∾** take pains
soir *m.* evening
soirée *f.* evening, evening party
soixante sixty
sol *m.* soil, ground
soldat *m.* soldier
soleil *m.* sun, sunlight, bright circle; **de ∾** sunny; **grand ∾** full daylight
solennel -le solemn, serious; **∾lement** -ly
solennité *f.* solemnity

solidarité *f.* solidarity, joint liability
solide firm, sturdy, sound, strong; **∾ment** firmly
solitaire solitary
solitude *f.* solitude
solliciter solicit
solliciteur *m.* petitioner, canvasser (*political*)
sollicitude *f.* solicitude
sombre somber, dark
sombré -e foundered, sunken
somme *f.* sum; **en ∾** as a whole, after all, in short, really
sommeil *m.* sleep
somptueux -se sumptuous
son, sa, ses, his, her, its, his own
son *m.* sound
songer dream, think (**y** of it)
songerie *f.* meditation
sonner ring (for), strike (*of a clock*), resound
sonnerie *f.* ringing (*of signals*), call (*bugle*)
sonnette *f.* bell, bell-rope
sonore sonorous
sonorité *f.* sonorousness
soporifique sedative
sorbet *m.* sherbet, ice
sordide sordid, wretched
sort *m.* fate, lot
sorte *f.* sort, kind; **de (telle) ∾** so
sortie *f.* exit, going out, leave-taking
sortir come (go) out, issue; **∾ de** leave; **d'où sortez-vous** where do you come from (*not to know that*), **27** 26
sot -te stupid; **∾tement** -ly
sou *m.* sou (cent), "cent's worth"
souche *f.* check-stub; **livre à ∾s** checkbook
souci *m.* care, anxiety, notice; **sans ∾ de** unheeding
soudain -e sudden(ly); **∾ement** -ly
souffle *m.* breath, current (*of air*), draft, wind
souffler puff, pant, inflate, make airy (light, buoyant); **soufflé** *m.* soufflé
soufflets de forges *m. pl.* (*blacksmith's*) bellows
souffrance *f.* pain, suffering
souffrir suffer, endure, bear; **souffrant -e** ill, "under the weather"
souillé -e soiled, dirty
souillure *f.* pollution, dirtiness
soulagement *m.* relief
soûler intoxicate
soulever raise, lift, excite; **se ∾** revolt
souligner underline, emphasize
soumettre submit; **soumis -e** submissive
soupape *f.* valve, safety-valve
soupçon *m.* suspicion
soupçonner suspect
soupe *f.* soup
soupir *m.* sigh
soupirer sigh
souple supple
souplesse *f.* facility, adaptability
source *f.* source
sourcil *m.* eyebrow
sourciller frown, blink
sourd -e deaf, dull, muffled, hollow, secret; **∾ement** with a hollow voice, **169** 16; **∾-muet (∾s-muets)** deaf-mute

sourire smile; *m.* smile
souris *f.* mouse
sournois -e "sly-boots"; **∾ement** stealthily
sous under; **∾-entendu** hinting, **139** 17; **∾-préfet** *m.* sub-prefect
souscrire subscribe, yield
soustraire: se ∾ withdraw (**à** from)
soutane *f.* cassock
soute *f.* bunker
soutenir support, maintain, hold
soutirer à draw from, get out of
souvenir: se ∾ (de) remember (**en** it)
souvenir *m.* recollection, memory
souvent often; **le plus ∾** as often as, **103** 24
souverain -e supreme; sovereign
soyeux -se silky
sparterie *f.* mat-weed, esparto
spécial -e -aux special; **∾lement** especially
spectacle *m.* spectacle, sight, play
spectateur *m.* spectator
spectre *m.* specter
spéculation *f.* speculation
sphère *f.* sphere
sphinx *m.* sphinx, problematical creature
spirale *f.*: **en ∾** in whirls
spirituel -le intellectual, witty
spleen (*English*) *m.* melancholy, gloom
splendeur *f.* splendor
splendide splendid, brilliant, resplendent
station *f.* stopping place (**de** for), resort, standing, **160** 5
statue *f.* statue
stoïque Stoic
store *m.* window-shade
strident -e sharp
studieux -se studious
stupéfaction *f.* stupefaction
stupéfait -e startled, astonished, stupefied
stupéfier stupefy
stupeur *f.* stupefaction, astonishment
stupide dull, stupid
suaire *m.* shroud
subalterne subaltern, inferior
subir undergo, endure, yield to
subit -e sudden; **∾ement** -ly
sublime sublime
subside *m.* subsidy
substitution *m.* aspirant for the post of
subtil -e subtle
succéder succeed, follow (**à** on); **se ∾** follow one another
succès *m.* success
successeur *m.* successor
successif -ve successive
succession *f.* succession, heritage
suer sweat, perspire
sueur *f.* sweat
suffire be enough; **il suffit de "x"** "x" sufficed, **119** 25
suffoquer suffocate; **suffocant -e** stifling; **suffoqué -e** gasping, **105** 30
suggérer suggest
suicide *m.* suicide
suis *see* **être** *and* **suivre**
suisse *m.* porter

suit *see* **suivre**
suite *f.* following, train (procession); **à la ∾** (de) behind, after, in the wake; **de ∾** in succession; **faire ∾ à** adjoin; **sans ∾** disconnected
suiveur *m.* follower
suivre follow
sujet -te subject
sujet *m.* subject, occasion
sultane *f.* sultana
superbe superb, proud
superficiel *m.* superficiality
supérieur -e superior
superstition *f.* superstition
supplémentaire supplementary
supplier beg; **suppliant -e** suppliant
supposer suppose, presume
suprême supreme, last
sur on, over, in, at, to, about
sûr -e sure(ly), secure; **∾ement** -ly; *see* **coup**
suraigu -ë high-pitched
suranné -e antiquated
surexcité -e overstimulated
surface *f.* surface, exterior; **tout en ∾** hollow, **162** 27
surgir rise, loom up, stand out
surhumain -e superhuman
surmener: **se ∾** overwork, drive oneself; **surmené -e** overworked, overwrought
surmonter overcome; **surmontant -e** placed over
surnom *m.* surname, nickname
surnommer nickname
surplis *m.* surplice
surprendre surprise, catch
surprise *f.* surprise; **en ∾** "like a jack-in-the-box," **63** 23
sursaut *m.* dash, revival, **114** 20; **en ∾** with a start
sursis *m.* reprieve
surtout especially
surveillance *f.* watchful guard
surveiller watch, oversee, safeguard; **se ∾** eye one another
susciter arouse
suspect -e under suspicion
suspens *m.* suspense
susurrement *m.* murmur
sut, sût, *see* **savoir**
sybarite Sybarite
syllabe *f.* syllable
symbole *m.* symbol
sympathie *f.* sympathy
sympathique sympathetic, kindly

tabac *m.* tobacco
table *f.* table, company; **∾ d'hôte** table d'hôte
tableau -x *m.* picture
tablier *m.* apron
tâcher try
tacite tacit; **∾ment** -ly
tailladé -e slashed
taille *f.* cut, waist, figure, **126** 5
tailler cut, model
taillole *f.* girdle-bodice
taire be still; **se ∾** be silent; **faire ∾** silence
talon *m.* heel
tambour *m.* drum
tambourin *m.* tambourine
tampon *m.*: **en ∾** like a wad
tandis que while
tanner tan

tant (de) so much (many, often); ∾ **il est "x"** so "x" it is
tantôt just now, sometimes
taper hit; **bien tapé** pretty slashing, "a facer," **92** 18
tapis *m.* carpet, rug
tapisserie *f.* tapestry
taquiner tease
tard late
tarder delay; **il nous (lui) tardait** we were (he was) impatient
tare *f.* blemish, stain
taré -e tainted, damaged, "bad"
Tartare Tartar, barbarian
tartufe *m.* hypocrite
tas *m.* pile, crowd, "lot," mass; **à** ∾ in a heap, mixed up
tasse *f.* cup
tâter test, feel
Tattersall *m.* racing stables
taupe *f.* mole
taureau -x *m.* bull
té *for* **tiens!**
teint *m.* complexion
tel, telle, such; ∾**lement** so, so much (many, far)
télégraphe *m.* telegraph (office)
télégraphique telegraphic
Télémaque *m.* Telemachus
témoin *m.* witness
tempe *f.* temple (*of the head*)
tempérament *m.* temperament, nature
température *f.* temperature
tempérer temper, tone down
tempête *f.* tempest
temple *m.* temple (**à colonnes** colonnaded, *i.e.*, **103** 33, *the Chamber of Deputies;* **143** 3 *refers to St. Matthew, xxi, 12*)
temps *m.* time, occasion, weather; **dans les** ∾ formerly; **en ces derniers** ∾ of late
tendre tender, hold out, hang, stretch; **tendu -e** outstretched, covered, held straight, **161** 27; laid, **142** 14; **se** ∾ be stretched
tendre tender
tendresse *f.* affection, tender feeling
ténébreux -se mysterious, gloomy
tenir hold, cling, get, have, possess, keep, occupy; **tiens (tenez)** hold! stay! take them, **172** 13; ∾ **à** care for (**y** about it), be dear to, want to, depend on; ∾ **au cœur** be of great concern; **à quoi cela tenait-il** what was the reason, **90** 11; **où il tenait** which he embodied, **151** 26; **se** ∾ keep oneself, cling, stand, sit, be; **s'en** ∾ **là** stop there
tentative *f.* attempt
tenter try, tempt (**pour** to); **tentant -e** tempting, attractive
tenture *f.* hanging, curtain, tapestry, hammer-cloth
ténu -e tenuous
tenue *f.* garb, dress, bearing, breeding, "appearances"; **à la** ∾ looking out for appearances, **55** 1; **en grande** ∾ in one's best clothes, in party-dress
terminer (se) finish, end, settle
terrain *m.* ground, open space; ∾**s jeunes** fresh clearings
terrasse *f.* terrace
terrassé -e laid low

terre *f.* earth, floor, clay; *pl.* estates; **~ à ~** *m.* daily round; **à ~** prostrate; **par ~** on the floor, crushed; **~ cuite** terra cotta; **~ ferme** terra firma; **~-plein** *m.* raised level, platform, **134** 4

terreur *f.* terror; **avoir la ~** be afraid

terrible terrible, fearful, over-strenuous; **~ment** dreadfully, fiercely

terrifier terrify

territorial -e -aux provincial, territorial

tête *f.* head; **~ basse** crestfallen; **~ folle** "scatter-brains"; **à sa ~** as she pleased; **approuver de la ~** nod assent; **faire ~ à** resist

têtu -e headstrong, obstinate

thé *m.* tea

théâtre *m.* theatre, stage

thébaïde *f.* desert, hermitage

thym *m.* thyme

tiède mild, warm

tiédir grow lukewarm, warm

tiendrai, tiendrais, tienne, tiens, *see* **tenir**

tiers *m.* Third Estate

timbre *m.* bell (**d'arrivée** visitor's), bell-button, stamp; *see* **coup**

timbré -e stamped

timide timid; **~ment** -ly

Tintoret *m.* Tintoretto (*Venetian painter, 1518–1594*)

tirade *f.* declamatory speech

tirer draw, pull out, relieve; **~ la langue** let the tongue hang out (*as a thirsty dog*); **se ~** get out (**en** of it)

tiroir *m.* drawer

tisane *f.* soothing drink

titre *m.* title

titré -e titled, noble

toaster (à) toast, drink healths

toi to you; **à ~** yours

toile *f.* linen, canvas; *pl.* clothes

toilette *f.* toilet, dress; **de ~** dressing, **160** 1; **en ~** in full street-dress; **faire sa ~ sur son lit** "fix himself up abed," **109** 20

toison *f.* fleece, shock of hair, **37** 15; **~ d'or** Golden Fleece

toit *m.* roof

tolérer tolerate

tombe *f.* tomb

tomber fall, fade

tombereau -x *m.* cart

ton, ta, tes, your

ton *m.* tone, tint, shading, key (*musical*); **monter d'un ~** give a higher pitch to

tonneau -x *m.* cask; **~ d'arrosage** watering-cart

tonnerre *m.* thunder; **~ de Dieu** thunderation

toque *f.* artist's cap

toquer: se ~ get infatuated

torche *f.* torch

tordre twist, cramp

torpeur *f.* torpor

torrent *m.* torrent

torrentiel -le "in torrents"

tort *m.* wrong; **avoir ~** be wrong

torture *f.* torture

tôt soon; **plus ~** sooner, earlier; **le plus ~** the soonest, as soon as, **35** 20; **au plus ~** as soon as possible

toucher touch
toujours always, still; **pour ∾** forever
toupet *m.* impudence, "bluff"
tour *m.* turn, circuit, trick; **faites le ∾** drive around, **123** 14
tourbillon *m.* whirl, whirlwind
tourbillonner whirl; **tourbillonnant -e** dizzy
tourmenté -e racked
tournée *f.* round of visits
tourner (se) turn, make one's way around, **105** 15; **tournant** *m.* curves, **56** 18
tournoyer whirl, spin around
tournure *f.* style, shape, appearance, "get up"
tout -e, tous, toutes, all, any, every (one), everything, anything, each one; full, fully, wholly, greatly, just, quite; *often for emphasis only;* **∾ à coup** suddenly; **∾ à fait** thoroughly, wholly, quite; **∾ à l'heure** presently, just now; **∾ autre que** anybody else rather than, **179** 1; **∾ de même** anyway; **∾ de suite** immediately; **∾ en** while; **∾ le monde** everybody; **du ∾** at all; **tous (les) deux** both; **tous les matins** every morning, **137** 20
toux *f.* cough
tracas *m.* fuss, trouble
trace *f.* trace, course
tracer trace (**se** for themselves); **en tracé** "on paper"
tradition *f.* tradition
trafic *m.* traffic; *pl.* dealings; *see* **marchandage**
trahir betray
train *m.* train, succession; **en ∾ de** about to; *see* **fond**
traîne *f.* train (*of a dress;* **de** in the; **en** like a, **120** 14)
traînée *f.* trail, streak
traîner drag, draw, carry off, lie about
trait *m.* feature; **tout d'un ∾** at one dash
traite *f.* draft, bill of exchange
traiter treat; **se ∾** be treated; **traitant** *m.* contractor
traître *m.* traitor
trajet *m.* trip
trame *f.* plot, snare
tranchée *f.* trenches (*military*)
trancher cut off
tranquille quiet, easy, undisturbed; **laisser ∾** let alone; **∾ment** quietly, unmoved
tranquilliser reassure
tranquillité *f.* quiet, steadiness
transfigurer transfigure, transform
transformation *f.* transformation
transformer transform
transgresser transgress, violate
transition *f.* transition
transparence *f.* lucidity
transparent -e transparent, diaphanous, **135** 18
transport *m.* outburst
transversal -e -aux cross
travail -aux *m.* work, labor, contract, **40** 32
travailler work
travée *f.* passageway, archway, bay

travers *m.* eccentricity, **179** 23; **à ∾** through; **de ∾** askance; **en ∾** diagonally; **en ∾ de** across
traverser traverse, cross, pass through, pierce
trébuchant -e halting, stumbling
treize thirteen
tremblement *m.* shaking, trembling
trembler shake, quiver, tremble; **tremblé -e** shaky
trempe *f.* temper (*of steel*)
tremplin *m.* spring-board
trente thirty
trépied *m.* tripod
trépignement *m.* stamping
très very, quite; *prefixed to many adjectives for emphasis only*
trésor *m.* treasure; **Trésor** Treasury
tressaillement *m.* quiver
tressaillir quiver
tresser weave, braid, bind
tribunal -aux *m.* tribunal, court
tribune *f.* platform, gallery
trident *m.* trident
trier select
trimballée *f.* "lot," "pack," "gang"
trimballement *m.* trailing about, **123** 27
trio *m.* trio, group of three
triomphal -e -aux triumphal
triomphe *m.* triumph (procession)
triompher triumph; **triomphant -e** triumphant
triple triple
tripoter dabble
triste sad, dreary; **∾ment** -ly
tristesse *f.* dreariness
trois three; **∾ième** third
trombe *f.* swarm, cloud-burst
trompe *f.* proboscis
tromper deceive; **se ∾** be mistaken, be deceived (**y** about it)
trompette *m.* bugler
tronc *m.* trunk (*of a tree*)
tronçon *m.* section
trône *m.* throne
trôner sit enthroned
trop too, too much (many, far); **∾-plein** *m.* overflow
trophée *m.* trophy, monumental display
trot *m.* trot, tripping step
trotter skip about
trottoir *m.* sidewalk
trou *m.* hole, gap
trouble *m.* anxiety, perplexity
troubler trouble, disquiet, disturb; **se ∾** be disturbed
trouée *f.* hole, opening
troupeau -x *m.* troop, drove, following
troupes *f. pl.* troops, soldiers
trousse *f.*: **à ses ∾s** at his heels
trouvaille *f.* discovery, find; *see* **hasard**
trouver find; **trouvé** "an idea," **132** 23; **se ∾** feel oneself, be; **s'y ∾ bien** feel at ease
truffe *f.* truffle
tuer kill
Tuileries *f. pl. palace destroyed in 1871*
tuméfier swell
tumulte *m.* tumult, confusion
tunique *f.* tunic, waist (*of a dress*)

Tunisien -ne man (woman) of Tunis (*Turkish, now French protectorate, corresponding to ancient Carthage*); **tunisien -ne** Tunisian
tunnel *m.* tunnel
turban *m.* turban
turbulent -e turbulent
turc, turque, Turkish
turpitude *f.* vileness, baseness
turquerie *f.* Turkish "set"
tuteur *m.* protector, guardian
tuyau -x *m.* pipe; ∾ **de l'oreille** ear, **89** 25
type *m.* type, typical character

un -e one, a
uniformément monotonously
union *f.* union, marriage
unique unique, sole
unir unite, join; **uni -e** smooth, harmonious
unisson *m.* unison
universitaire *see* **organisation**
urgent -e urgent
urne électorale *f.* ballot box
usage *m.* use, custom; **d'∾** customary
user employ, exercise; **usé -e** used up, worn out
usine *f.* factory, mill, "works"
usinier *m.* mill-man, manufacturer
usité -e customary
usure *f.* usury
usurier *m.* usurer

va *see* **aller**; **va-et-vient** *m.* going and coming, commotion; **va-tout** *m.*: **jouer son ∾** stake one's all
vacarme *m.* racket
vague vague, indistinct; *m.* vagueness, space, **177** 31; **∾ment** slightly, dimly
vague *f.*: ∾ **de l'eau** water's swell, **116** 34
vaillant -e valiant, brave, courageous
vain -e vain
vaincre conquer; **vaincu** *m.* vanquished man, **180** 23
vais *see* **aller**
vaisseau -x *m.* ship, nave, auditorium, **147** 28
Valence *town on the Rhone some 200 miles from Marseilles*
valet *m.* "man"; ∾ **de chambre** house-man; ∾ **de pied** footman
valetaille *f.* servant body
valeur *f.* value
validation *f.* confirmation (*of election*), seating (*as deputy*)
validé seated (*as deputy*)
vallée *f.* valley
valoir be worth, procure, bring about; **(en) ∾ la peine** be worth while, be of consequence; **∾ mieux** be better, **179** 26; **ça se vaut** that makes it even, **132** 31
vanité *f.* vanity
vaniteux -se vain; **∾se jouissance** gratified vanity
vanter: se ∾ boast
vapeur *f.* steam; *m.* steamer; *see* **élan**
vaporeux -se airy, gauzy
varié -e of all sorts, **88** 1
variété *f.* variety, sort; **Variétés** *a noted theatre*

vaste vast, huge, broad
vaut *see* **valoir**
vautrer stretch, sprawl
Vaux *Fouquet's countryseat in central France*
vécu *see* **vivre**
végétation *f.* vegetation
véhicule *m.* vehicle
veille *f.* day before ; **de la ~** since yesterday
veiller be (lie) awake, watch ; **~ à** look out for
velours *m.* velvet
velu -e hairy
vénalité *f.* venality
vendeur *m.* seller
Vendôme : place ~ *near the Tuileries gardens*
vendre (se) sell
vendredi *m.* Friday
venger : se ~ take vengeance
venin *m.* venom, poison
venir (*aux.* **être**) come, spring up (*of plants*) ; **~ à bout de** overcome ; **~ de** *with inf.* have just *with part.;* **~ en aide** help ; **faire ~** summon ; **nouveau venu** *m.* newcomer ; **viens-nous-en ensemble** let us go away together, **152** 12 ; **où voulez-vous en ~** what are you driving at, **47** 4
Venise *f.* : **de ~** Venetian
vent *m.* wind, blast ; **au ~** streaming ; *see* **coup, orage**
vente *f.* sale
ventouse *f.* cupping-glass
ventre *m.* belly ; **~ creux** famished
ventriloque ventriloquist
ventru -e paunchy
vérandah *f.* veranda
verdeur *f.* vigor, alertness
verdure *f.* greenery, freshness
vérification *f.* examination (**des pouvoirs** of credentials)
vérifier verify, test
véritable real, genuine
vérité *f.* truth
vernir varnish ; *see* **botte**
verrai, verrais, *see* **voir**
verre *m.* glass ; **petit ~** glass of liqueur, **119** 27
vers toward, in response to
vers *m.* verse
vert -e green
vertueux -se virtuous
veste *f.* vest
vestiaire *m.* cloak-room
vestibule *m.* vestibule
vêtement *m.* garment, clothing
vêtir dress (**de** in)
veuf, veuve, widower, widow
veux, veut, *see* **vouloir**
vexer vex
vibrer vibrate, quiver, thrill
vice-président *m.* vice-president
victime *f.* victim
victoire *f.* victory
vide void, empty, vacant ; *m.* vacancy, emptiness, gap, void
vider empty, take out ; **vidé -e** "used up"
vie *f.* life, livelihood, living ; **à ~** lively
vieille *see* **vieux**
vieillir grow old, age (**de** by)
viendrai, viendrais, vienne, *see* **venir**

vierge *f.* virgin, Virgin Mary, **142** 16
vieux, vieille, old (man, woman, lady); **mon** ~ "old fellow"
vif -ve lively, brisk, sharp; ~**vement** briskly, sharply, keenly, eagerly, quickly, angrily, with animation; **à** ~**ve force** by main force
vigilant -e watchful
vigueur *f.* vigor
vilain -e vile, low
villa *f.* villa; ~ **de la Marse** country house at La Marse (*a suburb of Tunis*)
village *m.* village
ville *f.* city; *see* **extrémité**
vin *m.* wine
vingt twenty; ~**aine** *f.* score; **une** ~**aine de** some twenty; ~**-cinq** twenty-five; ~**-quatre** twenty-four
vinrent, vint, vînt, *see* **venir**
violemment forcibly
violence *f.* violence, violent act
violent -e violent
violet -te violet, purple
violette *f.* violet
vipère *f.* viper
virent *see* **voir**
virer turn
virilité *f.* virility, manhood
vis *f.* screw; **serrer la** ~ "put on the screws"
visage *m.* face; **en plein** ~ full in the face; **faire bon** ~ (**à**) be gracious to
vis-à-vis de in regard to, before
viser aim at
visible visible, obvious, "fit to be seen"; ~**ment** obviously
vision *f.* vision, "eyes"
visite *f.* visit, call; **en** ~ visiting
visiter visit
visiteur -se visitor
vit, vît, *see* **voir**
vite quick(ly)
vitrage *m.* glazing, sash
vitre *f.* windowpane
vitré -e glazed
vivacité *f.* vivacity, briskness
vive(ment) *see* **vif**
viveur *m.* high liver
vivre live (**de** on); **vive** "x" hurrah for "x"! long live "x"! **vivant -e** alive; **de son vivant** in his lifetime, **128** 23
vocératrice *f.* singer of dirges
vœu -x *m.* vow, wish
voici see here! here (it) is, this is it; ~ **que** behold!
voie *f.* way, track, street; ~ **ferrée** railway
voilà see! see here! come now! "you see!" there (here) is; **en** ~ **des** just think of the, **99** 28; **me** ~ at last I am, **171** 14
voile *m.* veil; *f.* sail
voilé -e veiled, hazy, obscured, muffled, thick (*voice*)
voiler: **se** ~ be veiled
voir see; **rien en laisser** ~ let any of it appear, **101** 9; **voyant -e** conspicuous; **voyons** see here!
voisin -e neighboring, next
voiture *f.* carriage, coach; ~ **de maître** private carriage; **monter en** ~ ride, **103** 23

voix *f.* voice, vote
vol *m.* theft; **au** ~ on the wing
volée *f.*: **à la** ~ in showers; **à toute** ~ at full speed; **de grande** ~ "high-flying," of high rank
voler steal, rob; flutter
volet *m.* shutter
voleur -se thief
volontaire voluntary, willing, intentional; ~**ment** -ly
volonté *f.* will, purpose, wish
volontiers gladly
voluptueux -se voluptuous, luxurious
vont *see* **aller**
vorace voracious
vote *m.* vote; ~ **par assis et levé** rising vote
voter vote
votre, vos, your; **le (la) vôtre, les vôtres,** yours, your people
voudrai, voudrais, *see* **vouloir**
vouloir wish, want, demand, expect, suppose, try, like, please; **voulu -e** intentional, purposeful; ~ **bien** be quite willing; ~ **de** care for, tolerate, put up with; **à** ~ "at your service," "yours"; **en** ~ **à** dislike, have a grudge against, wish ill to; **lui en** ~ blame him for it; **voulez-, 170** 24, *for* **voulez-vous,** *by emotional ellipsis; see* **venir**
vouloir *m.* will
vous you, yourselves, each other
voûte *f.* vaulted gateway
voûté -e bent, arched
voyage *m.* trip, travel, **166** 7; **en** ~ travelling; *see* **noce**
voyager travel, move, float
voyageur -se migratory; traveller; **hôtel des** ~**s** hotel
voyais, voyant, voyons, *see* **voir**
vrai -e true, genuine, real(ly); ~**ment** really
vraisemblablement probably
vu -e *see* **voir**
vue *f.* view, sight, vision; **de** ~ by sight
Vulcain *m.* Vulcan (*Roman fire-god*)
vulgaire vulgar, plebeian, common
vulgarité *f.* vulgarity
vulnérable vulnerable

wagon *m.* railway car

y there, here, to (for, in, by, from) it (him, her, them); **n'**~ **être pour rien** have nothing to do with it; *see* **avoir**
yacht (*English*) *m.* yacht
yeux *see* **œil**

zézayer lisp
zone *f.* zone, region